第3予想

学科　問題42

不動産の登記や調査に関する次の記述のうち、最も不適切なものはどれか。
1. 不動産登記には公信力がないため、登記記録を確認し、その登記記録の内容が真実であると信じて取引しても、その登記記録の内容が真実と異なっていた場合、法的に保護されないことがある。(→〇)
2. 不動産の登記記録において、土地の所有者とその土〔　　　　　　　〕その土地の登記記録に借地権の登記がなければ、借地権〔　　　　〕
3. 同一の不動産について二重に売買契約が締結された場〔　　　　〕買契約の締結の先後にかかわらず、原則として、所有〔　　　〕産の所有権の取得を対抗することができる。(→〇)
4. 公図（旧土地台帳附属地図）は、登記所に備え付け〔　　　　〕、対象となる土地の位置関係を確認する資料として有用である。(→〇)

  当たった!

 本試験問題

学科　問題41

不動産の登記や調査に関する次の記述のうち、最も不適切なものはどれか。
1. 不動産の登記記録において、土地の所有者とその土地上の建物の所有者が異なる場合は、その土地の登記記録に借地権の登記がなくても、借地権が設定されていることがある。(→〇)
2. 不動産登記には公信力がないため、登記記録を確認し、その登記記録の内容が真実であると信じて取引しても、その登記記録の内容が真実と異なっていた場合、法的に保護されないことがある。(→〇)
3. 不動産の抵当権設定登記をした場合、当該不動産の登記記録の権利部甲区に、債権額や抵当権者の氏名または名称などが記載される。(→✕)
4. 公図は地図に準ずる図面として登記所に備え付けられており、対象とする土地の位置関係や形状等を確認する資料として有用である。(→〇)

 第3予想

学科　問題60

各種金融資産の相続税評価に関する次の記述のうち、最も不適切なものはどれか。
1. 個人向け国債の価額は、課税時期において中途換金した場合に、取扱金融機関から支払を受けることができる価額により評価する。(→〇)
2. 相続開始時において、保険事故がまだ発生していない生命保険契約に関する権利の価額は、原則として、相続開始時においてその契約を解約するとした場合に支払われることとなる解約返戻金の額により評価する。(→〇)
3. 普通預金の価額は、既経過利息の額が少額である場合でも、課税時期現在の預入高に源泉所得税相当額控除後の既経過利息を加算した額により評価する。(→✕)
4. 外貨定期預金の価額の円貨換算については、原則として、取引金融機関が公表する課税時期における対顧客直物電信買相場（TTB）またはこれに準ずる相場による。(→〇)

 当たった!

 本試験問題

学科　問題58

金融資産の相続税評価に関する次の記述のうち、最も不適切なものはどれか。
1. 普通預金の価額は、課税時期現在の既経過利子の額が少額なものに限り、課税時期現在の預入高によって評価する。(→〇)
2. 外貨預金の邦貨換算は、原則として、取引金融機関が公表するその外貨預金の預入時における最終の対顧客直物電信買相場（TTB）またはこれに準ずる相場による。(→✕)
3. 金融商品取引所に上場されている利付公社債の価額は、原則として、課税時期の最終価格と課税時期において利払期が到来していない利息のうち源泉所得税相当額控除後の既経過利息の額との合計額によって評価する。(→〇)
4. 相続開始時において、保険事故がまだ発生していない生命保険契約（解約返戻金等のないものを除く）に関する権利の価額は、原則として、相続開始時においてその契約を解約するとした場合に支払われることとなる解約返戻金の額によって評価する。(→〇)

あてるFPでかけこみ合格!

START

1 出題歴と予想をチェック!

TAC独自のデータベースに基づく予想を
チェック。学習すべきところが一目でわかる!

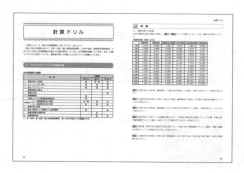

2 計算問題を完全攻略!

頻出の計算問題を収載。学科・実技の
計算問題対策はこれで終了!

3 模試3回分にチャレンジ!

本試験を完全再現した模試3回分を解いて
予行演習をしよう! TACの模試は年3回、
試験ごとの刊行だから法改正にも完全対応!

模試3箇条
- 集中できる環境をつくる
- 時間を計って解く
- 解いたらすぐに復習する

4 復習でニガテ をつぶそう！

苦手論点チェックシートで復習すべきところが
まるわかり！ TAC講師陣による詳細な解答・
解説でインプットも完璧。

5 2024年9月・2025年1月の 試験解説をダウンロード！

直近の過去問解説をダウンロードできる！
TACのオリジナル解説で復習も完璧！

TAC出版書籍販売サイト「Cyber Book Store」 TAC出版 検索

読者様限定 書籍連動ダウンロードサービス パスワード 250111389

※ダウンロードサービスは2024年11月上旬（9月試験）、2025年4月上旬（1月試験）よりご利用頂ける予定です。
　ダウンロード期限は2025年6月末日までとなっております。

6 直前つめこみノートを 試験当日まで持ち歩こう！

これ1冊で20点アップ！ 暗記ポイントがコンパクトに
まとめられたノートで、移動中も学習できる！
市販の赤シートに対応。

GOAL

2025年1月・5月 本試験

模試を制する者は本試験を制す！

次の試験はここが出る！ TAC講師の予想を大公開！

近年の出題傾向と、予想的中に定評のあるTAC講師の予想から次回の出題を大予想！

1 ライフプランニングと資金計画

予想論点ベスト5	予想の根拠			
	川村講師の3つ星予想	過去の出題歴		
		2023.9	2024.1	2024.5
1位 公的年金	★	◎	◎	◎
1位 ライフプランニングと6つの係数	★	◎	◎	◎
3位 公的医療保険・公的介護保険	★	◎	○	○
4位 ファイナンシャルプランニングと関連法規		○	○	○
5位 企業年金・個人年金等		○	○	△
5位 住宅資金設計		○	△	○
その他の論点				
労働者災害補償保険・雇用保険		△	△	○
中小法人の資金計画		△	△	
リタイアメントプランニング		△		△
教育資金設計			△	
ローンとカード			△	
年金と税金			△	

講師の3つ星予想では、次回試験で狙われそうな論点を3つ予想しました（★マーク）。
出題歴は、学科、金財（個人資産）、日本FP協会の合計出題数を表します（◎＝4問以上出題、○＝2、3問出題、△＝1問出題）。
それぞれ、◎＝4点、○＝3点、★＝2点、△＝1点として集計し、予想論点ベスト5を算出しました。

川村講師の必勝アドバイス！

学科

出題の中心は**公的年金**です。老齢給付だけでなく障害給付や遺族給付も理解しておく必要があります。次に押さえたいのが、医療、雇用、労災、介護など**社会保険**です。ここまでで4問程度出題されますので、あとは関連法規、教育資金設計、住宅資金設計、企業年金など得点できそうな論点を作っておきましょう。なお、財務分析、中小企業の資金調達、クレジットカードなども準備をしておきましょう。

実技

金財（個人資産）は**年金の計算問題**が毎回出題されています。資料として計算式が与えられますが、得点するためには何回も計算練習をして、慣れておくことが大切です。日本FP協会では、**6つの係数**が3題、**キャッシュフロー表**の経過年数後の数値や金融資産残高、**個人バランスシート**の純資産が出題されますので、正解したいところです。

2 リスク管理

予想論点ベスト5	予想の根拠			
	川村講師の3つ星予想	過去の出題歴		
		2023.9	2024.1	2024.5
1位 生命保険の種類と商品	★	◎	◎	◎
2位 損害保険の種類と商品	★	○	◎	○
3位 生命保険と税金	★	○		○
4位 第三分野の保険		△	△	○
5位 保険業法・保険法と保険契約者保護機構		△	○	
その他の論点				
損害保険の活用・リスク		△	△	
法人契約の経理処理		△		△
損害保険と税金		△		△
生命保険のしくみと保険料		△		
生命保険の活用・リスク				△

川村講師の必勝アドバイス！

学科

生命保険、損害保険ともに**保険商品の知識**が問われます。生命保険では、特に保険料や保険金・給付金の特徴を整理しておきましょう。損害保険では、特に商品ごとの補償範囲をマスターしましょう。中でも、自動車保険・傷害保険が頻出です。次に出題されやすいのは、保険料や保険金に係る**税金関連**です。契約形態と各種税金、生命保険料控除、地震保険料控除について正確に理解しておきましょう。さらに、法人が契約者である保険契約の保険料の経理処理や、生命保険・損害保険を活用したリスク管理も問われますが、出題項目は限定的ですので、苦手意識を持たずに学習しましょう。

実技

金財（個人資産）では出題されませんので気を付けてください。一方、日本ＦＰ協会の実技試験では出題があります。特徴的なのは、生命保険および医療・がん保険に係る**保険証券や保険提案書の読み取り**問題が毎回出題されることです。出題パターーンが決まっていますので、事前にしっかりと問題演習をすることが高得点の近道になります。なお、傷害保険、火災保険、自動車保険に係る保険証券の読み取り、地震保険料の算出も出題されていますが、基礎知識があれば対応可能です。

3 金融資産運用

予想論点ベスト5	予想の根拠			
	川村講師の 3つ星予想	過去の出題歴		
		2023.9	2024.1	2024.5
1位 債券	★	○	◎	◎
2位 株式	★	◎	○	○
3位 投資信託		○	◎	○
4位 金融商品と税金	★	○	○	△
5位 セーフティネット・関連法規		△	△	○
5位 ポートフォリオ理論		△	△	○
5位 経済・金融の基礎知識		△	○	△
その他の論点				
外貨建て金融商品		△		○
デリバティブ取引・金投資		△	△	△
貯蓄型商品			△	△

川村講師の必勝アドバイス!

学科

株式・債券・金融商品と税金が出題の三冠王です。出題パターンを把握できるまで問題演習を繰り返しましょう。投資指標では、ＰＥＲ・ＰＢＲ・ＲＯＥ・配当利回りの計算や特徴が問われますので、マスターしておきましょう。2024年１月から抜本的拡充がなされたＮＩＳＡ（**少額投資非課税制度**）も頻繁に出題されていますので、年間投資枠を始めとして新制度の特徴を把握しておきましょう。また、デリバティブ取引の出題頻度が上がってきています。オプション・スワップ等の基本的な特徴を押さえるようにして下さい。さらに、投資信託の分類、経済・金融の基礎知識、セーフティネット、ポートフォリオ理論も問われますので、準備が必要です。

実技

金財（個人資産）からの出題では、必ず１問は計算問題で、ほとんどがＰＥＲ、ＰＢＲ、ＲＯＥなど**株式の投資指標を算出する問題**です。また、債券の利回り計算や外貨預金の運用利回りも出題されることがありますので、準備が必要です。日本ＦＰ協会の実技試験では、**ＰＥＲやＰＢＲなどの投資指標を算出する問題、外貨預金を満期時に円転した金額を算出する問題、投資信託の個別元本を算出する問題**の出題頻度が高いです。

4 タックスプランニング

	予想論点ベスト5	予想の根拠			
		川村講師の3つ星予想	過去の出題歴		
			2023.9	2024.1	2024.5
1位	総所得金額・損益通算など	★	◎	○	◎
2位	所得控除	★	○	○	◎
3位	法人税	★	○	○	○
4位	各種所得の内容		◎	◎	△
5位	わが国の税制・所得税の仕組み		△	○	○
その他の論点					
消費税			△	△	○
所得税の申告と納付			○	△	
会社・役員間の税務			△	△	△
決算書と法人税申告書			△	△	
税額控除					△
住民税					△

川村講師の必勝アドバイス！

学科

所得税、法人税、消費税が出題の中心です。特に**所得税が過半**を占めています。まずは所得税を攻略しましょう。**各種所得の金額の計算、損益通算、所得控除、税額控除は頻出項目**です。「各種所得の金額計算」に始まる所得税の計算過程を意識しながら学習すると効果的です。

法人税や消費税は出題される論点が限られています。法人税については**仕組みや損金算入の可否、会社役員間の税務**が頻出です。消費税については**課税取引と非課税取引の区別、課税事業者と免税事業者の区別**が頻出です。インボイス制度の基本事項もよく見ておきましょう。なお、1問ですが、決算書や法人税の申告書について出題されています。

実技

金財（個人資産）では、**各種所得の金額の算出、総所得金額の算出**を中心に、確実に得点できるよう学習してください。日本FP協会からの出題は、**退職所得の金額の算出、生命保険料控除額の算出、総所得金額の算出**（総所得金額に含まれる一時所得を求めることが必要なもの）がよく問われますので、計算方法をマスターしておきましょう。

5 不動産

予想論点ベスト5	川村講師の3つ星予想	予想の根拠		
		過去の出題歴		
		2023.9	2024.1	2024.5
1位 建築基準法	★	◯	◯	◯
1位 不動産の譲渡に係る税金	★	◯	◯	◯
3位 借地借家法	★	◯	△	◯
3位 不動産投資と有効活用		◯		◯
5位 民法（売買契約）と宅地建物取引業法		△	△	◯
5位 不動産の価格と鑑定評価		△	△	◯
その他の論点				
不動産登記		◯		△
不動産の投資判断手法			△	◯
不動産の取得に係る税金（不動産取得税・登録免許税・印紙税）		◯		
区分所有法		△	△	△
不動産の保有に係る税金（固定資産税と都市計画税）			△	△
都市計画法			△	
不動産の広告			△	

川村講師の必勝アドバイス！

学科

不動産に関する法律と税金が2大テーマです。法律についての出題が6、7割で、**建築基準法**では日影規制や容積率、**借地借家法**では定期借地権や定期借家権などは要チェックです。不動産に関する税金については、「取得」「保有」「譲渡」の3つに分けて勉強するのが効率的です。なかでも、不動産を譲渡したときの譲渡所得や「**居住用不動産の譲渡の特例**」は頻出です。さらに、土地の有効活用の手法の一般的な特徴や、不動産の投資判断手法の概要も整理しておきましょう。

実技

金財（個人資産）での出題は、**不動産の有効活用に関する問題**と**建蔽率・容積率の計算問題**が多いです。過去問題の演習をしっかりと行うことが大切です。日本FP協会からは、建蔽率・容積率の計算問題はもちろんのこと、**登記事項証明書の読み取り問題**が出題されています。また、**3,000万円特別控除の特例**の適用を受けた場合の譲渡所得の金額の算出問題、**マンション販売価格に占める土地の価格の算出問題、マンション投資における実質利回りの算出問題**も定期的に出題されていますので注意が必要です。

6 相続・事業承継

予想論点ベスト5	川村講師の 3つ星予想	予想の根拠 過去の出題歴		
		2023.9	2024.1	2024.5
1位 相続人と相続分、相続放棄、親族等	★	○	○	○
1位 遺言と遺産分割	★	○	○	○
3位 贈与と法律、贈与税		○	○	◎
4位 相続税の課税価格	★	○	○	△
5位 財産評価		△	○	○
5位 小規模宅地等の評価減の特例		○	△	○
その他の論点				
事業承継対策		○	△	△
相続税・贈与税の申告・納付		○		△
相続税の総額		△	△	△
相続税の税額控除・2割加算			△	△
会社法			△	

川村講師の必勝アドバイス！

学科

「民法」「相続税法」の2つを明確に分けて学習しましょう。「民法」では、**親族等に係る民法の規定、相続人と相続分、遺言、遺産分割、贈与契約**が頻出です。「相続税法」では、**贈与税の課税財産・非課税財産、贈与税の配偶者控除、相続税の課税財産、債務控除、財産評価（特に宅地）**が頻出です。これらの内容をしっかりと理解しておくことで、遺産分割対策や納税資金対策などの総合問題に対応することができます。

実技

金財（個人資産）では、**相続税の総額の計算**が定番です。また、**小規模宅地等の特例**に関する問題や**贈与税の非課税の特例**に関する問題もあります。日本ＦＰ協会からの出題は、**相続分・遺留分、宅地の相続税評価額、課税価格の合計額、贈与税額の算出**など基礎的な計算問題が出題されますので、出題形式に慣れて確実に正解できるようにしましょう。

FP技能検定2級　試験制度

受検資格

次のいずれかに該当する者

①3級FP技能検定または金融渉外技能審査3級合格者、②日本FP協会が認定するAFP認定研修を修了した者、③2年以上の実務経験を有する者

法令基準日

2025年1月試験・5月試験の法令基準日：**2024年10月1日**

（1月・5月試験の法令基準日は前年の10月1日、9月試験はその年の4月1日）

試験日程（2025年5月試験の日程は下記実施団体のHPを参照してください）

試験日	2025年1月26日（日）
受検申請受付期間	2024年11月13日（水）〜12月3日（火）
合格発表日	2025年3月7日（金）

学科試験

受検料	5,700円
出題形式	マークシート形式　4答択一式　60問
試験時間	10：00〜12：00（120分）
合格基準	60点満点で36点以上（6割）

※　学科試験は、金財・日本FP協会ともに共通の内容です。

実技試験

	金　財	日本FP協会
出題科目	個人資産相談業務、生保顧客資産相談業務、中小事業主資産相談業務、損保顧客資産相談業務のうちから1つ選択	資産設計提案業務
受検料	6,000円	6,000円
出題形式	事例形式5題（15問）	記述式40問
試験時間	13：30〜15：00（90分）	13：30〜15：00（90分）
合格基準	50点満点で30点以上（6割）	100点満点で60点以上（6割）

※　2級FP技能士を取得するためには、学科試験と実技試験の両方に合格する必要があります。同日に学科と実技の両方を受検することができます。学科試験あるいは実技試験のどちらかに合格した場合は、それぞれの試験が免除される、免除制度があります。ただし、一部合格による試験免除の期限は、合格した試験実施日の翌々年度末までとなっています。

試験実施団体

詳細は、以下の試験実施団体にお問い合わせください。

一般社団法人 金融財政事情研究会
HP：https://www.kinzai.or.jp/
TEL：03-3358-0771

NPO法人　日本FP協会
HP：https://www.jafp.or.jp/
TEL：03-5403-9890

CONTENTS

直前予想模試　解答・解説

学　科

実　技

直前予想模試　問題〈別冊〉

学　科
第１・２・３予想
実　技
金財　個人資産相談業務／金財　生保顧客資産相談業務／日本FP協会　資産設計提案業務

答案用紙

　別 冊 特 典
20点UP!!　直前つめこみノート

計 算 ド リ ル

「計算ドリル」で、頻出の計算問題を一気にマスターしましょう！

　過去３回分の試験において、学科・金財（個人資産相談業務）・日本FP協会（資産設計提案業務）で合わせて２回以上計算問題が出題された頻出項目については、必ず問題を掲載しています。なお、出題されていない項目についても、重要度が高いと判断したものについては掲載しています。

1　ライフプランニングと資金計画

●計算問題の出題歴

項　目		出題歴		
		2023.9	2024.1	2024.5
1．係数を使った計算		協	学・協	協
2．キャッシュフロー表		協	協	協
3．個人バランスシート		協	協	協
健康保険料の算出				
傷病手当金				協
4．高額療養費		協		
介護サービスの利用者負担額合計		協		
老齢給付	5．老齢基礎年金の計算	金・協	金	金
	6．老齢厚生年金の計算	金	金	金
7．遺族年金の計算				
8．繰上げ返済により短縮される返済期間		協		協
貸借対照表の財務分析			金	
9．在職老齢年金			協	協

※　学＝学科、金＝金財（個人資産相談業務）、協＝日本FP協会での出題歴を示す。

問　題

〈1．係数を使った計算〉

下記の係数早見表を乗算で使用し、問1〜問6について計算しなさい。なお、解答は円単位とすること。

〈係数早見表（年利1.0％）〉

	終価係数	現価係数	減債基金係数	資本回収係数	年金終価係数	年金現価係数
1年	1.010	0.990	1.000	1.010	1.000	0.990
2年	1.020	0.980	0.498	0.508	2.010	1.970
3年	1.030	0.971	0.330	0.340	3.030	2.941
4年	1.041	0.961	0.246	0.256	4.060	3.902
5年	1.051	0.951	0.196	0.206	5.101	4.853
6年	1.062	0.942	0.163	0.173	6.152	5.795
7年	1.072	0.933	0.139	0.149	7.214	6.728
8年	1.083	0.923	0.121	0.131	8.286	7.652
9年	1.094	0.914	0.107	0.117	9.369	8.566
10年	1.105	0.905	0.096	0.106	10.462	9.471
15年	1.161	0.861	0.062	0.072	16.097	13.865
20年	1.220	0.820	0.045	0.055	22.019	18.046
25年	1.282	0.780	0.035	0.045	28.243	22.023
30年	1.348	0.742	0.029	0.039	34.785	25.808

問1　年利1.0％で15年間、複利運用して300万円を用意したい場合、現在の元金はいくら必要か求めなさい。

問2　元金270万円を利率（年率）1.0％で8年間、複利運用する場合、8年後の元利合計金額はいくらになるか求めなさい。

問3　年利1.0％で10年間、複利運用しながら毎年15万円を積み立てた場合、元利合計はいくらになるか求めなさい。

問4　毎年年末に1回ずつ一定金額を積み立てて、7年後に200万円を用意したい。その間、年利1.0％で複利運用するとした場合、毎年いくらずつ積み立てればよいか求めなさい。

問5　20年間、毎年年末に200万円を受け取りたい。年利1.0％で複利運用するとした場合、受取り開始年の初めにいくらの資金があればよいか求めなさい。

問6　1,200万円を25年間、年利1.0％で複利運用しながら毎年1回、年末に取り崩す場合、毎年の取崩額を求めなさい。

〈2．キャッシュフロー表〉

問7 大山家のキャッシュフロー表の空欄（ア）～（ウ）に入る数値を計算しなさい。空欄（ア）に入る数値は下記データに基づいて計算しなさい。なお、2024年における一郎さんの収入は給与収入のみである。また、空欄（イ）および（ウ）の計算過程においては端数処理をせず計算し、計算結果については万円未満を四捨五入すること。

〈収入および支出に関するデータ〉

2024年分の一郎さんの給与収入（額面）　780万円

2024年に一郎さんの給与から天引きされた支出の年間合計金額					
厚生年金保険料	70万円	健康保険・介護保険料	45万円	雇用保険料	5万円
所得税	60万円	住民税	53万円	財形貯蓄	25万円
社内預金	30万円	従業員持株会	10万円	社内あっせん販売	10万円

〈キャッシュフロー表〉　　　　　　　　　　　　　　　　　　　　　　　　　（単位：万円）

経過年数			基準年	1年	2年	3年	4年
西暦（年）			2024	2025	2026	2027	2028
家族構成／年齢	大山　一郎	本人	54歳	55歳	56歳	57歳	58歳
	奈美	妻	47歳	48歳	49歳	50歳	51歳
	圭太	長男	14歳	15歳	16歳	17歳	18歳
	美優	長女	12歳	13歳	14歳	15歳	16歳
ライフイベント		変動率		美憂中学校入学	圭太高校入学	外壁の補修	美優高校入学
収入	給与収入（本人）	1％	（　ア　）				
	給与収入（妻）	1％	284		290		296
	収入合計	—					
支出	基本生活費	2％	175				（　イ　）
	住居費	—	204	204	204	204	204
	教育費	1％	64				
	保険料	—	48	48	60	60	60
	一時的支出	—	11	50	50		
	その他支出	2％	50				
	支出合計	—	552				
年間収支		—			235		
金融資産残高		1％	700	949	（　ウ　）		

※　年齢および金融資産残高は各年12月31日現在のものとし、2024年を基準年とする。

※　給与収入は可処分所得で記載している。

※　記載されている数値は正しいものとする。

※　問題作成の都合上、一部を空欄としている。

〈3．個人バランスシート〉

問8 財務データの各資料をもとに、現時点（2025年1月1日）における北山家（守さんと恵さん）の
バランスシート分析を行い、下表の空欄（ア）に入る数値を計算しなさい。

【北山家（守さんと恵さん）のバランスシート】 （単位：万円）

[資産]		[負債]	
金融資産		住宅ローン	×××
現金・預貯金	×××	事業用借入	×××
株式・債券等	×××		
生命保険（解約返戻金相当額）	×××		
不動産			
土地（自宅の敷地）	×××	負債合計	×××
建物（自宅の家屋）	×××		
土地（事務所の敷地）	×××		
建物（事務所の建物）	×××		
その他		[純資産]	（　ア　）
事務用資産（不動産以外）	×××		
動産等	×××		
資産合計	×××	負債・純資産合計	×××

【北山家（守さんと恵さん）の財産の状況】

〈資料①：保有財産（時価）〉 （単位：万円）

	守	恵
金融資産		
現金・預貯金	2,950	870
株式・債券等	1,100	200
生命保険（解約返戻金相当額）	[資料③] を参照	[資料③] を参照
不動産		
土地（自宅の敷地）	3,600	
建物（自宅の家屋）	480	
土地（事務所の敷地）	3,400	
建物（事務所の家屋）	850	
その他		
事務用資産（不動産以外）	580	
動産等	180	210

〈資料②：負債残高〉

住宅ローン：900万円（債務者は守さん。団体信用生命保険付き）

事業用借入：1,850万円（債務者は守さん）

〈資料③：生命保険〉 (単位：万円)

保険種類	保険契約者	被保険者	死亡保険金受取人	保険金額	解約返戻金相当額
定期保険A	守	守	恵	1,000	－
定期保険特約付終身保険B	守	守	恵		
（終身保険部分）				200	120
（定期保険部分）				2,000	－
終身保険C	守	守	恵	400	240
終身保険D	守	恵	守	200	180
終身保険E	恵	恵	守	400	150

注1：解約返戻金相当額は、現時点（2025年1月1日）で解約した場合の金額である。

注2：すべての契約において、保険契約者が保険料を全額負担している。

注3：契約者配当および契約者貸付については考慮しないこと。

注4：終身保険Cには、主契約とは別に保険金額400万円の災害割増特約が付保されている。

〈4．高額療養費〉

問9 菅沼さん（35歳）は、病気療養のため2024年12月、病院に6日間入院し、退院後の同月内に同病院に6日間通院した。菅沼さんの2024年12月の1ヵ月間における保険診療分の医療費（窓口での自己負担分）が入院について24万円、退院後の通院について3万円、さらに入院時の食事代が9,000円、差額ベッド代が6万円であった場合、下記〈資料〉に基づく高額療養費として支給される額（円単位）はいくらか。なお、菅沼さんは全国健康保険協会管掌健康保険（協会けんぽ）の被保険者であって標準報酬月額は47万円であるものとする。また、病院に「健康保険限度額適用認定証」の提示や、マイナ保険証の利用はしておらず、多数該当は考慮しないものとし、同月中に〈資料〉以外の医療費はないものとする。

〈資料〉

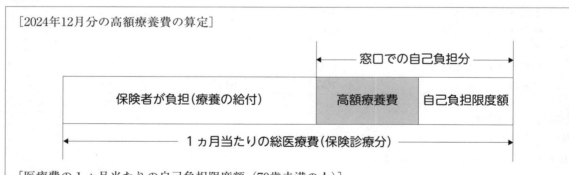

[2024年12月分の高額療養費の算定]

[医療費の1ヵ月当たりの自己負担限度額（70歳未満の人）]

標準報酬月額	自己負担限度額（月額）
83万円以上	252,600円＋（総医療費－842,000円）×1％
53万円～79万円	167,400円＋（総医療費－558,000円）×1％
28万円～50万円	80,100円＋（総医療費－267,000円）×1％
26万円以下	57,600円
市区町村民税非課税者等	35,400円

〈5．老齢基礎年金の計算〉

問10 山田さんは65歳から老齢基礎年金を受給することができるが、60歳になる2025年11月から繰上げ受給することを考えている。山田さんが60歳到達月に老齢基礎年金の支給繰上げの請求をした場合、60歳時に受け取ることができる繰上げ支給の老齢基礎年金（付加年金を含む）の額を求めなさい。なお、計算に当たっては、下記〈資料〉に基づくものとし、計算過程および老齢基礎年金の年金額については、円未満を四捨五入するものとする。また、振替加算は考慮しないものとする。

〈資料〉

［山田さんの国民年金保険料納付済期間］
1988年4月～2025年10月（451月）
※これ以外に保険料納付済期間はなく、保険料免除期間もないものとする。

［山田さんが付加保険料を納めた期間］
2005年7月～2025年10月（244月）

［その他］
・老齢基礎年金の額（満額）816,000円
・山田さんの加入可能年数　40年
・繰上げ受給による年金額の減額率
　繰上げ請求月から65歳に達する日の属する月の前月までの月数×0.4%

〈6．老齢厚生年金の計算〉

問11 山元等さんが、原則として65歳から受給することができる老齢厚生年金の年金額を求めなさい。なお、年金額は2024年度価額（本来水準による価額、新規裁定者）に基づくものとし、計算にあたっては、下記の〈資料〉を利用すること。また、端数処理については、以下のとおりとすること。
・〔計算過程〕においては、円未満を四捨五入
・〈答〉の年金額は、1円単位とする

〈山元等さんとその家族に関する資料〉

(1) 等さん（1973年3月28日生まれ）
・公的年金加入歴：下図のとおり（60歳までの見込みを含む）

20歳		51歳	60歳
厚生年金保険			国民年金
被保険者期間 120月 （平均標準報酬月額：28万円）	被保険者期間 254月 （平均標準報酬額：42万円）		保険料納付予定 105月
1993年4月	2003年4月		2024年6月

※ 1993年3月分の国民年金の保険料を納めておらず、未納期間となっている。

(2) 妻幸枝さん（1976年10月10日生まれ）

・短期大学卒業後からX社に勤務し、33歳で退職するまでは厚生年金保険に加入（被保険者期間は156月）していた。X社退職後は、第3号被保険者として国民年金に加入している。

(3) 長男貴大さん（2005年7月7日生まれ）

※妻幸枝さんは、現在および将来においても、等さんと同居し、生計維持関係にあるものとする。

※家族全員、現在および将来においても、公的年金制度における障害等級に該当する障害の状態にないものとする。

※上記以外の条件は考慮しない。

〈資料〉

○老齢厚生年金の計算式（本来水準の額、新規裁定者）

ⅰ）報酬比例部分の額（円未満四捨五入）＝ⓐ＋ⓑ

ⓐ 2003年3月以前の期間分

$$平均標準報酬月額 \times \frac{7.125}{1,000} \times 2003年3月以前の被保険者期間の月数$$

ⓑ 2003年4月以後の期間分

$$平均標準報酬額 \times \frac{5.481}{1,000} \times 2003年4月以後の被保険者期間の月数$$

ⅱ）経過的加算額（円未満四捨五入）＝1,701円×被保険者期間の月数

$$-816,000円 \times \frac{1961年4月以後で20歳以上60歳未満の厚生年金保険の被保険者期間の月数}{480月}$$

ⅲ）加給年金額＝408,100円（要件を満たしている場合のみ加算すること）

〈7．遺族年金の計算〉

問12 会社員の岩田晃太さん（46歳）は、妻美里さん（45歳）、長男良夫さん（11歳）および長女由子さん（9歳）との4人暮らしである。晃太さんは、自分が死亡した場合の遺族給付についてFPの秋山さんに質問した。晃太さんが2025年1月27日に死亡した場合、下記〈資料〉に基づき、妻美里さんが受給できる①遺族基礎年金の年金額（2024年度価額、新規裁定者）および②遺族厚生年金の年金額（本来水準による金額、2024年度価額）を計算しなさい。

〈資料〉

［岩田晃太さんとその家族］

(1) 晃太さん（1979年1月18日生まれ・会社員）

厚生年金保険、全国健康保険協会管掌健康保険、雇用保険に加入している。晃太さんの厚生年金保険加入歴等は以下のとおりである。

2003年3月以前：被保険者期間 24月、平均標準報酬月額 250,000円

2003年4月以降：被保険者期間 261月、平均標準報酬額 380,000円

(2) 妻美里さん（1979年10月30日生まれ・パート従業員）

20歳から22歳までの大学生であった期間（30月）は国民年金の第1号被保険者として保険料を

納付し、22歳から晃太さんと結婚するまでの10年間（120月）は厚生年金保険に加入。結婚後は、国民年金に第3号被保険者として加入している。また、全国健康保険協会管掌健康保険の被扶養者である。

(3) 長男良夫さん（2013年6月6日生まれ）

(4) 長女由子さん（2015年6月21日生まれ）

［遺族厚生年金の計算式］

遺族厚生年金の年金額（本来水準の額）＝（ⓐ＋ⓑ）× $\dfrac{\square\square\square 月}{\square\square\square 月}$ × $\square\square\square$

ⓐ2003年3月以前の期間分

平均標準報酬月額 × $\dfrac{7.125}{1,000}$ × 2003年3月以前の被保険者期間の月数

ⓑ2003年4月以降の期間分

平均標準報酬額 × $\dfrac{5.481}{1,000}$ × 2003年4月以降の被保険者期間の月数

※年金額の端数処理は円未満を四捨五入すること。

※問題の性質上、明らかにできない部分は「□□□」で示してある。

〈8．繰上げ返済により短縮される返済期間〉

問13 中村さんが現在居住している自宅の住宅ローン（借入金額2,200万円、固定金利選択型10年、金利3％、返済期間25年、元利均等返済、ボーナス返済なし）を121回返済後に、100万円以内で期間短縮型の繰上げ返済をする場合、この繰上げ返済により短縮される返済期間を計算しなさい。なお、計算に当たっては、下記〈資料〉を使用し、繰上げ返済額は100万円を超えない範囲での最大額とすること。また、繰上げ返済に伴う手数料等は考慮しないものとする。

〈資料：中村さんの住宅ローンの償還予定表の一部〉

返済回数（回）	毎月返済額（円）	うち元金（円）	うち利息（円）	残高（円）
120	104,326	66,393	37,933	15,107,049
121	104,326	66,559	37,767	15,040,490
122	104,326	66,725	37,601	14,973,765
123	104,326	66,892	37,434	14,906,873
124	104,326	67,059	37,267	14,839,814
125	104,326	67,227	37,099	14,772,587
126	104,326	67,395	36,931	14,705,192
127	104,326	67,564	36,762	14,637,628
128	104,326	67,732	36,594	14,569,896
129	104,326	67,902	36,424	14,501,994
130	104,326	68,072	36,254	14,433,922
131	104,326	68,242	36,084	14,365,680
132	104,326	68,412	35,914	14,297,268
133	104,326	68,583	35,743	14,228,685
134	104,326	68,755	35,571	14,159,930
135	104,326	68,927	35,399	14,091,003
136	104,326	69,099	35,227	14,021,904
137	104,326	69,272	35,054	13,952,632

〈9．在職老齢年金〉

問14 俊太さんは、現在の勤務先で、60歳の定年を迎えた後も継続雇用制度を利用し、厚生年金保険に加入しつつ70歳まで働き続ける場合の在職老齢年金について、ＦＰの上枝さんに質問をした。

下記〈資料〉に基づく条件で支給調整された老齢厚生年金の受給額（年額）を求めなさい。

〈資料〉

［俊太さんに関するデータ］

65歳以降の給与（標準報酬月額）	40万円
65歳以降の賞与（１年間の標準賞与額）	120万円 ※６月と12月にそれぞれ60万円
老齢厚生年金の受給額（年額）	108万円
老齢基礎年金の受給額（年額）	78万円

［在職老齢年金に係る計算式］

基本月額：老齢厚生年金（報酬比例部分）÷12

総報酬月額相当額：その月の標準報酬月額＋その月以前の１年間の標準賞与額の合計÷12

支給停止額：（基本月額＋総報酬月額相当額−50万円）×１／２

支給調整後の老齢厚生年金の受給額（年額）：（基本月額−支給停止額）×12

※俊太さんは、老齢年金を65歳から受給するものとする。

※記載以外の老齢年金の受給要件はすべて満たしているものとする。

※老齢厚生年金の受給額は、加給年金額および経過的加算額を考慮しないものとする。

解　答

〈1．係数を使った計算〉

解1 **2,583,000円**

複利運用しながら、将来の目標額を達成するために必要な元金を試算する場合は、現価係数を使う。

> **（現在必要な）元金＝目標額（元利合計）×現価係数**

300万円×0.861＝<u>2,583,000円</u>

解2 **2,924,100円**

複利運用しながら、将来の預金の元利合計などを試算する場合は、終価係数を使う。

> **元利合計＝元金×終価係数**

270万円×1.083＝<u>2,924,100円</u>

解3 **1,569,300円**

複利運用しながら、毎年定額積立てを行うと将来の元利合計額はいくらになるかを試算する場合は、年金終価係数を使う。

> 積立後の元利合計額＝毎年の積立額×年金終価係数

15万円×10.462＝<u>1,569,300円</u>

解4 278,000円

複利運用しながら、将来の貯蓄目標額を達成するために必要となる毎年の積立額などを試算する場合は、減債基金係数を使う。

> 毎年の積立額＝積立後の目標額×減債基金係数

200万円×0.139＝<u>278,000円</u>

解5 36,092,000円

複利運用しながら、毎年、一定額を受け取るために必要な元金などを試算する場合は、年金現価係数を使う。

> 年金原資（最初に必要な原資）＝毎年の年金額×年金現価係数

200万円×18.046＝<u>36,092,000円</u>

解6 540,000円

毎年の取崩額などを試算する場合は、資本回収係数を使う。

> 毎年の取崩額＝元金×資本回収係数

1,200万円×0.045＝<u>540,000円</u>

〈2．キャッシュフロー表〉

解7 （ア）547 （イ）189 （ウ）1,193

（ア）キャッシュフロー表の収入欄は可処分所得を記載する。可処分所得は、次の式を利用する。

> 可処分所得の金額＝給与収入－（社会保険料＋所得税・住民税）

780万円－（70万円＋45万円＋5万円＋60万円＋53万円）＝<u>547万円</u>

（イ）変動率を加味した将来の金額を求める場合は、次の式を利用する。

> 将来の金額＝基準年の金額×（1＋変動率）^{年数}

175万円×（1＋0.02）^{4}＝189.4…万円≒<u>189万円</u>（万円未満四捨五入）

（ウ）金融資産残高を求める場合は、次の式を利用する。

> 金融資産残高＝前年の金融資産残高×（1＋運用利率）±当年の年間収支

金融資産残高＝949万円×（1＋0.01）＋235万円＝1,193.49万円≒<u>1,193万円</u>（万円未満四捨五入）

〈3. 個人バランスシート〉

解8 **12,360**

【北山家（守さんと恵さん）のバランスシート】　　　　　　　　　　　（単位：万円）

[資産]		[負債]	
金融資産		住宅ローン	900
現金・預貯金	3,820	事業用借入	1,850
株式・債券等	1,300		
生命保険（解約返戻金相当額）	690		
不動産			
土地（自宅の敷地）	3,600	負債合計	2,750
建物（自宅の家屋）	480		
土地（事務所の敷地）	3,400		
建物（事務所の建物）	850		
その他		[純資産]	12,360
事務用資産（不動産以外）	580		
動産等	390		
資産合計	15,110	負債・純資産合計	15,110

バランスシートの作成の手順は次のとおりである。

① 財務データ〈保有財産（時価）〉〈負債残高〉〈生命保険〉から、資産合計と負債合計を求める。

資産合計は15,110万円、負債合計は2,750万円となる。

② 「資産合計＝負債＋純資産」であるため、負債＋純資産も15,110万円となる。

③ 純資産を求める。

純資産＝資産合計−負債合計＝15,110万円−2,750万円＝<u>12,360万円</u>

〈4. 高額療養費〉

解9 **183,570円**

高額療養費の対象は、入院および通院についての医療費であり、入院時の食事代や差額ベッド代は対象外である。窓口での自己負担割合は3割であるため、総医療費は次のとおりである。

（240,000円＋30,000円）÷0.3＝900,000円

標準報酬月額が47万円であるため、自己負担限度額は次のとおりである。

80,100円＋（900,000円−267,000円）×1％＝86,430円

高額療養費として支給される額は、窓口負担額から自己負担限度額を差し引いた額である。

（240,000円＋30,000円）−86,430円＝<u>183,570円</u>

〈5. 老齢基礎年金の計算〉

解10 **619,780円**

・老齢基礎年金の額

$$816,000円 \times \frac{451月}{480月} = 766,700円$$

766,700円×（1−0.4％×12ヵ月×5年）＝582,692円

・付加年金の額

200円×244月＝48,800円

48,800円×（1−0.4％×12ヵ月×5年）＝37,088円

・老齢基礎年金（付加年金を含む）の額

582,692円＋37,088円＝<u>619,780円</u>

〈6．老齢厚生年金の計算〉

解11 **1,232,587円**

ⅰ）報酬比例部分の額

$$280,000円 \times \frac{7.125}{1,000} \times 120月 + 420,000円 \times \frac{5.481}{1,000} \times 254月 ≒ 824,113円$$

ⅱ）経過的加算額

$$1,701円 \times 374月^{※} - 816,000円 \times \frac{374月^{※}}{480月} = 374円$$

※　120月 + 254月 = 374月

基本年金額

ⅰ）+ ⅱ）= 824,487円

老齢厚生年金の年金額

824,487円 + 408,100円 = <u>1,232,587円</u>

（注）加給年金額は厚生年金保険の被保険者期間が20年（240月）以上ある者が、65歳到達時点でその者に生計を維持されている65歳未満の配偶者、18歳到達年度の末日までの間の子または1級・2級の障害の状態にある20歳未満の子がいるときに加算される。等さんが65歳になったときにおいて、配偶者幸枝さんは65歳未満であるため加給年金額は加算される。

〈7．遺族年金の計算〉

解12 ①**1,285,600円**　②**462,912円**

①遺族基礎年金の年金額（新規裁定者）

816,000円 + 234,800円 + 234,800円 = <u>1,285,600円</u>

※資料に年金額が与えられていない問題もあるため、暗記しておく必要がある。

※遺族基礎年金額 = 816,000円 + 子の加算（第1子・第2子：234,800円、第3子以降：78,300円）

②遺族厚生年金の年金額

$$\left(250,000円 \times \frac{7.125}{1,000} \times 24月 + 380,000円 \times \frac{5.481}{1,000} \times 261月\right) \times \frac{300月}{285月} \times \frac{3}{4} ≒ \underline{462,912円}（円未満四捨五入）$$

※厚生年金保険の被保険者が死亡した場合、短期要件に該当し、被保険者期間が300月未満のときは、300月として年金額を計算する。

24月 + 261月 = 285月 < 300月

※遺族厚生年金の年金額（基本額）は、報酬比例部分の4分の3相当額である。

〈8．繰上げ返済により短縮される返済期間〉

解13 **1年2ヵ月（14ヵ月）**

121回返済後の残高15,040,490円から100万円返済した額に近い返済回数の残高を探す。

15,040,490円 - 100万円 = 14,040,490円

「返済額は100万円を超えない範囲での最大額」とあるため、14,040,490円を下回らない残高の返済回数までとなり、135回の14,091,003円が該当する。

返済回数135回 - 121回 = 14回 → <u>1年2ヵ月</u>（14ヵ月）

〈9．在職老齢年金〉

解14 **540,000円**

〈資料〉［在職老齢年金に係る計算式〕より、

基本月額：老齢厚生年金（報酬比例部分）÷12

         ＝108万円÷12＝90,000円

総報酬月額相当額：その月の標準報酬月額＋その月以前の１年間の標準賞与額の合計÷12

         ＝40万円＋120万円÷12＝50万円

支給停止額：（基本月額＋総報酬月額相当額－50万円）×1/2

         ＝（９万円＋50万円－50万円）×1/2

         ＝９万円×1/2＝45,000円

支給調整後の老齢厚生年金の受給額(年額)：（基本月額－支給停止額）×12

         ＝（90,000円－45,000円）×12＝<u>540,000円</u>

2　リスク管理

●計算問題の出題歴

項　目	出題歴		
	2023.9	2024.1	2024.5
1．医療保険の保障内容	協	協	協
2．生命保険料控除		協	
3．地震保険料の金額	協		
4．収入保障保険の年金総額			

問　題

〈1．医療保険の保障内容〉

問1　宮崎園子さん（37歳）は医療保険への加入を検討しており、下記〈資料1〉〈資料2〉の2つの商品内容を比較している。保険会社から支払われる給付金や保険金についての記述の空欄（ア）〜（カ）にあてはまる数値を計算しなさい。なお、各々の記述はそれぞれ独立した問題であり、相互に影響を与えないものとする。

〈資料1〉

保険提案書 医療治療保険A（無解約返戻金型）

保険契約者：宮崎園子 様　　被保険者：宮崎園子 様　　年齢・性別：37歳・女性

入院治療一時金
手術給付金
先進医療給付金・先進医療一時金

予定契約日：2025年2月1日
保険料：×,×××円（月払い、口座振替）

▲
37歳契約　　　　　保険期間・保険料払込期間終身

◇ご提案内容

	主なお支払事由	給付金額
入院治療一時金	病気やケガにより1日以上入院したとき（日帰り入院から保障）	1回につき5万円
手術給付金	公的医療保険制度の対象となる所定の手術を受けたとき	手術の種類に応じて1回につき入院治療一時金の5倍・2倍・1倍
先進医療給付金	先進医療による療養を受けたとき	1回の療養につき先進医療にかかる技術料と同額
先進医療一時金	先進医療給付金のお支払事由に該当する療養を受けたとき	1回の療養につき10万円

◇ご留意事項（抜粋）

　入院治療一時金について、お支払事由に該当する入院を2回以上した場合は、それぞれの入院が同一の原因であるか、別の原因であるかにかかわらず、1回の入院とみなします。ただし、入院治療一時金が支払われることとなった最後の入院の退院日の翌日から180日を経過して開始した入院については、別の入院としてお取り扱いします。

〈資料２〉

保険提案書 終身医療保険Ｂ（無解約返戻金型）

保険契約者・被保険者：宮崎園子 様　　　年齢・性別：37歳・女性

入院給付金
手術給付金
先進医療給付金

▲
37歳契約　　　　　　　保険期間・保険料払込期間終身

予定契約日：2025年2月1日
保険料：×,×××円（月払い、口座振替）

◇ご提案内容

	主なお支払事由	給付金額
入院給付金	病気やケガにより１日以上入院したとき（日帰り入院から保障）	入院給付金日額5,000円×入院日数（入院日数が５日以内の場合は入院給付金日額5,000円×５）
手術給付金	公的医療保険制度の対象となる所定の手術を受けたとき	・入院中に受けた手術 　入院給付金日額5,000円×10 ・入院を伴わない場合 　入院給付金日額5,000円×５
先進医療給付金	先進医療による療養を受けたとき	１回の療養につき 先進医療にかかる技術料と同額

◇ご留意事項（抜粋）
　　入院給付金の支払限度日数は、１回の入院について60日です。入院を２回以上した場合で、それぞれの入院が同一の原因または医学上重要な関係があるときは、それらの入院を１回の入院とみなします。ただし、入院給付金が支払われることとなった最後の入院の退院日の翌日から180日を経過して開始した入院については、別の入院としてお取り扱いします。

1　宮崎さんが、交通事故により事故当日から３日間継続して入院し、その間に約款に定められた所定の手術（公的医療保険制度の対象となる所定の手術であり、医療治療保険Ａにおける給付倍率は２倍）を受けた場合、保険会社から支払われる給付金の合計は、医療治療保険Ａが（　ア　）円、終身医療保険Ｂが（　イ　）円である。

2　宮崎さんが、骨折により７日間継続して入院し、退院から１ヵ月後に肺炎で５日間継続して入院した場合、保険会社から支払われる保険金・給付金の合計は、医療治療保険Ａが（　ウ　）円、終身医療保険Ｂが（　エ　）円である。

3　宮崎さんが、肺がんと診断確定され、先進医療に該当する重粒子線治療（技術料305万円）を受けた。７日間継続して入院し、重粒子線治療以外の治療は行わなかった場合、保険会社から支払われる保険金・給付金の合計は、医療治療保険Ａが（　オ　）円、終身医療保険Ｂが（　カ　）円である。

〈2. 生命保険料控除〉

問2 西里良二さんが2024年中に支払った生命保険の保険料は下記〈資料〉のとおりである。この場合の西里さんの2024年分の所得税の計算における生命保険料控除の金額（円単位）を求めなさい。なお、下記〈資料〉の保険について、これまでに契約内容の変更は行われていないものとする。また、その年分の生命保険料控除額が最も多くなるように計算すること。

〈資料〉

［定期保険特約付終身保険（無配当）］ 契約日：2011年4月1日 保険契約者：西里　良二 被保険者：西里　良二 死亡保険金受取人：西里　美奈子（妻） 2023年の年間支払保険料：88,720円	［がん保険（無配当）］ 契約日：2012年8月1日 保険契約者：西里　良二 被保険者：西里　良二 死亡保険金受取人：西里　美奈子（妻） 2023年の年間支払保険料：75,480円

〈所得税の生命保険料控除額の速算表〉

① 2011年12月31日以前に締結した保険契約（旧契約）等に係る控除額

〈一般生命保険料控除・個人年金保険料控除〉

年間の支払保険料の合計		控　除　額
	25,000円以下	支払金額
25,000円超	50,000円以下	支払金額×1/2＋12,500円
50,000円超	100,000円以下	支払金額×1/4＋25,000円
100,000円超		50,000円

② 2012年1月1日以降に締結した保険契約（新契約）等に係る控除額

〈一般生命保険料控除・個人年金保険料控除・介護医療保険料控除〉

年間の支払保険料の合計		控　除　額
	20,000円以下	支払金額
20,000円超	40,000円以下	支払金額×1/2＋10,000円
40,000円超	80,000円以下	支払金額×1/4＋20,000円
80,000円超		40,000円

（注）支払保険料とは、その年に支払った金額から、その年に受けた剰余金や割戻金を差し引いた残りの金額をいう。

〈3. 地震保険料の金額〉

問3 下記〈資料〉を基に、八幡さんの自宅に係る年間の地震保険料（円単位）を計算しなさい。八幡さんの自宅は愛媛県にあるイ構造の一戸建てで、地震保険の保険金額は、2025年1月1日現在の火災保険の保険金額に基づく契約可能な最大額である。なお、地震保険料の割引制度は考慮しないものとする。

〈資料：八幡さんの契約する保険〉

火災保険：保険金額1,000万円。地震保険付帯。保険の目的は自宅建物。保険期間は5年（地震保険は1年）。保険契約者（保険料負担者）および保険金受取人は八幡さんである。

〈資料：年間保険料例（地震保険金額１００万円当たり、割引制度なしの場合）〉

建物の所在地（都道府県）	建物の構造区分	
	イ構造	ロ構造
北海道・青森県・岩手県・秋田県・山形県・栃木県・群馬県・新潟県・富山県・石川県・福井県・長野県・岐阜県・滋賀県・京都府・兵庫県・奈良県・鳥取県・島根県・岡山県・広島県・山口県・福岡県・佐賀県・長崎県・大分県・熊本県・鹿児島県	730円	1,120円
宮城県・福島県・山梨県・愛知県・三重県・大阪府・和歌山県・香川県・愛媛県・宮崎県・沖縄県	1,160円	1,950円
茨城県、徳島県、高知県	2,300円	4,110円
埼玉県	2,650円	
千葉県、東京都、神奈川県、静岡県	2,750円	

〈４．収入保障保険の年金総額〉

問4　井川翔太さんは、2020年２月１日に収入保障保険（年金月額12万円、保険期間25年、保証期間５年）を契約した。当該収入保障保険の〈イメージ図〉を基に、2025年２月１日に井川翔太さんが死亡した場合に支払われる年金総額（万円単位）を求めなさい。なお、年金は毎月、遺族が受け取るものとする。

〈イメージ図〉

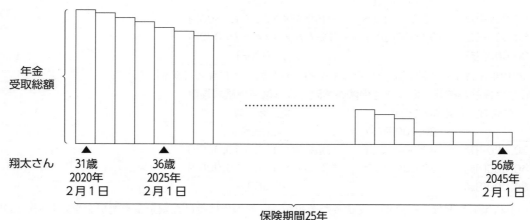

〈保険期間25年〉

解　答

〈１．医療保険の保障内容〉

解1　（ア）150,000　（イ）75,000　（ウ）50,000　（エ）60,000　（オ）3,200,000
　　　（カ）3,085,000

1　交通事故により入院し、その間に所定の手術を受けた場合は、次の給付金を受け取ることができる。

〈医療治療保険Ａ〉

　　　入院治療一時金　　　入院１回につき５万円
　　　手術給付金　　　　　入院治療一時金に給付倍率（２倍）を乗じる

5万円＋5万円×2＝<u>150,000円</u>…（ア）

〈終身医療保険B〉

    入院給付金   入院日数が5日以内の場合 入院給付金日額5,000円×5

    手術給付金   入院中に受けた手術の場合 入院給付金日額5,000円×10

    2.5万円＋5万円＝<u>75,000円</u>…（イ）

2 骨折により入院し、退院から1ヵ月後に肺炎で入院した場合は、次の保険金や給付金を受け取ることができる。

〈医療治療保険A〉

    入院治療一時金   入院1回につき5万円

    <u>50,000円</u>…（ウ）

〈終身医療保険B〉

    入院給付金   入院1日目から 入院給付金日額5,000円×入院日数（7日）

               入院日数が5日以内の場合 入院給付金日額5,000円×5

    3.5万円＋2.5万円＝<u>60,000円</u>…（エ）

3 肺がんと診断確定され、先進医療に該当する重粒子線治療を受け、7日間継続して入院し、重粒子線治療以外の治療は行わなかった場合は、次の保険金や給付金を受け取ることができる。

〈医療治療保険A〉

    入院治療一時金   入院1回につき5万円

    先進医療給付金   先進医療にかかる技術料と同額

    先進医療一時金   1回の療養につき10万円

    5万円＋305万円＋10万円＝<u>3,200,000円</u>…（オ）

〈終身医療保険B〉

    入院給付金   入院1日目から 入院給付金日額5,000円×入院日数（7日）

    先進医療給付金   先進医療にかかる技術料と同額

    3.5万円＋305万円＝<u>3,085,000円</u>…（カ）

〈2．生命保険料控除〉

解2 86,050円

・[定期保険特約付終身保険（無配当）]は、契約日が2011年4月1日であるため、〈速算表〉旧契約（2011年12月31日以前に締結）に該当する。

 年間支払保険料88,720円→50,000円超100,000円以下に該当する。

 $88,720円×\frac{1}{4}+25,000円＝47,180円$

・[がん保険（無配当）]は、契約日が2012年8月1日であるため、〈速算表〉新契約（2012年1月1日以降に締結）に該当する。

 年間支払保険料75,480円→40,000円超80,000円以下に該当する。

 $75,480円×\frac{1}{4}+20,000円＝38,870円$

・47,180円＋38,870円＝<u>86,050円</u>

〈3．地震保険料の金額〉

解3 5,800円

 地震保険の保険金額は、主契約である火災保険の保険金額の30％～50％以内で設定する。契約可能な

最大額は、次のとおりである。

1,000万円×50％＝500万円

資料より、「愛媛県にあるイ構造」における「地震保険金額100万円当たり」の年間保険料例は1,160円である。したがって、八幡さんの自宅に係る年間の地震保険料は、次のとおりである。

$$1,160円 \times \frac{500万円}{100万円} = \underline{5,800円}$$

〈4．収入保障保険の年金総額〉

解4 2,880万円

2025年2月1日に井川翔太さんが死亡した場合、保険期間は残り20年（2045年－2025年）ある。年金月額12万円であるため、支払われる年金総額は、次のとおりである。

12万円×20年×12ヵ月＝<u>2,880万円</u>

3 金融資産運用

●計算問題の出題歴

項　目	出題歴		
	2023.9	2024.1	2024.5
1．債券の利回り	学・協	学・金	学・金
2．PER・PBRなど	学・金	学・金	学
3．外貨預金の満期時の元利合計額			
4．外貨預金の満期時の運用利回り	学		金
ポートフォリオの期待収益率			
5．シャープレシオ			学・協
6．特定口座年間取引報告書			協
7．1株当たりの取得価額			協
8．投資信託の個別元本①	協	協	協
9．投資信託の個別元本②		協	
10．投資信託一部解約時の譲渡所得の金額		協	
11．預金保険制度			協

問　題

〈1．債券の利回り〉

問1　下記〈資料〉の債券を購入してから5年後に売却した場合の所有期間利回り（単利・年率）を計算しなさい。なお、手数料や税金等については考慮しないものとし、計算結果については％表示の小数点以下第3位を四捨五入し、小数点以下第2位までを解答すること。

〈資料〉

> 表面利率：年0.50％
> 購入価格：額面100円につき101円
> 売却価格：額面100円につき100円
> 償還年限：8年

〈2．PER・PBRなど〉

問2　下記〈資料〉に基づき、X社株式の投資指標であるPER、PBR、ROE、配当利回りおよび配当性向をそれぞれ求めなさい。なお、計算結果については％表示の小数点以下第3位を四捨五入し、小数点以下第2位までを解答すること。

〈資料：X社のデータ〉

> 株価：3,600円
> 発行済株式数：0.5億株
> 配当金総額（年）：30億円
> 当期純利益（年）：75億円
> 自己資本（＝純資産）：3,000億円
> ※上記以外の数値は考慮しないものとする。

〈3．外貨預金の満期時の元利合計額〉

問3 下記〈資料〉の外貨定期預金について、満期時の外貨ベースの元利合計額を円転した金額（円単位）を求めなさい。なお、計算結果（円転した金額）について円未満の端数が生じる場合は切り捨てること。

〈資料〉

・預入額　　50,000米ドル
・預入期間　3ヵ月
・預金金利　4.0%（年率）
・為替レート（1米ドル）

	TTS	TTM（仲値）	TTB
満期時	151.00	150.00	149.00

※　利息の計算に際しては、預入期間は日割りではなく月割りで計算すること。
※　為替差益・為替差損に対する税金については考慮しないこと。
※　利息に対しては、米ドル建ての利息額の20%（復興特別所得税は考慮しない）相当額が所得税・住民税として源泉徴収されるものとすること。

〈4．外貨預金の満期時の運用利回り〉

問4 以下の〈条件〉で、円貨を米ドルに交換して米ドル建て定期預金に10,000米ドルを預け入れ、満期時に米ドルを円貨に交換して受け取る場合における円ベースでの利回り（単利・年率）を求めなさい。なお、税金については考慮しないものとし、計算結果は表示単位の小数点以下第3位を四捨五入し、小数点以下第2位までを解答すること。

〈条件〉
・預入期間　　1年
・預金金利　　3.00%（年率）
・為替予約なし
・為替レート（米ドル／円）

	ＴＴＳ	ＴＴＢ
預入時	145.00円	144.00円
満期時	155.00円	154.00円

〈5．シャープレシオ〉

問5 下記〈資料〉の3ファンドの過去3年間の運用パフォーマンスについて、各ファンドのシャープレシオを求めなさい。また、シャープレシオの観点から、最も投資効率が良いファンドを答えなさい。

〈資料〉3ファンドの過去3年間の運用パフォーマンス

ファンド名	収益率	標準偏差
ファンドA	4.20%	4.00%
ファンドB	8.80%	12.00%
ファンドC	5.50%	7.50%

※　無リスク金利は1.0%とする。

〈6．特定口座年間取引報告書〉

問6 谷口さんが取引をしている証券会社から送付された2024年分の特定口座年間取引報告書（一部）が下記〈資料〉のとおりである場合、次の空欄（ア）～（ウ）に入る数値を求めなさい。なお、復興特別所得税については考慮しないこと。

〈資料〉

（単位：円）

① 譲渡の対価の額（収入金額）	② 取得費及び譲渡に要した費用の額等	③ 差引金額（譲渡所得等の金額）（①－②）
2,800,000	3,000,000	（各自計算）

	種類	配当等の額	源泉徴収税額（所得税）	配当割額（住民税）	特別分配金の額
特定上場株式等の配当等	④ 株式、出資又は基金	100,000	（各自計算）	（各自計算）	
	⑤ 特定株式投資信託				
	⑥ 投資信託又は特定受益証券発行信託（⑤、⑦及び⑧以外）				
	⑦ オープン型証券投資信託	150,000	（各自計算）	（各自計算）	
	⑧ 国外株式又は国外投資信託等				
	⑨ 合計（④＋⑤＋⑥＋⑦＋⑧）	250,000	（各自計算）	（ ア ）	
上記以外のもの	⑩ 公社債				
	⑪ 社債的受益権				
	⑫ 投資信託又は特定受益証券発行信託（⑪及び⑭以外）				
	⑬ オープン型証券投資信託				
	⑭ 国外公社債等又は国外投資信託等				
	⑮ 合計（⑩＋⑪＋⑫＋⑬＋⑭）				
	⑯ 譲渡損失の金額	（各自計算）			
	⑰ 差引金額（⑨＋⑮－⑯）	（ イ ）			
	⑱ 納付税額		（ ウ ）	（ 省略 ）	
	⑲ 還付税額（⑨＋⑮－⑱）		（ 省略 ）	（ 省略 ）	

〈7．1株当たりの取得価額〉

問7 下記〈資料〉は、坂本さんが同一の特定口座内で行った株式取引に係る明細である。坂本さんが2024年12月2日に売却した2,000株について、譲渡所得の取得費の計算の基礎となる1株当たりの取得価額を求めなさい。なお、計算結果について円未満の端数が生じる場合には切り上げて円単位とすること。

〈資料：株式の取引明細〉

取引日等	取引種類等	株数（株）	約定単価(円)
2022年9月20日	買付	3,000	3,600
2023年2月17日	買付	2,000	3,400
2023年3月17日	株式分割 1：4	—	—
2024年12月2日	売却	2,000	4,500

〈8. 投資信託の個別元本①〉

問8 安東さんは、保有している投資信託（追加型国内公募株式投資信託）の収益分配金を2024年11月に受け取った。投資信託の運用状況が下記〈資料〉のとおりである場合、収益分配後の個別元本（円単位）を求めなさい。

〈資料〉

[安東さんが保有する投資信託の収益分配金受取時の状況]
収益分配前の個別元本：14,000円
収益分配前の基準価額：13,500円
収益分配金：300円
収益分配後の基準価額：13,200円

〈9. 投資信託の個別元本②〉

問9 俊太さんが2022年から2024年の間に行った国内公募追加型株式投資信託XYファンドの取引は、下記〈資料〉のとおりである。2023年末時点におけるXYファンドの個別元本（1万口当たり）を求めなさい。なお、記載のない事項については一切考慮しないものとする。

〈資料〉

取引年月	取引内容	基準価額 （1万口当たり）	購入時手数料等 （消費税込み、外枠）
2022年5月	300万口購入	10,000円	66,000円
2023年6月	150万口売却	11,000円	—
2024年3月	100万口購入	12,000円	26,400円

〈10. 投資信託一部解約時の譲渡所得の金額〉

問10 花子さんは、2021年3月に購入した国内公募追加型株式投資信託YYファンドの売却を検討している。下記〈資料〉に基づき、YYファンドを一部解約した場合の譲渡所得の金額を求めなさい。なお、解答に当たっては、円未満の端数が生じた場合には、円未満の端数を切り捨てること。

〈資料〉
[購入時の条件]

口数（当初1口＝1円）	360万口
基準価額（1万口当たり）	9,950円
購入時手数料率（消費税込み、外枠）	2.2%

[解約時の条件]

口数（当初1口＝1円）	180万口
基準価額（1万口当たり）	10,868円
解約時手数料	なし

〈11. 預金保険制度〉

問11 下記〈資料〉は、和田さん夫婦（孝一さんと真理さん）の預金保険制度の対象となるXP銀行の

国内支店における金融資産（時価）である。下記〈資料〉に基づくXP銀行が破綻した場合の預金保険制度によって保護される金融資産の額に関する次の記述の空欄（ア）、（イ）にあてはまる数値を計算しなさい。なお、預金の利息等の記載のない事項については一切考慮しないものとする。

〈資料〉

	孝一さん	真理さん
普通預金	100万円	30万円
定期預金（固定金利）	50万円	−
定期預金（変動金利）	−	40万円
外貨預金	−	60万円
財形貯蓄（定期預金）	150万円	−
投資信託	40万円	30万円
学資保険（満期保険金の額）	500万円	−

※孝一さんおよび真理さんはともに、XP銀行からの借入れはない。
※普通預金は決済用預金ではない。

・孝一さんの金融資産のうち、預金保険制度によって保護される金額は（ア）万円である。
・真理さんの金融資産のうち、預金保険制度によって保護される金額は（イ）万円である。

解　答

〈1.　債券の利回り〉

解1　**0.30%**

　所有期間利回りとは、新発債または既発債を購入し、満期（償還）時まで保有せず、途中で売却した場合の利回りのことである。

$$所有期間利回り(\%) = \frac{表面利率 + \dfrac{売却価格 - 購入価格（発行価格）}{所有期間（年）}}{購入価格（発行価格）} \times 100$$

$$\frac{0.5 + \dfrac{100 - 101}{5}}{101} \times 100 \fallingdotseq \underline{0.30\%} \quad （小数点以下第3位四捨五入）$$

〈2.　PER・PBRなど〉

解2　**PER：24.00倍　PBR：0.60倍　ROE：2.50%　配当利回り：1.67%**
　　　配当性向：40.00%

$$PER = \frac{株価}{1株当たり当期純利益} = \frac{3,600円}{75億円 \div 0.5億株} = \frac{3,600円}{150円} = \underline{24.00倍}$$

$$PBR = \frac{株価}{1株当たり純資産} = \frac{3,600円}{3,000億円 \div 0.5億株} = \frac{3,600円}{6,000円} = \underline{0.60倍}$$

$$ROE = \frac{当期純利益}{自己資本} \times 100 = \frac{75億円}{3,000億円} \times 100 = \underline{2.50\%}$$

$$配当利回り=\frac{1\,株当たり配当金}{株価}\times100=\frac{30億円\div0.5億株}{3,600円}\times100=\frac{60円}{3,600円}\times100$$

$$≒\underline{1.67\%}\quad(小数点以下第3位四捨五入)$$

$$配当性向=\frac{配当金総額}{当期純利益}\times100=\frac{30億円}{75億円}\times100=\underline{40.00\%}$$

〈3. 外貨預金の満期時の元利合計額〉

解3 **7,509,600円**

外貨ベースの税引後元利合計

$$50,000米ドル\times\left\{1+\left(0.04\times\frac{3ヵ月}{12ヵ月}\times0.8\right)\right\}=50,400米ドル$$

※ 利息額の20%が所得税・住民税として源泉徴収されるため、0.8を乗じている。

円ベースの税引後元利合計（外貨から円転する場合はTTBレートを使う）

$$50,400米ドル\times149.00円=\underline{7,509,600円}$$

〈4. 外貨預金の満期時の運用利回り〉

解4 **9.39%**

①預入時（円ベース）

10,000米ドル×145.00円（TTS）＝1,450,000円

②満期時（米ドルベース）

10,000米ドル×（1＋0.03×1年）＝10,300米ドル

③満期時（円ベース）

10,300米ドル×154.00円（TTB）＝1,586,200円

④円ベースでの運用利回り

$$\frac{③1,586,200円-①1,450,000円}{①1,450,000円}\times100=9.393\cdots\%\to\underline{9.39\%}\quad(小数点以下第3位四捨五入)$$

〈5. シャープレシオ〉

解5 **ファンドA：0.8　ファンドB：0.65　ファンドC：0.6**

　　　　最も投資効率が良いファンド：ファンドA

　シャープレシオの算式は、次のとおりである。シャープレシオでは、数値が大きいほど、取ったリスクに対して優れたパフォーマンスであったと評価される。

$$シャープレシオ=\frac{ポートフォリオの収益率-無リスク金利}{ポートフォリオの標準偏差}$$

ファンドA　$\dfrac{4.20\%-1.0\%}{4.00\%}=\underline{0.8}$

ファンドB　$\dfrac{8.80\%-1.0\%}{12.00\%}=\underline{0.65}$

ファンドC　$\dfrac{5.50\%-1.0\%}{7.50\%}=\underline{0.6}$

〈6. 特定口座年間取引報告書〉

解6 （ア）12,500 （イ）50,000 （ウ）7,500

（ア）特定口座内における配当等に係る住民税の税率は5％である。

250,000円（表⑨）×5％＝12,500円

（イ）特定口座で生じた譲渡損失の金額（表⑯）は、次のとおりである。

2,800,000円－3,000,000円＝▲200,000円

配当等の金額は250,000円（表⑨）であり、損益通算後の金額が差引金額（表⑰）となる。

250,000円－200,000円＝50,000円

（ウ）納付税額は、上記イの差引金額に対する税額である。所得税の税率は15％である。

50,000円×15％＝7,500円

（単位：円）

① 譲渡の対価の額（収入金額）	② 取得費及び譲渡に要した費用の額等	③ 差引金額（譲渡所得等の金額）（①－②）
2,800,000	3,000,000	▲200,000

	種類	配当等の額	源泉徴収税額（所得税）	配当割額（住民税）	特別分配金の額
特定上場株式等の配当等	④ 株式、出資又は基金	100,000	15,000	5,000	
	⑤ 特定株式投資信託				
	⑥ 投資信託又は特定受益証券発行信託（⑤、⑦及び⑧以外）				
	⑦ オープン型証券投資信託	150,000	22,500	7,500	
	⑧ 国外株式又は国外投資信託等				
	⑨ 合計（④＋⑤＋⑥＋⑦＋⑧）	250,000	37,500	（ア 12,500）	
上記以外のもの	⑩ 公社債				
	⑪ 社債的受益権				
	⑫ 投資信託又は特定受益証券発行信託（⑬及び⑭以外）				
	⑬ オープン型証券投資信託				
	⑭ 国外公社債等又は国外投資信託等				
	⑮ 合計（⑩＋⑪＋⑫＋⑬＋⑭）				
	⑯ 譲渡損失の金額	▲200,000			
	⑰ 差引金額（⑨＋⑮－⑯）	（イ 50,000）			
	⑱ 納付税額		（ウ 7,500）	2,500	
	⑲ 還付税額（⑨＋⑮－⑱）		30,000	10,000	

〈7. 1株当たりの取得価額〉

解7 880円

・買付の合計金額

3,000株×3,600円＋2,000株×3,400円＝17,600,000円

・買付した合計株数＝3,000株＋2,000株＝5,000株

株式分割により、1株が4株に分割されたので、5,000株×4＝20,000株となる。したがって、求める

1株あたりの取得価額は、$\dfrac{17,600,000円}{20,000株}$＝880円

〈8．投資信託の個別元本①〉

解8 **13,700円**

　収益分配前の基準価額（13,500円）が収益分配前の時点で既に個別元本（14,000円）を下回っているので、安東さんが受け取った収益分配金はすべて元本払戻金である。

$$収益分配後の個別元本 ＝ 収益分配前の個別元本 － 元本払戻金（特別分配金）$$
$$＝ 14,000円 － 300円 ＝ \underline{13,700円}$$

〈9．投資信託の個別元本②〉

解9 **10,800円**

　個別元本は、それまでの購入口数から売却口数も加味した口数の基準価格の平均単価となる。

　なお個別元本の計算の場合、購入時手数料等は加えない。

　　2023年6月時点：10,000円／万口 × （300万口 － 150万口）／1万口 ＝ 1,500,000円

　　2024年3月時点：12,000円／万口 × 100万口／1万口 ＝ 1,200,000円

$$個別元本 ＝ （1,500,000円 ＋ 1,200,000円）÷（300万口 － 150万口 ＋ 100万口）／1万口$$
$$＝ 2,700,000円 ÷ 250万口／1万口 ＝ \underline{10,800円}$$

〈10．投資信託一部解約時の譲渡所得の金額〉

解10 **125,838円**

　　譲渡所得 ＝ （解約時単価 － 購入時単価）× 解約口数

　　購入時単価 ＝ ｛基準価格 × 口数 × （1 ＋ 購入時手数料率）｝÷ 口数

　　　　　　　＝ ｛9,950円／万口 × 360万口／1万口 × （1 ＋ 0.022）｝÷ 360万口／1万口

　　　　　　　＝ 10,168.9円

　　譲渡所得 ＝ （10,868円 － 10,168.9円）× 180万口／1万口 ＝ \underline{125,838円}

〈11．預金保険制度〉

解11 **（ア）300　（イ）70**

　預金保険制度による保護対象

　・孝一さん：普通預金、定期預金（固定金利）、財形貯蓄（定期預金）

　・真理さん：普通預金、定期預金（変動金利）

　預金保険制度によって保護される金額

　・孝一さん：100万円 ＋ 50万円 ＋ 150万円 ＝ \underline{300万円}…（ア）

　・真理さん：30万円 ＋ 40万円 ＝ \underline{70万円}…（イ）

　※外貨預金、投資信託、学資保険（満期保険金の額）は、預金保険制度による保護の対象外である。

4 タックスプランニング

●計算問題の出題歴

項 目	出題歴		
	2023.9	2024.1	2024.5
1. 退職所得	金		
2. 事業所得	協		
3. 一時所得	協	協	
4. 雑所得	協		協
5. 損益通算	協		協
6. 配偶者特別控除		協	
7. 総合課税と所得税	金	金	金
8. 減価償却費の金額		協	
9. 源泉徴収票		協	協
10. 医療費控除の金額	協		協
功績倍率方式			

問 題

〈1. 退職所得〉

問1 小笠原さんは2024年6月末日に勤務先を退職した。小笠原さんの退職に係るデータが下記〈資料〉のとおりである場合、小笠原さんの退職一時金に係る退職所得の金額（万円単位）を求めなさい。

〈資料〉

> ［小笠原さんの退職に係るデータ］
> ・勤続期間：22年3ヵ月
> ・支給された退職一時金の額：1,850万円（所得税等を控除する前の金額）
> ・小笠原さんは、勤務した会社で役員であったことはない。
> ・退職は障害者になったことに基因するものではない。
> ・「退職所得の受給に関する申告書」は適切に提出されている。

〈2. 事業所得〉

問2 下記〈資料〉は、井上さんの2024年分の所得税の確定申告書に添付された損益計算書である。〈資料〉の空欄（ア）にあてはまる井上さんの2024年分の事業所得の金額（円単位）を求めなさい。なお、井上さんは青色申告の承認を受けており、青色申告決算書（貸借対照表を含む）を添付し、国税電子申告・納税システム（e－Ｔax）を利用して電子申告を行うものとする。

〈資料〉

[損益計算書]

科　目		金額（円）		科　目		金額（円）
売上（収入）金額 （雑収入を含む）	①	40,000,000	各種引当金・準備金等	繰戻額等	貸倒引当金 ㉞	0
売上原価	期首商品棚卸高 ②	2,500,000			㉟	
	仕入金額 ③	24,000,000			㊱	
	小計 ④	26,500,000			計 ㊲	0
	期末商品棚卸高 ⑤	3,000,000		繰入額等	専従者給与 ㊳	1,800,000
	差引原価 ⑥	23,500,000			貸倒引当金 ㊴	0
差引金額	⑦	＊＊＊			㊵	
経費	減価償却費 ⑱	500,000			㊶	
	～ 省略 ～				計 ㊷	1,800,000
			青色申告特別控除前の所得金額		㊸	＊＊＊
	雑費 ㉛	100,000	青色申告特別控除額		㊹	650,000
	計 ㉜	5,000,000	所得金額		㊺	（　ア　）
差引金額	㉝	＊＊＊				

※問題作成の都合上、一部を「＊＊＊」にしてある。

〈3．一時所得〉

問3 西さんは、加入していた養老保険が2024年12月に満期を迎え、満期保険金を一括で受け取った（下記〈資料〉参照）。西さんの2024年分の所得税において、総所得金額に算入すべき一時所得の金額（万円単位）を求めなさい。なお、西さんには、この満期保険金の一括受取金以外に一時所得の対象となるものはないものとする。

〈資料：養老保険の明細〉

払込保険料の総額：620万円
満期保険金　　　：750万円
保険期間　　　　：10年間

〈4．雑所得〉

問4 最上さん（72歳）の2024年分の収入等は、以下のとおりである。最上さんの2024年分の所得税における公的年金等控除額（円単位）を求めなさい。

〈資料：2024年分の収入等〉

内容	金額
老齢厚生年金および企業年金（老齢年金）（注1）	340万円
生命保険金の満期保険金（注2）	600万円
その他の所得金額（注3）	750万円

（注1）老齢厚生年金および企業年金は、公的年金等控除額を控除する前の金額である。

（注２）生命保険は、保険期間30年の養老保険であり、保険契約者・保険料負担者・満期保険金受取人は最上さんである。保険料の総額は400万円で、満期保険金は一時金で受け取っている。なお、契約者配当については考慮しないこととする。

（注３）全額が公的年金等に係る雑所得以外の所得である。

〈公的年金等控除額の速算表〉

納税者区分	公的年金等の収入金額（A）		公的年金等控除額
			公的年金等に係る雑所得以外の所得に係る合計所得金額 1,000万円以下
65歳以上の者		330万円以下	110万円
	330万円超	410万円以下	（A）×25％＋ 27.5万円
	410万円超	770万円以下	（A）×15％＋ 68.5万円
	770万円超	1,000万円以下	（A）× 5 ％＋145.5万円
	1,000万円超		195.5万円

〈5．損益通算〉

[問5] 田村さんの2024年分の所得の金額が下記のとおりであった場合、田村さんが2024年分の所得税の確定申告を行う際に、給与所得と損益通算できる損失はいくらになるか（万円単位）。なお、▲が付された所得の金額は、その所得に損失が発生していることを意味するものとする。

所得の種類	所得金額	備考
給与所得	480万円	勤務先からの給与で年末調整済
不動産所得	▲90万円	必要経費＝250万円 必要経費の中には、土地の取得に要した借入金の利子30万円が含まれている。
譲渡所得	▲40万円	上場株式の売却に係る損失
雑所得	▲10万円	執筆活動に係る損失

〈6．配偶者特別控除〉

[問6] 由香里さんは、2024年9月末に正社員として勤務していたRX株式会社を退職し、その後再就職はしていない。退職後、RX株式会社から交付された源泉徴収票（一部省略）は下記〈資料〉のとおりである。由香里さんの夫である雅之さんの2024年分の所得税の計算において、適用を受けることのできる配偶者特別控除の額を求めなさい。なお、雅之さんの2024年分の所得金額は900万円以下であるものとする。また、由香里さんには、RX株式会社からの給与以外に申告すべき所得はない。

〈資料〉

令和 6 年分　　給与所得の源泉徴収票

<table>
<tr><td rowspan="2">支払を受ける者</td><td>住所又は居所</td><td></td><td colspan="2">（受給者番号）</td></tr>
</table>

		（個人番号）	
		（役職名）	
		氏名 （フリガナ）　ヤマモト　ユカリ 山本　由香里	

種　別	支　払　金　額	給与所得控除後の金額 （調整控除後）	所得控除の額の合計額	源泉徴収税額
給与・賞与	内 　1 760 000　円	千　　　　　　円	千　　　　　円	内 　20 200　円

（源泉）控除対象配偶者 の有無等		配偶者（特別） 控除の額	控除対象扶養親族の数 （配偶者を除く。）			16歳未満 扶養親族 の数	障害者の数 （本人を除く。）		非居住者 である 親族の数
有　　従有	老人	千　　　円	特定 人　従人	老人 内　人　従人	その他 人　従人	人	特別 内　人	その他 人	人

社会保険料等の金額	生命保険料の控除額	地震保険料の控除額	住宅借入金等特別控除の額
内 　2 78 426　円	千　　　円	千　　　円	千　　　円

（摘要）
年調未済

〈給与所得控除額の速算表〉

給与等の収入金額		給与所得控除額
	162.5万円以下	55万円
162.5万円超	180万円以下	収入金額×40％－　10万円
180万円超	360万円以下	収入金額×30％＋　 8万円
360万円超	660万円以下	収入金額×20％＋　44万円
660万円超	850万円以下	収入金額×10％＋110万円
850万円超		195万円（上限）

〈配偶者特別控除額（所得税）の早見表〉

配偶者の合計所得金額	納税者の合計所得金額 900万円以下
48万円超　　95万円以下	38万円
95万円超　　100万円以下	36万円
100万円超　　105万円以下	31万円
105万円超　　110万円以下	26万円
110万円超　　115万円以下	21万円
115万円超　　120万円以下	16万円
120万円超　　125万円以下	11万円
125万円超　　130万円以下	6万円
130万円超　　133万円以下	3万円

〈7. 総合課税と所得税〉

問7 岡田正弘さんの2024年分の所得税額を計算した下記の表の空欄①〜③に入る最も適切な数値を求めなさい。なお、総所得金額の計算上、正弘さんが所得金額調整控除の適用対象者に該当している場合、所得金額調整控除額を控除すること。また、問題の性質上、明らかにできない部分は「□□□」で示してある。

〈岡田正弘さんとその家族に関する資料〉

岡田正弘さん（47歳）：会社員

妻安子さん（44歳）：2024年中に、パートタイマーとして給与収入80万円を得ている。

長女保奈美さん（19歳）：大学生。2024年中の収入はない。

※妻安子さんおよび長女保奈美さんは、正弘さんと同居し、生計を一にしている。

※正弘さんとその家族は、いずれも障害者および特別障害者には該当しない。

〈岡田正弘さんの2024年分の収入に関する資料〉

給与収入の金額：1,100万円

（a）総所得金額	（ ① ）円
社会保険料控除	□□□円
生命保険料控除	□□□円
配偶者控除	□□□円
扶養控除	（ ② ）円
基礎控除	480,000円
（b）所得控除の額の合計額	3,000,000円
（c）課税総所得金額（（a）−（b））	□□□円
（d）算出税額（（c）に対する所得税額）	（ ③ ）円

〈給与所得控除額〉

給与収入金額		給与所得控除額
万円超	万円以下	
	〜 180	収入金額×40％−10万円（55万円に満たない場合は、55万円）
180	〜 360	収入金額×30％＋8万円
360	〜 660	収入金額×20％＋44万円
660	〜 850	収入金額×10％＋110万円
850	〜	195万円

〈所得税の速算表〉

課税総所得金額		税率	控除額
万円超	万円以下		
	〜 195	5％	—
195	〜 330	10％	9万7,500円
330	〜 695	20％	42万7,500円
695	〜 900	23％	63万6,000円
900	〜 1,800	33％	153万6,000円
1,800	〜 4,000	40％	279万6,000円
4,000	〜	45％	479万6,000円

〈8．減価償却費の金額〉

[問8] 個人事業主の池上さんが事業開始に当たり取得した建物の状況等は下記〈資料〉のとおりである。下記〈資料〉に基づく池上さんの2024年分の所得税における事業所得の計算上、必要経費に算入すべき減価償却費（万円単位）を計算しなさい。なお、建物は事業にのみ使用しているものとする。

〈資料：建物の状況〉

　　取得価額：6,000万円

　　法定耐用年数：25年

　　取得年月日：2024年7月1日

　　※事業開始の遅延により、同年12月1日から事業の用に供している。

〈減価償却率等〉

法定耐用年数	定率法の償却率	定額法の償却率
25年	0.080	0.040

〈9．源泉徴収票〉

[問9] 下記〈資料〉は、高橋淳さんの2024年（令和6年）分の「給与所得の源泉徴収票（一部省略）」である。空欄（ア）に入る高橋さんの2024年分の所得税額（円単位）を求めなさい。なお、高橋さんには、2024年において給与所得以外に申告すべき所得はなく、年末調整の対象となった所得控除以外に適用を受けることのできる所得控除はない。また、復興特別所得税は考慮しないこと。

〈資料〉

令和6年分　給与所得の源泉徴収票

支払を受ける者　住所又は居所

（受給者番号）
（個人番号）
（役職名）
氏名（フリガナ）　高橋 淳

種別	支払金額	給与所得控除後の金額（調整控除後）	所得控除の額の合計額	源泉徴収税額
給与・賞与	内　7 200 000	5 380 000	（各自計算）	内　（　ア　）

（源泉）控除対象配偶者の有無等		配偶者（特別）控除の額	控除対象扶養親族の数（配偶者を除く。）			16歳未満扶養親族の数	障害者の数（本人を除く。）		非居住者である親族の数
有	従有	老人	特定	老人	その他		特別	その他	

社会保険料等の金額	生命保険料の控除額	地震保険料の控除額	住宅借入金等特別控除の額
内　1 040 000	40 000	20 000	40 000

（摘要）

〈所得税の速算表〉

課税総所得金額		税率	控除額
万円超	万円以下		
	195	5%	—
195 ～	330	10%	9万7,500円
330 ～	695	20%	42万7,500円
695 ～	900	23%	63万6,000円
900 ～	1,800	33%	153万6,000円
1,800 ～	4,000	40%	279万6,000円
4,000 ～		45%	479万6,000円

〈10. 医療費控除の金額〉

問10 会社員の服部さんが2024年中に支払った医療費等が下記〈資料〉のとおりである場合、服部さんの2024年分の所得税の確定申告における医療費控除の金額（円単位）を求めなさい。なお、服部さんの2024年分の所得は、給与所得610万円のみであるものとし、服部さんは妻および母と生計を一にしている。また、セルフメディケーション税制（特定一般用医薬品等購入費を支払った場合の医療費控除の特例）については考慮せず、保険金等により補てんされる金額はないものとする。

〈資料〉

支払年月	医療等を受けた人	医療機関等	内容	支払金額
2024年1月	母	A病院	入院治療（注1）	63,000円
2024年4月	本人	B病院	人間ドック（注2）	47,000円
	妻			57,000円
	本人		通院治療	33,000円
2024年8月	母	C歯科医院	歯科治療（注3）	450,000円

（注1）母は、2023年12月に入院して、2024年1月に退院している。退院の際に支払った金額63,000円のうち30,000円は、2023年12月分の入院代および治療費であった。

（注2）服部さんは夫婦で人間ドックを受診したが、服部さんは重大な疾病が発見されたため、引き続き通院をして治療をすることとなった。妻は、人間ドックの結果、異常は発見されなかった。

（注3）虫歯が悪化したため抜歯し、医師の診断により一般的なインプラント治療を受け、現金で支払った。

解 答

〈1. 退職所得〉

解1 **420万円**

> 退職所得の金額＝（収入金額－退職所得控除額）×$\frac{1}{2}$

〈退職所得控除額〉

勤続年数	退職所得控除額
20年以下	40万円×勤続年数（最低80万円）
20年超	800万円＋70万円×（勤続年数－20年）

※　勤続年数の計算上、1年未満の端数は1年として計算する。

　　退職所得控除額＝800万円＋70万円×（23年＊－20年）＝1,010万円

　＊　22年3ヵ月は23年として計算する。

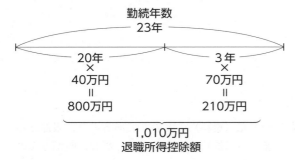

退職所得の金額＝｛1,850万円（収入金額）－1,010万円（退職所得控除額）｝×$\frac{1}{2}$＝420万円

〈2．事業所得〉

解2　9,050,000円

　井上さんは青色申告の承認を受けているので、青色事業専従者給与を必要経費に算入することができると共に、青色申告特別控除の適用が可能である。

> 事業所得＝売上（収入）金額－売上原価－必要経費－青色事業専従者給与－青色申告特別控除

〈資料〉に記載されているそれぞれの金額を当てはめると事業所得の金額は以下の通りになる。

　　事業所得の金額＝4,000万円－2,350万円－500万円－180万円－65万円＝905万円

〈3．一時所得〉

解3　40万円

> 一時所得＝総収入金額－収入を得るために支出した金額－特別控除額（最高50万円）

　総収入金額：750万円（満期保険金）

　収入を得るために支出した金額：620万円（払込保険料の総額）

　一時所得の金額：750万円－620万円－50万円（特別控除額）＝80万円

　総所得金額に算入すべき一時所得の金額：80万円×$\frac{1}{2}$＝40万円

〈4．雑所得〉

解4　1,125,000円

　公的年金等控除額の適用を受けることができるのは、公的年金等に係る雑所得である。

　老齢厚生年金および企業年金（老齢年金）：公的年金等の雑所得

　生命保険金の満期保険金：保険契約者＝保険料負担者＝満期保険金受取人であり、保険期間が30年であるため一時所得となる。

最上さんは72歳であるため、納税者区分は「65歳以上の者」となる。したがって、公的年金等の収入金額が340万円である場合、公的年金等控除額は次のとおりとなる。

340万円×25％＋27.5万円＝<u>1,125,000円</u>

〈5．損益通算〉
解5 60万円

不動産所得の損失のうち、土地の取得に要した借入金の利子相当額は損益通算できない。また、上場株式の譲渡損失および執筆活動に係る損失は給与所得と損益通算できない。したがって、損益通算できる損失は次のとおりとなる。

90万円－30万円＝<u>60万円</u>

〈6．配偶者特別控除〉
解6 16万円

給与所得（合計所得金額）＝給与収入－給与所得控除額

・給与所得（合計所得金額）＝1,760,000円－604,000円（※）＝1,156,000円
　※給与所得控除額＝1,760,000円×40％－10万円＝604,000円

〈配偶者特別控除額（所得税）の早見表〉配偶者の合計所得金額115万円超120万円以下より、配偶者特別控除額は<u>16万円</u>となる。

〈7．総合課税と所得税〉
解7 ①8,900,000　②630,000　③752,500

① 総所得金額

正弘さんの給与収入は850万円を超えており、23歳未満の扶養親族がいるため、正弘さんは所得金額調整控除の適用対象者に該当する。所得金額調整控除額の算式は、次のとおりである。

所得金額調整控除額＝（給与等の収入金額－850万円）×10％
※給与等の収入金額は1,000万円を限度とする

また、正弘さんの収入は給与収入のみであるため、総所得金額は所得金額調整控除額を控除後の給与所得の金額である。

給与所得の金額：1,100万円－195万円＝905万円
所得金額調整控除額：（1,000万円－850万円）×10％＝15万円
総所得金額：905万円－15万円＝<u>8,900,000円</u>

② 扶養控除の額

長女保奈美さんは、年齢が19歳で、2024年の合計所得金額は48万円以下（収入ゼロ）であるため、特定扶養親族に該当する。したがって、控除額は<u>630,000円</u>である。

③ 算出税額

課税総所得金額：(a)890万円－(b)300万円＝(c)590万円
算出税額：590万円×20％－42万7,500円＝<u>752,500円</u>

〈8．減価償却費の金額〉
解8 20万円

減価償却費＝取得価額×定額法の償却率（※1）×供用月数/12月（※2）

（※１）建物の償却方法は、定額法となる。

（※２）事業供用月数で月割り按分する。

減価償却費＝6,000万円×0.040×1/12（※）＝20万円

（※）取得月からではなく、事業供用月からとなる。

〈9．源泉徴収票〉

解9 292,500円

①　所得控除の額の合計額

　源泉徴収票を読み取ると、社会保険料控除1,040,000円、生命保険料控除40,000円、地震保険料控除20,000円がある。また、源泉徴収票に記載はないが、基礎控除480,000円の適用を受けることができる。配偶者控除や扶養控除については、源泉徴収票に情報が記載されていないため、適用を受けることができない。

　　　1,040,000円＋40,000円＋20,000円＋480,000円＝1,580,000円

②　課税総所得金額

　　　総所得金額（給与所得の金額）−所得控除の額の合計額

　　　＝5,380,000円−①1,580,000円＝3,800,000円

③　算出税額

　　速算表を利用する。

　　　②3,800,000円×20％−427,500円＝332,500円

④　源泉徴収税額

　　算出税額から税額控除である住宅借入金等特別控除の額を控除する。源泉徴収票を読み取ると、住宅借入金等特別控除の額は40,000円である。

　　　③332,500円−40,000円＝292,500円

〈10．医療費控除の金額〉

解10 493,000円

医療費控除＝支出した医療費の額−保険金等の額−10万円（※）

（※）総所得金額等が200万円未満の場合は総所得金額等×5％

・入院治療費：対象となる。医療費は支払った年の控除の対象となる。

・人間ドック（服部さん）：対象となる。人間ドックの費用は原則対象外だが、重大な疾病が発見され治療を行った場合は対象となる。

・通院治療：対象となる。

・歯科治療：対象となる。

　支出した医療費の額＝63,000円＋47,000円＋33,000円＋450,000円＝593,000円

　医療費控除＝593,000円−100,000円＝493,000円

5 不動産

●計算問題の出題歴

項　目	出題歴		
	2023.9	2024.1	2024.5
1．建蔽率・容積率	金・協	金・協	金・協
2．不動産価格			
3．分離譲渡所得の課税		協	協
4．不動産投資における利回り			
5．不動産所得		協	

問 題

〈1．建蔽率・容積率〉

問1 建築基準法にしたがい下記〈資料〉の甲土地と乙土地を一体とした土地上に耐火建築物を建築する場合、建蔽率の上限となる建築面積（ア）と容積率の上限となる延べ面積（イ）を求めなさい。なお、記載のない条件については一切考慮しないこと。

〈資料：甲土地および乙土地の概要〉

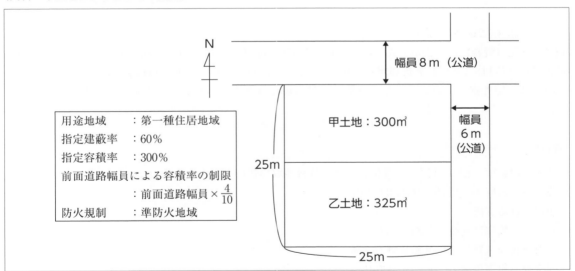

・甲土地と乙土地を一体とした土地は、建蔽率の緩和について特定行政庁が指定する角地である。

・指定建蔽率および指定容積率とは、それぞれ都市計画において定められた数値である。

・特定行政庁が都道府県都市計画審議会の議を経て指定する区域ではない。

〈2．不動産価格〉

問2 瀬光さんは2025年3月にマンションを購入する予定である。瀬光さんが購入する下記〈資料〉のマンションの販売価格のうち、土地（敷地の共有持分）の価格（万円単位）を計算しなさい。なお、消費税の税率は10％とする。

〈資料〉
販売価格4,800万円（うち消費税250万円）

〈3．分離譲渡所得の課税〉

問3 馬場さんは、9年前に相続により取得して引き続き居住している自宅の土地および建物を売却する予定である。売却に係る状況が下記〈資料〉のとおりである場合の所得税における課税長期譲渡所得の金額（万円単位）を求めなさい。なお、〈資料〉に記載のない条件については一切考慮しないこと。

〈資料〉

・取得費：土地および建物とも不明であるため概算取得費とする。
・譲渡価額（合計）：4,200万円
・譲渡費用（合計）：　170万円
※　居住用財産を譲渡した場合の3,000万円特別控除の特例の適用を受けるものとする。
※　所得控除は考慮しないものとする。

〈4．不動産投資における利回り〉

問4 下記〈資料〉は、山形さんが購入を検討している投資用マンションの概要である。この物件の表面利回り（年利）（ア）と実質利回り（年利）（イ）を求めなさい。なお、〈資料〉に記載のない事項については一切考慮しないこととし、計算結果については％表示の小数点以下第3位を四捨五入すること。

〈資料〉

購入費用総額：1,800万円（消費税と仲介手数料等取得費用を含めた金額）
想定される収入：賃料　月額80,000円
想定される支出：
管理費・修繕積立金　月額10,000円
管理業務委託費　　　月額賃料の5％
固定資産税等税金　　年額36,000円

〈5．不動産所得〉

問5 金沢さんは、保有しているマンションを賃貸している。2024年分の賃貸マンションに係る収入および支出等が下記〈資料〉のとおりである場合、2024年分の所得税に係る不動産所得の金額（円単位）を求めなさい。なお、〈資料〉以外の収入および支出等はないものとし、青色申告特別控除は考慮しないこととする。

〈資料〉

- 賃料収入（総収入金額）：164万円
- 支出
  銀行へのローン返済金額：90万円（元金60万円、利息30万円）
  管理費等：15万円
  管理業務委託費：75,000円
  火災保険料：1万円
  固定資産税：12万円
  修繕費：8万円
- 減価償却費：35万円
※支出等のうち必要経費となるものは、すべて2024年分の所得に係る必要経費に該当するものとする。

解 答

〈1．建蔽率・容積率〉

解1 （ア）500㎡ （イ）1,875㎡

（ア）建築面積

準防火地域内の耐火建築物であり、特定行政庁が指定している角地であるため、それぞれ10％ずつ緩和される。つまり、建蔽率は60％＋10％＋10％＝80％である。敷地面積は、300㎡＋325㎡＝625㎡となるため、建築面積は、次のとおりである。

625㎡×80％＝<u>500㎡</u>

（イ）延べ面積

前面道路の幅員が12m未満の場合は、次ののうち小さいほうが限度となる。なお、2以上の道路に面している場合、幅員の大きいものが前面道路となる。本問では幅員8m（公道）が前面道路となる。

> ⓘ都市計画により定められた容積率（指定容積率）
> ⓡ前面道路の幅員×法定乗数

$$8\text{m} \times \frac{4}{10} = 320\% > 300\%（指定容積率）\quad \therefore \quad 300\%$$

625㎡×300％＝<u>1,875㎡</u>

〈2．不動産価格〉

解2 2,050万円

マンション販売価格のうち消費税が課税されるのは建物のみ（土地は非課税）であるため、消費税額250万円を10％で除せば建物本体価格を求めることができる。

建物本体価格＝250万円÷10％＝2,500万円
土地（敷地の共有持分）の価格＝4,800万円－（2,500万円＋250万円）＝<u>2,050万円</u>

〈3．分離譲渡所得の課税〉

解3 **820万円**

課税長期譲渡所得の金額 = 総収入金額 − (取得費 + 譲渡費用) − 特別控除額

$= 4,200万円 − (4,200万円 × 5\%^{※1} + 170万円) − 3,000万円^{※2}$

$= \underline{820万円}$

※1 「土地および建物とも不明であるため概算取得費とする」とあるため、譲渡価額の5%が概算取得費となる。

※2 「居住用財産を譲渡した場合の3,000万円特別控除の特例の適用を受けるものとする」とあるため、特別控除額3,000万円を控除する。

〈4．不動産投資における利回り〉

解4 **（ア）5.33%　（イ）4.20%**

（ア）表面利回り（年利）

$$表面利回り（\%） = \frac{1年あたりの総収入}{購入費用総額}$$

1年あたりの総収入 = 想定される収入（年額）= 80,000円 × 12ヵ月 = 96万円

$$表面利回り（\%） = \frac{96万円}{1,800万円} × 100 = \underline{5.33\%}（小数点以下第3位四捨五入）$$

（イ）実質利回り（年利）

$$実質利回り（\%） = \frac{1年あたりの純収益}{購入費用総額}$$

1年あたりの純収益 = 想定される収入（年額）− 想定される支出（年額）

$= 80,000円 × 12ヵ月$

$\quad − \{(10,000円 + 80,000円 × 5\%) × 12ヵ月 + 36,000円\}$

$= 96万円 − 20.4万円 = 75.6万円$

$$実質利回り（\%） = \frac{75.6万円}{1,800万円} × 100 = \underline{4.20\%}$$

〈5．不動産所得〉

解5 **555,000円**

$$不動産所得の金額 = 総収入金額 − 必要経費$$

総収入金額：164万円（賃料収入）

必要経費 ：30万円（ローンの利息）+ 15万円（管理費等）+ 7.5万円（管理業務委託費）
+ 1万円（火災保険料）+ 12万円（固定資産税）+ 8万円（修繕費）+ 35万円（減価償却費）
= 108.5万円

※ ローンの元金は必要経費とならない。

164万円 − 108.5万円 = \underline{55.5万円}

6 相続・事業承継

●計算問題の出題歴

項　目	出題歴		
	2023.9	2024.1	2024.5
1．相続税評価額（宅地）		協	協
2．小規模宅地等の評価減の特例	金		金
3．相続税の課税価格および合計額	協	協	協
4．遺産に係る基礎控除額		学	
5．相続税の総額	金	金	金
6．法定相続分・遺留分	金・協	協	協
7．相続時精算課税制度と暦年単位課税			
贈与税の配偶者控除			協

問　題

〈1．相続税評価額（宅地）〉

問1 下記**〈資料〉**の土地に係る路線価方式による普通借地権の相続税評価額（千円単位）を求めなさい。

〈資料〉

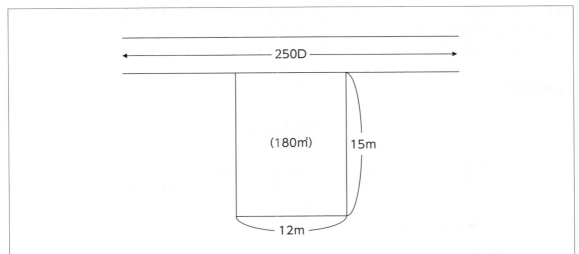

注1：奥行価格補正率　14m以上16m未満　1.00

注2：借地権割合　60％

注3：借家権割合　30％

注4：その他の記載のない条件は、一切考慮しないこと。

〈2．小規模宅地等の評価減の特例〉

問2 X株式会社（非上場会社・製造業、以下「X社」という）の代表取締役社長である孝男さん（66歳）は、X社の専務取締役である長男明宏さん（41歳）に事業を承継する予定であり、X社に有償で貸し付けているX社本社建物とその敷地を、長男明宏さんに相続させるつもりである。

長男明宏さんが本社建物とその敷地を相続により取得し、当該敷地（500㎡、相続税評価額1億円）について、特定同族会社事業用宅地等として限度面積まで「小規模宅地等についての相続税の課税価格の計算の特例」の適用を受けた場合、相続税の課税価格に算入すべき当該敷地の価額（万円単位）はいくらか。

〈3．相続税の課税価格および合計額〉

問3 下記のデータに基づき、相続税の課税価格の合計額（万円単位）を求めなさい。なお、小規模宅地等の評価減の特例の適用を受けるものとし、その他記載のない条件については考慮しなくてもよい。
・法定相続人の数：3人（配偶者、長女、二女）

〈課税価格の合計額を算出するための財産等の相続税評価額〉
・マンション（建物および建物敷地権）：3,000万円（「小規模宅地等の評価減の特例」適用後）
・現預金：2,000万円
・死亡保険金：2,500万円（非課税限度額控除前）
・死亡退職金：1,800万円（非課税限度額控除前）
・債務および葬式費用：600万円

〈4．遺産に係る基礎控除額〉

問4 下記〈親族関係図〉において、Aさんの相続が開始した場合の相続税額の計算における遺産に係る基礎控除額（万円単位）はいくらか。なお、CさんはAさんの相続開始前に死亡している。また、Eさんは、Aさんの普通養子（特別養子縁組以外の縁組による養子）であり、相続の放棄をしている。

〈親族関係図〉

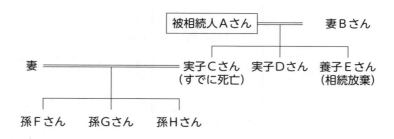

〈5．相続税の総額〉

問5 現時点（2025年1月26日）において、Aさんに相続が開始した場合における相続税の総額を試算した下記の表の空欄①〜③に入る最も適切な数値を求めなさい。なお、Aさんの相続に係る相続人は妻Bさん、長男Cさんおよび長女Dさんの3人であり、課税遺産総額は1億8,000万円とする。また、問題の性質上、明らかにできない部分は「□□□」で示してある。

(a) 相続税の課税価格の合計額	□□□万円
(b) 遺産に係る基礎控除額	（ ① ）万円
課税遺産総額（(a) − (b)）	1億8,000万円
相続税の総額の基となる税額	
妻Bさん	□□□万円
長男Cさん	（ ② ）万円
長女Dさん	□□□万円
(c) 相続税の総額	（ ③ ）万円

〈相続税の速算表〉

法定相続分に応ずる取得金額		税率	控除額
万円超	万円以下		
	1,000	10%	—
1,000 〜	3,000	15%	50万円
3,000 〜	5,000	20%	200万円
5,000 〜	10,000	30%	700万円
10,000 〜	20,000	40%	1,700万円
20,000 〜	30,000	45%	2,700万円
30,000 〜	60,000	50%	4,200万円
60,000 〜		55%	7,200万円

〈6．法定相続分・遺留分〉

問6 下記〈親続関係図〉の場合において、民法の規定に基づく法定相続分に関する次の記述の空欄（ア）〜（エ）に入る適切な語句または数値を答えなさい。

〈親族関係図〉

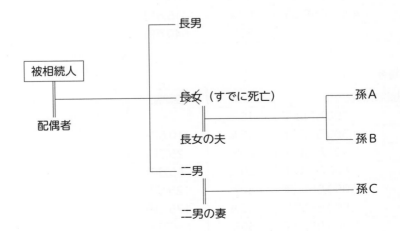

[各人の法定相続分]
・被相続人の配偶者の法定相続分は（　ア　）となる。
・被相続人の二男の法定相続分は（　イ　）となる。
・被相続人の孫Ａの法定相続分は（　ウ　）となる。
・被相続人の長男の遺留分は（　エ　）となる。

〈7．相続時精算課税制度と暦年単位課税〉
問7 三上孝太さん（53歳）は、父（85歳）と叔母（78歳）から下記〈資料〉の贈与を受けた。孝太さんの2024年分の贈与税額（万円単位）を求めなさい。なお、父からの贈与については、2023年から相続時精算課税制度の適用を受けている（適用要件は満たしている）。

〈資料〉

> [2023年中の贈与]
> ・父から贈与を受けた金銭の額　　：1,500万円
> [2024年中の贈与]
> ・父から贈与を受けた金銭の額　　：1,500万円
> ・叔母から贈与を受けた金銭の額：1,000万円
> ※2023年中および2024年中に上記以外の贈与はないものとする。
> ※上記の贈与は、住宅取得等資金の贈与ではない。

〈贈与税の速算表〉
（a）18歳以上の者が直系尊属から贈与を受けた財産の場合

基礎控除後の課税価格		税率	控除額
	200万円以下	10%	—
200万円超	400万円以下	15%	10万円
400万円超	600万円以下	20%	30万円
600万円超	1,000万円以下	30%	90万円
1,000万円超	1,500万円以下	40%	190万円
1,500万円超	3,000万円以下	45%	265万円
3,000万円超	4,500万円以下	50%	415万円
4,500万円超		55%	640万円

（b）（a）以外の場合

基礎控除後の課税価格		税率	控除額
	200万円以下	10%	—
200万円超	300万円以下	15%	10万円
300万円超	400万円以下	20%	25万円
400万円超	600万円以下	30%	65万円
600万円超	1,000万円以下	40%	125万円
1,000万円超	1,500万円以下	45%	175万円
1,500万円超	3,000万円以下	50%	250万円
3,000万円超		55%	400万円

解　答

〈1．相続税評価額（宅地）〉

[解1] 27,000千円

> 普通借地権の相続税評価額＝路線価×奥行価格補正率×地積×借地権割合

普通借地権の相続税評価額＝250千円×1.00×180㎡×60％＝27,000千円

〈2．小規模宅地等の評価減の特例〉

[解2] 3,600万円

　特定同族会社事業用宅地等として「小規模宅地等に係る相続税の課税価格の計算の特例」の適用を受けた場合、面積400㎡を限度として、減額割合は80％となる。

> ① 宅地等の相続税評価額
> ② 小規模宅地の評価減
> $$① \times \frac{400㎡まで}{総面積} \times \frac{80}{100}$$
> ③ 相続税評価額
> $$① - ②$$

① 宅地等の相続税評価額（X社本社の敷地）
　　1億円

② 小規模宅地の評価減

$$1億円 \times \frac{400㎡}{500㎡} \times \frac{80}{100} = 6,400万円$$

③ 相続税評価額

　　①1億円－②6,400万円＝3,600万円

〈3．相続税の課税価格および合計額〉

[解3] 5,700万円

　3,000万円（小規模宅地等の評価減の特例適用後）＋2,000万円（現預金）
　＋2,500万円（死亡保険金）－1,500万円（死亡保険金の非課税金額[※1]）
　＋1,800万円（死亡退職金）－1,500万円（死亡退職金の非課税金額[※2]）
　－600万円（債務および葬式費用）＝5,700万円

　※1　相続人が受け取った死亡保険金は、「500万円×法定相続人の数」が非課税となる。
　　　　500万円×3人＝1,500万円

　※2　相続人が受け取った死亡退職金は、「500万円×法定相続人の数」が非課税となる。
　　　　500万円×3人＝1,500万円

〈4．遺産に係る基礎控除額〉

[解4] 6,600万円

　遺産に係る基礎控除額＝3,000万円＋600万円×法定相続人の数

〈被相続人Aさんの法定相続人〉

　妻Bさん・孫Fさん・孫Gさん・孫Hさん・実子Dさん・養子Eさん（※）の合計6人となる。

　　3,000万円＋600万円×6人＝6,600万円

※　相続税法上の法定相続人を判定する場合、放棄はなかったものとみなす。また、養子は実子がいれば1人まで、実子がいなければ2人まで数に算入する。

〈5．相続税の総額〉

解5　①4,800　②700　③3,400

　第1順位である子が相続人の場合、配偶者の法定相続分は2分の1、残りの2分の1が子の法定相続分である。したがって、相続分は妻Bさん$\frac{1}{2}$、長男Cさんおよび長女Dさんともに$\frac{1}{4}$（$=\frac{1}{2}×\frac{1}{2}$）である。

・遺産に係る基礎控除額

　3,000万円＋600万円×3人＝<u>4,800万円</u>（空欄①）

・課税遺産総額

　1億8,000万円

・相続税の総額

　㋐　妻Bさんが法定相続分に従って取得したものとして計算した相続税の額

　　1億8,000万円×$\frac{1}{2}$＝9,000万円

　　9,000万円×30％－700万円＝2,000万円

　㋑　長男Cさんおよび長女Dさんが法定相続分に従って取得したものとして計算した相続税の額

　　1億8,000万円×$\frac{1}{4}$＝4,500万円

　　4,500万円×20％－200万円＝<u>700万円</u>（空欄②）

　㋒　相続税の総額

　　2,000万円＋700万円＋700万円＝<u>3,400万円</u>（空欄③）

〈6．法定相続分・遺留分〉

解6　（ア）$\frac{1}{2}$　（イ）$\frac{1}{6}$　（ウ）$\frac{1}{12}$　（エ）$\frac{1}{12}$

　第3順位の子がいる場合、配偶者の法定相続分は$\frac{1}{2}$、残りの$\frac{1}{2}$が子の法定相続分であり、子が複数いる場合は人数で等分する。したがって、二男の法定相続分は$\frac{1}{6}$（$=\frac{1}{2}×\frac{1}{3}$）となる。

　孫Aは長女の代襲相続人であり、代襲相続人の相続分は被代襲者が相続するはずであった相続分を承継する。また、代襲相続人が複数いる場合は等分する。したがって、孫Aの法定相続分は$\frac{1}{12}$（$=\frac{1}{2}×\frac{1}{3}×\frac{1}{2}$）となる。

　相続人が直系尊属のみ以外の場合の総体的遺留分は$\frac{1}{2}$であるため、長男の遺留分は$\frac{1}{12}$｛$=\frac{1}{2}$（総体的遺留分）$×\frac{1}{6}$（法定相続分）｝となる。

〈7．相続時精算課税制度と暦年単位課税〉

解7　309万円

　父からの贈与は相続時精算課税制度を適用し、叔母からの贈与は暦年単位課税となる。

・父からの贈与：相続時精算課税制度

> 税額＝(贈与を受けた額－特別控除額2,500万円[※1])×20％（一律）

※1　複数年の贈与については合計が2,500万円に達するまで。

〈資料〉より、2023年に父から1,500万円の贈与を受けているため、2024年で使える特別控除額は2,500万円－1,500万円＝1,000万円となる。

2024年の税額＝｛(1,500万円－110万円)－1,000万円｝×20％＝78万円

・叔母からの贈与：暦年単位課税

> 税額＝(贈与を受けた額－基礎控除額110万円)×税率[※2]－控除額

2024年の税額＝(1,000万円－110万円)×40％－125万円＝231万円

※2　叔母は直系尊属でないため、〈速算表〉(b)を用いる。

・2024年分の贈与税額

78万円＋231万円＝<u>309万円</u>

直前予想模試
学　科

解答・解説

第1予想・学科

解答一覧・苦手論点チェックシート

※ 間違えた問題に✓を記入しましょう。

問題	科目	論点	正解	難易度	あなたの苦手※ 1回目	あなたの苦手※ 2回目
1	ライフ	コンプライアンス	3	A		
2		ライフステージ別資金運用	3	A		
3		公的医療保険	4	A		
4		雇用保険	3	A		
5		公的年金	3	A		
6		公的年金の老齢給付	3	A		
7		共済制度および国民年金基金	2	A		
8		フラット35	2	A		
9		確定拠出年金	3	A		
10		決算書	3	A		
11	リスク	少額短期保険	4	A		
12		生命保険の種類と商品	3	A		
13		個人年金保険の税金	1	A		
14		生命保険契約の経理処理（法人契約）	3	B		
15		火災保険	4	A		
16		地震保険	2	A		
17		自動車保険	1	A		
18		損害保険契約の課税関係（個人契約）	3	A		
19		第三分野の保険	4	A		
20		生命保険料控除	4	A		
21	金融	景気動向指数	4	A		
22		債券の利回りと市場金利の変動	1	B		
23		投資信託のディスクロージャーと費用	3	A		
24		上場投資信託の一般的特徴	4	A		
25		株価指標および株式市場	3	A		
26		株式の投資指標	4	A		
27		外貨建て金融商品	4	A		
28		デリバティブ取引等	3	B		
29		上場株式の課税関係	4	A		
30		NISA	4	A		
31	タックス	わが国の税制	1	A		
32		各種所得	3	A		
33		青色申告	3	A		

問題	科目	論点	正解	難易度	あなたの苦手※	
					1回目	2回目
34	タックス	総所得金額の計算	2	B		
35		所得控除	2	A		
36		住宅借入金等特別控除	1	A		
37		個人事業税	1	B		
38		法人税の仕組み	4	A		
39		法人税の損金	4	A		
40		決算書の分析	1	B		
41	不動産	不動産の登記	4	A		
42		不動産の鑑定評価	3	A		
43		宅地建物取引業法	2	A		
44		売買契約	2	A		
45		借地借家法（借地）	2	A		
46		建築基準法	3	A		
47		区分所有法	1	A		
48		不動産の保有に係る税金	1	A		
49		居住用財産の譲渡に係る各種特例	2	A		
50		不動産の有効活用	4	A		
51	相続	民法上の遺言	2	A		
52		民法上の贈与	2	A		
53		贈与税の非課税財産	2	A		
54		民法上の相続人等	1	A		
55		民法上の相続	4	A		
56		相続税の課税財産	3	A		
57		相続税の延納および物納	1	A		
58		金融資産の評価	1	B		
59		小規模宅地等の評価減の特例	3	A		
60		生命保険の活用	1	B		

配点は各1点　難易度　A…基本　B…やや難　C…難問

科目別の成績			あなたの得点	合格点	合格への距離

ライフ	リスク	金融
1回目 　／10	1回目 　／10	1回目 　／10
2回目 　／10	2回目 　／10	2回目 　／10

タックス	不動産	相続
1回目 　／10	1回目 　／10	1回目 　／10
2回目 　／10	2回目 　／10	2回目 　／10

1回目

/60 － **36**/60 ＝

2回目

/60 － **36**/60 ＝

問題1 解答：**3**

1．**適切**。生命保険募集人の登録を受けていないFPであっても、生命保険における必要保障額の計算を行うことはできる。

2．**適切**。社会保険労務士の登録を受けていないFPであっても、顧客の年金受取見込額を試算することはできる。

3．**不適切**。税理士の登録を受けていないFPが、有償無償を問わず所得税の確定申告書の作成を代行することはできない。

4．**適切**。社会福祉士の登録を受けていないFPであっても、任意後見受任者となることはできる。

問題2 解答：**3**

1．**適切**。学資（こども）保険は、こどもの入学、進学にあわせた祝い金や満期保険金を受け取れる商品である。一般的に契約者を親、被保険者を子として加入し、保険期間中に契約者（親）が死亡した場合、以降の保険料が免除され、その後の祝い金や満期保険金を受け取ることができるという保障機能と貯蓄機能を備えている。

2．**適切**。住宅ローンの借換えに伴うメリットとデメリットを説明し、顧客が総合的に判断できるよう情報提供を行うことが重要である。

3．**不適切**。50歳代後半では、余裕資金を除き、安全性重視の資金運用を心掛けることが重要である。

4．**適切**。60歳代における老後資金はリスクを避け、元本が確保された金融商品を中心とした安定的な運用を図ることが重要である。

問題3 解答：**4**

1．**適切**。なお、任意継続被保険者の保険料は、全額自己負担となる。

2．**適切**。なお、健康保険の保険料と介護保険の保険料をあわせて、労使折半で負担する。

3．**適切**。加入中の医療制度（健康保険・国民健康保険など）に関係なく、75歳以上の者はすべて後期高齢者医療制度の被保険者となる。

4．**不適切**。姪が被扶養者になるには、同一世帯に属することが条件である。なお、「同一世帯」とは、同居して家計を共にしている状態をいう。また、健康保険の被扶養者の範囲は、次のとおりである。

〈健康保険の被扶養者の範囲〉

① 被保険者と同居でも別居でもよい者
　ア）配偶者
　イ）子・孫
　ウ）本人の兄弟姉妹
　エ）本人の直系尊属

② 被保険者と同居が条件となる者
　ア）被保険者の3親等以内の親族（①に該当する人を除く）
　イ）被保険者の内縁の配偶者の父母および子
　ウ）内縁の配偶者死亡後の父母および子

問題4 解答：**3**

1．**不適切**。正当な理由がなく自己都合により退職し、初めて基本手当の受給を申請した場合、7日間の待期期間経過後、<u>2ヵ月間</u>は給付制限期間として基本手当を受給することができない。

2．**不適切**。被保険者が、一定の状態にある家族を介護するための休業をした場合、同一の対象家族について、<u>通算3回</u>かつ93日の介護休業を限度として、介護休業給付金が支給される。

3．**適切**。

4．**不適切**。一般被保険者や高年齢被保険者が、1歳に満たない子を養育するために休業する場合、育児休業給付金が支給されるが、1歳に達した日後の期間について休業することが特に必要と認められる場合、最長で子が<u>2歳</u>に達する日の前日まで支給される。1歳2ヵ月は、パパ・ママ育休制度利用により延長される期間である。

問題5 解答：**3**

1．**適切**。原則として、厚生年金保険の被保険者期間が20年以上あり、かつ、その受給権者によって生計を維持されている一定の要件を満たす配偶者または子がいる場合、老齢厚生年金の額に加給年金額が加算される。

2．**適切**。なお、20歳以上60歳未満の学生は、学生納付特例制度が適用されるため、免除・納付猶予制度は利用できない。

3．**不適切**。日本国籍を有するが日本国内に住所を有しない20歳以上65歳未満の者（厚生年金保険、共済組合等加入者を除く）は、原則として、国民年金の任意加入被保険者となることができる。なお、受給資格期間を満たしていない65歳以上70歳未満の者も、受給資格を満たす目的でのみ国民年金の任意加入被保険者となることができる。

4．**適切**。産前産後休業期間中の厚生年金保険料は、被保険者と事業主のいずれの負担も免除される。なお、年金額を計算する際は、保険料納付済期間として扱われる。

問題6 解答：**3**

1．**不適切**。老齢厚生年金および老齢基礎年金の繰下げ支給の申出をする場合、それぞれ繰下げ時期を<u>別々に選択できる</u>。

2．**不適切**。国民年金の保険料の納付猶予の承認を受けた期間は、追納しなくても老齢基礎年金の受給資格期間に算入される。なお、追納することにより、老齢基礎年金の受給額が増えることになる。

3．**適切**。在職老齢年金において、老齢基礎年金や経過的加算額は、支給停止されない。

4．**不適切**。老齢厚生年金の加給年金額対象者である配偶者が、厚生年金保険の被保険者期間が<u>20年以上</u>である特別支給の老齢厚生年金の受給権を取得したときは、原則として当該配偶者に係る加給年金額は支給停止となる。

問題7 解答：**2**

1．**不適切**。中小企業退職金共済の掛金月額は、被共済者1人当たり<u>3万円</u>が上限となっている。

2．**適切**。なお、前の企業での掛金納付月数を再就職した企業での掛金納付月数と通算するには、申し出を行う必要がある。

3．**不適切**。国民年金基金の給付には、老齢年金と遺族一時金がある。

4．**不適切**。小規模企業共済の加入者が事業を廃止した際に受け取る共済金は、一括受取りを選択した場合、<u>退職所得</u>として所得税の課税対象となる。

問題8 解答：**2**

1．**適切**。「住・My Note」を利用してインターネット上で繰上げ返済をする場合の最低返済額は10万円であるが、金融機関の窓口で手続する場合は100万円である。

2．**不適切**。フラット35を利用する場合、住宅部分の床面積が非住宅部分（例えば店舗部分）の床面積以上であることが必要である。

3．**適切**。借入対象となる住宅およびその敷地に、住宅金融支援機構を抵当権者とする第1順位の抵当権が設定される。

4．**適切**。フラット35Sの技術基準には、省エネルギー性、耐震性のほかに、バリアフリー性、耐久性・可変性がある。

問題9 解答：**3**

1．**適切**。2022年4月から、確定拠出年金（企業型年金・個人型年金）における老齢給付金の受給開始の上限年齢が75歳に引き上げられた。ただし、1952年4月1日以前に生まれた者は、2022年4月1日の前に70歳に達しているため、受給開始の上限年齢は70歳となる。

2．**適切**。過去に国民年金保険料の未納期間があっても、加入時点で保険料を納付していれば、個人型年金に加入することができる。

3．**不適切**。2022年5月から、海外居住者であっても国民年金に任意加入していれば、個人型年金に加入することができるようになった。

4．**適切**。なお、個人型年金の老齢給付金を一時金として受け取った場合は、退職所得として課税の対象となる。

問題10 解答：**3**

1．**不適切**。ROE（自己資本利益率）は、自己資本に対する当期純利益の割合を示したものである。一般に、ROEは、高い方が経営の効率性が高い。

$$ROE(\%) = \frac{当期純利益}{自己資本} \times 100$$

2．**不適切**。固定長期適合率は、固定負債と自己資本に対する固定資産の割合を示したものである。一般に、固定長期適合率は、低い方が財務の健全性が高い。

$$固定長期適合率(\%) = \frac{固定資産}{固定負債 + 自己資本} \times 100$$

3．**適切**。当座比率は、流動負債に対する当座資産の割合を示したものである。一般に、当座比率は、高い方が財務の健全性が高い。

$$当座比率(\%) = \frac{当座資産}{流動負債} \times 100$$

4．**不適切**。自己資本比率は、総資本に対する自己資本の割合を示したものである。一般に、自己資本比率は、高い方が財務の健全性が高い。

$$自己資本比率（\%） = \frac{自己資本}{総資本} \times 100$$

問題11 解答：**4**

1．**適切**。少額短期保険業者は、生命保険契約者保護機構または損害保険契約者保護機構の会員ではなく、その契約者等は補償の対象外となる。

2．**適切**。生命保険料控除や地震保険料控除は、保険業法上の生命保険会社・損害保険会社が締結した保険契約を対象としている。保険業法上の保険会社ではない少額短期保険業者の保険料は対象とならない。

3．**適切**。なお、少額短期保険業者は、保険業法の適用対象である。

4．**不適切**。生命保険（第1分野）および<u>傷害疾病保険（第3分野）の保険期間は上限1年</u>であり、損害保険（第2分野）の保険期間は上限2年である。

問題12 解答：**3**

1．**適切**。更新する場合、更新時の年齢によって保険料が再計算されるため、通常、更新前より更新後の保険料は高くなる。

2．**適切**。なお、保険期間の経過に伴い所定の割合で保険金額が逓増するが、保険料は一定なのが、逓増定期保険である。

3．**不適切**。変額保険（終身型）では、契約時に定めた保険金額（基本保険金額）は保証されている。なお、解約返戻金は保証されていないため、保険金額（基本保険金額）や既払込保険料相当額を下回ることもある。

4．**適切**。低解約返戻金型終身保険は、保険料払込期間中の解約返戻金が、通常の終身保険よりも低く抑えられており、保険料払込満了時には通常の終身保険と同水準になる。保険金額や保険料払込期間が同一であれば、通常の終身保険よりも保険料が割安となる。

問題13 解答：**1**

1．**適切**。年金受取人が契約者と同一であり、年金ではなく一括で受け取る場合は、一時所得として所得税の課税対象となる。

2．**不適切**。年金として受け取る場合には、公的年金等以外の雑所得となるため、公的年金等控除は適用されない。

3．**不適切**。<u>10.21％</u>相当額が源泉徴収される。

4．**不適切**。遺族が取得した年金受給権は、<u>相続税</u>の対象となる。

問題14 解答：**3**

1．**不適切**。死亡保険金受取人が法人である終身保険の支払保険料は、その全額を<u>資産に計上</u>する。

2．**不適切**。死亡保険金受取人および満期保険金受取人が法人である養老保険の支払保険料は、その全額を<u>資産に計上</u>する。

3．**適切**。法人を契約者とし、役員または従業員を被保険者とする保険期間3年以上の定期保険または第三分野保険の経理処理は、最高解約返戻率に応じて処理する。下表参照。
　・2019年7月8日以後（一定の保険については10月8日以後）に締結した法人契約の定期保険および第三分野保険の経理処理

最高解約返戻率※	取扱い		
	資産計上期間	資産計上額	資産取り崩し方法
50%以下	資産計上不要（全額損金算入）		
50%超 70%以下	保険期間の当初40%相当の期間	年間の支払保険料×40%	保険期間の75/100相当期間経過後から、保険期間の終了の日まで
70%超 85%以下		年間の支払保険料×60%	
85%超	保険期間開始日から解約返戻率が最高となる期間の終了日	年間の支払保険料×最高解約返戻率×70%（保険期間開始日から10年経過日までの期間は90%）	解約返戻金が最高となった期間経過後から、保険期間の終了の日まで

※最高解約返戻率とは、その保険契約の保険期間を通じて解約返戻率が最も高い割合となる期間におけるその割合をいう。

4．**不適切**。全期払い（保険期間＝払込期間）で解約返戻金のない医療保険は、支払い保険料の全額を損金に算入することができる。下表参照。

・医療保険（解約返戻金のないタイプ）の経理処理

契約者	被保険者	受取人	支払保険料		経理処理
法　人	役員・従業員	法　人	全期払い（保険期間＝払込期間）		医療保険料（損金）
			短期払い	年間保険料 30万円超	※以下の金額を医療保険料（損金） 年間保険料×払込年数÷（116年−加入年数）
				年間保険料 30万円以下	医療保険料（損金）

（問題15）**解答：4**

1．**適切**。風災による家財の損傷は、火災保険の補償対象となる。

2．**適切**。隣家からの延焼で自宅が被害を受けた場合、火災保険の補償対象となる。

3．**適切**。隣家の火事が原因で、消防活動が行われたことにより自宅が被害を受けた場合、火災保険の補償対象となる。

4．**不適切**。火災による現金の焼失は、火災保険の補償対象とならない。

（問題16）**解答：2**

1．**適切**。地震保険は、単独では加入できない。

2．**不適切**。地震保険の割引制度は、建物が複数の条件に該当したとしても重複して適用されないため、最も有利なものを選択することになる。

3．**適切**。地震保険では、損害の程度を、「全損」「大半損」「小半損」「一部損」の４区分としており、これらの区分によって支払われる保険金額が決まっている。

4．**適切**。地震保険の補償対象となる建物は居住用不動産、家財は生活用動産に限られており、通貨、有価証券、１個または１組の価額が30万円超の貴金属、骨とう品、書画などは保険の対象に含まれない。

問題17 解答：**1**

1．**不適切**。対人賠償保険および対物賠償保険の保険金が支払われる場合は、**3等級ダウン事故**となり、更新後の等級は3等級下がる。

2．**適切**。人身傷害（補償）保険、搭乗者傷害保険や個人賠償責任（補償）特約のみが支払われる場合は、ノーカウント事故として扱われ、更新後の等級は1等級上がることになる。

3．**適切**。車両保険のみを使用した場合は、1等級ダウン事故に該当し、更新後の等級は1等級下がることになる。

4．**適切**。選択肢2の解説参照。

問題18 解答：**3**

1．**不適切**。地震保険料部分のみが、地震保険料控除の対象となる。

2．**不適切**。契約者である被保険者が不慮の事故で死亡し、その配偶者が受け取った傷害保険の死亡保険金は、相続税の課税対象となる。

3．**適切**。自動車保険の車両保険金は、非課税となる。

4．**不適切**。所得補償保険の保険料は、介護医療保険料控除の対象となる。

問題19 解答：**4**

1．**不適切**。先進医療特約で支払い対象となる先進医療は、当該特約の契約時ではなく、療養時点において厚生労働大臣が承認しているものとされている。

2．**不適切**。入院給付金の対象となるのは原則として「治療を目的とした入院」をしたときであるため、治療を伴わない人間ドックや健康診断のための入院では、入金給付金の支払い対象とならない。

3．**不適切**。がん保険では、90日間または3ヵ月間の免責期間が設けられており、加入後免責期間内にがんと診断確定された場合、保険契約は無効となり給付の対象とならない。

4．**適切**。限定告知型は、告知の範囲が限定されているため、一般の医療保険と比較した場合、保険料は高くなる。

問題20 解答：**4**

1．**不適切**。団体信用生命保険は、保険金の受取人が金融機関となるため、その保険料は生命保険料控除の対象とならない。

2．**不適切**。傷害特約は被保険者が事故によってケガをした場合等の保障が目的であり、その保険料は生命保険料控除の対象とならない。

3．**不適切**。2012年1月以後に締結した保険契約に適用される生命保険料控除額は、一般の生命保険料控除、個人年金保険料控除、介護医療保険料控除に区分される。

4．**適切**。生命保険料控除の対象となるのは、実際に支払った年の保険料である。

問題21 解答：**4**

1．**適切**。なお、景気動向指数は、内閣府が毎月発表している。

2．**適切**。景気動向指数に採用されている指標は、下表参照。

3．**適切**。なお、現状の景気を判断する場合には、DI一致指数を用い、50％が景気判断の目安となる。景気拡張局面では50％を上回り、後退局面では下回る傾向がある。

4．**不適切**。景気転換点の判定には、一致指数を構成する個別指標ごとに統計的手法を用いて山と谷を設定し、谷から山に向かう局面にある指標の割合を算出したヒストリカル・ディフュージョン・インデックス

（ＤＩ）が用いられている。なお、コンポジット・インデックス（ＣＩ）とは、各系列の指標の前月と比べた変化量を合成したもので、主として景気変動の大きさやテンポ（量感）を測定するために用いる。

〈景気動向指数に採用されている経済指標〉　　　　　2024年7月末現在

	指　標　名
先行系列 （11指標）	①　最終需要財在庫率指数（逆サイクル） ②　鉱工業用生産財在庫率指数（逆サイクル） ③　新規求人数（除学卒） ④　実質機械受注（製造業） ⑤　新設住宅着工床面積 ⑥　消費者態度指数 ⑦　日経商品指数（42種総合） ⑧　マネーストック（Ｍ2、前年同月比） ⑨　東証株価指数 ⑩　投資環境指数（製造業） ⑪　中小企業売上げ見通しＤＩ
一致系列 （10指標）	①　生産指数（鉱工業） ②　鉱工業用生産財出荷指数 ③　耐久消費財出荷指数 ④　労働投入量指数（調査産業計） ⑤　投資財出荷指数（除輸送機械） ⑥　商業販売額（小売業、前年同月比） ⑦　商業販売額（卸売業、前年同月比） ⑧　営業利益（全産業） ⑨　有効求人倍率（除学卒） ⑩　輸出数量指数
遅行系列 （9指標）	①　第3次産業活動指数（対事業所サービス業） ②　常用雇用指数（調査産業計、前年同月比） ③　実質法人企業設備投資（全産業） ④　家計消費支出（勤労者世帯、名目、前年同月比） ⑤　法人税収入 ⑥　完全失業率（逆サイクル） ⑦　きまって支給する給与（製造業、名目） ⑧　消費者物価指数（生鮮食品を除く総合、前年同月比） ⑨　最終需要財在庫指数

問題22 解答：**1**

（ア）…市場金利が上昇すると既発債券の価格は、<u>下落</u>する。

（イ）…（ア）の解答より、債券価格が100円未満に下落していることから<u>99.02円</u>となる。

（ウ）

$$所有期間利回り（\%）=\frac{表面利率+\dfrac{売却価格-買付価格（または発行価格）}{所有期間(年)}}{買付価格（または発行価格）}\times100$$

$$=\frac{0.30+\dfrac{99.02-100}{5}}{100}\times100=0.104 \rightarrow \underline{0.10\%}$$

問題23 解答：**3**

1．**適切**。投資家が負担する販売手数料（購入時手数料）の上限料率は、委託者（投資信託委託会社）が決定し、販売会社（取扱金融機関）はその範囲内で料率を決定するため、同一の投資信託を同一口数購入する場合であっても、販売会社によって異なる場合がある。

2．**適切**。運用管理費用（信託報酬）は、信託財産の運用業務や管理業務に係る報酬であり、投資信託委託会社、受託会社（信託銀行）および販売会社の3者が受け取る。

3．**不適切**。交付目論見書は、投資信託の販売の際、投資家に<u>あらかじめまたは同時に交付</u>しなければならない目論見書である。

4．**適切**。投資信託の交付運用報告書は、委託者（投資信託委託会社）が作成・交付する資料で、運用実績や組入資産の明細等についての報告のほか、今後の運用方針についても示されている。

問題24 解答：**4**

1．**不適切**。インバース型ＥＴＦが連動を目指す指標は、原指標（ＴＯＰＩＸや日経平均など）の日々の騰落率の<u>マイナス○倍</u>となるように計算された指標である。

2．**不適切**。レバレッジ型ＥＴＦが連動を目指す指標は、原指標（ＴＯＰＩＸや日経平均など）の日々の騰落率の<u>プラス○倍</u>となるように計算された指標である。

3．**不適切**。リンク債型ＥＴＦは、所定の指標に連動した投資成果を目的とする債券（リンク債）に投資することにより、<u>ＥＴＦの一口当たり純資産額の変動率を対象指標の変動率に一致</u>させる運用手法を採用するＥＴＦである。

4．**適切**。ＥＴＦの分配金には、元本払戻金（特別分配金）はない。

問題25 解答：**3**

1．**適切**。プライム市場は、グローバルな投資家との建設的な対話を中心に据えた企業向けの市場である。

2．**適切**。225銘柄については、定期的に見直しが行われている。

3．**不適切**。東証株価指数（ＴＯＰＩＸ）は、現在、プライム市場・スタンダード市場に上場している銘柄のうち、旧東京証券取引所第一部に属していた銘柄を対象として算出されている。

4．**適切**。スタンダード市場は公開された市場における投資対象として十分な流動性とガバナンス水準を備えた企業向けの市場である。

問題26 解答：**4**

1．**不適切**。ＰＥＲ（倍）＝株価÷1株当たり当期純利益

　　25倍＝4,000円÷1株当たり当期純利益

1 株当たり当期純利益＝160円

2．**不適切**。配当利回り（％）＝ 1 株当たりの配当金÷株価×100

　　配当利回り＝30円※÷4,000円×100＝0.75％

　　※ 1 株当たり配当金＝配当金総額（90億円）÷発行済株式数（3 億円）により算出。

　　（参考）配当性向（％）＝ 1 株当たり配当金÷ 1 株当たり当期純利益×100

　　　　　　　　　　　　　＝30円÷160円×100＝18.75％

3．**不適切**。ＰＢＲ（倍）＝株価÷ 1 株当たり純資産

　　ＰＢＲ＝4,000円÷1,000円※＝ 4 倍

　　※ 1 株当たり純資産＝自己資本（3,000億円）÷発行済株式数（3 億円）により算出。

4．**適切**。

　　ＲＯＥ（％）＝当期純利益÷自己資本×100

　　　　　　　＝ 1 株当たり当期純利益÷ 1 株当たり自己資本（＝純資産）

　　ＲＯＥ＝160円÷1,000円×100＝16.0％

問題27 解答：**4**

1．**適切**。なお、外貨預金の預入時に円貨を外貨に換える際に適用される為替レートは、TTS（対顧客電信売相場）である。

2．**適切**。保有する外貨建て債券について、外貨と円の為替レートが円高方向に変動すると、円に換算したときの受取金額が減少するため、円換算の投資利回りは低下する。

3．**適切**。国内の証券取引所に上場されている外国株式を売買する方法を国内委託取引といい、取引時間や委託手数料、受渡日（決済日）は、国内株式に準じている。

4．**不適切**。外貨建てＭＭＦは特定公社債等とされ、その為替差損益は譲渡所得となり、原則として20.315％（復興特別所得税含む所得税15.315％、住民税 5 ％）の税率による申告分離課税の対象となるため、特定公社債等の所得間で通算することができる。また、上場株式等の配当所得（申告分離課税を選択したもの）および譲渡所得と損益通算することもできる。

問題28 解答：**3**

1．**適切**。スペキュレーション取引とは、相場の動きを予想してポジションを取り、予想どおりの方向に動いたときに、反対売買を行って利益を確定することを狙う取引である。

2．**適切**。ヘッジ取引とは、現在保有しているかまたは将来保有する予定のある現物の価格変動リスクを回避または軽減するために、先物・オプション取引において現物と反対のポジションをとる取引である。

3．**不適切**。現物価格と当該現物を原資産とする先物価格の間で価格差が生じた場合、割高な方を売り、割安な方を買うポジションを組み、その価格差を利益として得ることを狙う取引を、裁定取引という。

4．**適切**。なお、オプション取引とは、あらかじめ定められた期日（満期日）にあらかじめ定められた価格（権利行使価格）で「買う権利」あるいは「売る権利」を売買する取引である。

問題29 解答：**4**

1．**適切**。なお、申告分離課税を選択して確定申告をした場合、上場株式の譲渡損失の金額と損益通算することができる。

2．**適切**。上場株式等の譲渡損失のうち、その年に損益通算しても控除しきれない金額については、翌年以後 3 年間にわたり、上場株式等の配当所得および譲渡所得ならびに特定公社債等の利子所得および譲渡所得から繰越控除することができる。

3．**適切**。上場株式等の配当を受け取る場合（大口株主等が受け取る場合を除く）、配当等の金額にかかわらず、確定申告不要とすることができる。

4．**不適切**。上場株式の譲渡損失は、特定公社債等の利子所得や譲渡所得と損益通算することができる。

問題30 解答：**4**

1．**不適切**。一般NISAで保有する金融商品を、「成長投資枠」に移すことはできない。

2．**不適切**。特定口座で保有する上場株式を、「成長投資枠」に移すことはできない。

3．**不適切**。「つみたて投資枠」で生じた譲渡損失を、同じつみたてNISA勘定や特定口座、一般口座で生じた譲渡益と通算することはできない。

4．**適切**。

問題31 解答：**1**

1．**適切**。なお、個人住民税、個人事業税、不動産取得税などでも賦課課税方式を採用している。

2．**不適切**。不動産所得税と個人事業税はいずれも地方税に該当する。

3．**不適切**。相続税は、**直接税**である。

4．**不適切**。所得税では、課税対象となる所得を**10種類**に区分し、それぞれの所得の種類ごとに定められた計算方法により所得の金額を計算する。

問題32 解答：**3**

1．**不適切**。収入のない専業主婦（夫）が金地金を売却したことによる所得は、譲渡所得（総合課税）となる。

2．**不適切**。不動産を取得する際に支払った仲介手数料は、当該不動産の取得価額に算入される。

3．**適切**。住居を借りている個人が、その住宅を明渡して立退料を受け取った場合は、原則として一時所得の収入金額となる。

4．**不適切**。不動産の賃貸収入による所得は、その規模にかかわらず不動産所得に該当する。

問題33 解答：**3**

1．**不適切**。青色申告者は、帳簿書類を原則として7年間保存しなければならない。

2．**不適切**。申告期限後に確定申告した場合、適用を受けることができる青色申告特別控除額は最大10万円である。

3．**適切**。青色事業専従者や事業専従者として給与の支払いを受ける者は、控除対象配偶者には該当せず、配偶者控除が適用されない。

4．**不適切**。青色申告承認申請の期限は、原則として青色申告の適用を受けようとする年の3月15日である。ただし、その年の1月16日以後新たに業務を開始しその年から青色申告の適用を受けようとする場合は、業務開始日から2ヵ月以内に青色申告承認申請書を納税地の所轄税務署長に提出する必要がある。

問題34 解答：**2**

総所得金額＝500万円（給与）－（120万円－70万円）（不動産）＋60万円（一時）×1/2＝480万円

・土地の取得に要した負債の利子は損益通算の対象とならない。

・生活に通常必要でないゴルフ会員権の譲渡損失は損益通算できない。

・退職所得は、分離課税のため、総所得金額に含めない。

問題35 解答：**2**

1. **適切**。配偶者控除および配偶者特別控除は、納税者の合計所得金額が1,000万円を超える場合、適用を受けることができない。

2. **不適切**。扶養控除は、控除扶養親族の合計所得金額が48万円以下であれば、納税者の合計所得金額に関係なく、適用を受けることができる。

3. **適切**。納税者本人のみならず、納税者が生計を一にする配偶者や親族の社会保険料を支払った場合でも、全額を社会保険料控除として控除することができる。

4. **適切**。納税者本人のみならず、納税者が生計を一にする配偶者や親族のために支払った医療費が一定額を超えた場合、医療費控除の適用を受けることができる。

問題36 解答：**1**

1. **適切**。なお、床面積40㎡以上50㎡未満の新築住宅は、合計所得金額1,000万円以下の場合に限り適用できる。

2. **不適切**。対象となる住宅は、床面積が原則50㎡以上（特例40㎡以上）で、かつその家屋の床面積の**2分の1**以上がもっぱら自己の居住の用に供されていること（店舗併用住宅も可）が必要である。

3. **不適切**。住宅ローン控除の適用を受けていた者が、転勤等のやむを得ない事由により転居し、取得した住宅を居住の用に供しなくなった場合、翌年以降に再び当該住宅を居住の用に供すれば、原則として再入居した年以降の控除期間内については、住宅ローン控除の適用を受けることができる。

4. **不適切**。住宅ローン控除の適用を受ける最初の年分は、必要事項を記載した確定申告書に一定の書類を添付し、納税地の所轄税務署長に提出しなければならない。なお、給与所得者で一定の者については、翌年分以降の住宅ローン控除は、年末調整により適用を受けることができる。

問題37 解答：**1**

1. **適切**。個人事業税には、青色申告特別控除の適用はない。

2. **不適切**。事業主控除の控除額は、年間で最高290万円である。

3. **不適切**。個人事業税の税率は業種によって異なり、3～5％である。

4. **不適切**。所得税の確定申告や住民税の申告をした者は、個人事業税の申告をする必要はない。

問題38 解答：**4**

1. **不適切**。法人税の納税地は、本店または主たる事務所の所在地であり、代表者個人の住所地等を選択することはできない。

2. **不適切**。期末資本金の額等が1億円以下の一定の中小法人に対する法人税の税率は、所得金額のうち年800万円以下の部分について軽減税率の特例がある。

3. **不適切**。法人は、法人税の納税地に異動があった場合、原則として、異動前の納税地の所轄税務署長にその旨を届け出なければならない。

4. **適切**。法人は、原則として、各事業年度終了の日の翌日から2ヵ月以内に、確定申告書を提出する必要がある。

問題39 解答：**4**

1. **不適切**。法人が納付した法人税の本税、法人住民税の本税は、その全額を損金の額に算入することができない。法人事業税は全額を損金の額に算入することができる。

2. **不適切**。法人が役員に支給する退職金は、あらかじめ税務署長へ支給額を届け出する必要はなく、不相

当に高額な部分を除き、損金に算入することができる。
3．**不適切**。2016年4月1日以後に取得した建物附属設備の減価償却方法は、<u>定額法</u>である。
4．**適切**。

問題40 解答：**1**
1．**不適切**。損益分岐点売上高＝「固定費÷限界利益率」の算式によって求めることができる。なお、限界利益率（％）は、「限界利益（＝売上高−変動費）÷売上高×100」の算式によって求めることができる。
2．**適切**。総資本経常利益率とは、企業の総資本を活用し、どれだけ効率的に利益をあげているかを示す指標である。総資本経常利益率（％）＝「経常利益÷総資本×100」＝「（経常利益÷売上高×100）×（売上高÷総資本）」と分解され、「総資本経常利益率＝売上高経常利益率×総資本回転率」の算式で表すことができる。
3．**適切**。自己資本比率（％）＝「自己資本÷総資本×100」の算式によって求めることができる。自己資本比率は、財務的な安定性を測る指標であり、数値が大きいほど財務安全性に優れていると判断される。
4．**適切**。固定比率（％）＝「固定資産÷自己資本（株主資本）×100」の算式によって求めることができる。固定資産は、1年以上にわたり使用される資産であることから、この調達源泉は、返済期限のない自己資本で賄うことが望ましいとされている。したがって、固定比率が低ければ低いほど財務の健全性が高いと判断される。

問題41 解答：**4**
1．**適切**。登記情報提供サービスは、登記事項証明書と異なり、認証文や登記官印等は付加されない。
2．**適切**。借地権のうち土地賃借権は、地主には登記の協力義務がないため、その土地の登記記録に借地権設定の登記がなくても、借地人が建物について登記をすれば第三者に対抗することができるため、借地権に関する登記がなくても借地権が設定されていることがある。
3．**適切**。不動産の登記記録の権利部乙区には、抵当権など所有権以外の権利に関する事項が記録されている（抵当権設定、地上権設定など）。
4．**不適切**。区分建物を除く建物に係る登記記録において、<u>床面積は、壁その他の区画の中心線で囲まれた部分の水平投影面積（壁芯面積）により記録される</u>。なお、区分建物に係る登記記録において、床面積は、壁その他の区画の内側線で囲まれた部分の水平投影面積（内法面積）により記録される。

問題42 解答：**3**
1．**適切**。鑑定評価の手法は、原価法、取引事例比較法および収益還元法があり、原則として、複数の鑑定評価の手法を適用すべきである。
2．**適切**。原価法では、価格時点において、新しく建築（建物）または造成（土地）を行い、再調達する場合の原価を求め、これに減価修正を行って積算価格を求める。
3．**不適切**。収益還元法は、対象不動産が賃貸用不動産である場合だけでなく、自用の不動産であっても、賃料を想定することにより用いることができる。
4．**適切**。収益還元法のうち直接還元法は、対象不動産から得られる一期間の純収益を、還元利回りで割り戻して直接現在価値を求める手法である。

問題43 解答：**2**
1．**不適切**。専任媒介契約や専属専任媒介契約の有効期間は、3ヵ月以内と定められており、<u>3ヵ月を超えて定めても3ヵ月に短縮される。契約が無効となるわけではない</u>。

2．**適切**。なお、専任媒介契約を締結した場合、7日以内に指定流通機構に一定の事項を登録しなければならない。

3．**不適切**。重要事項の説明は、<u>契約の成立までの間</u>に行う必要がある。

4．**不適切**。宅地建物取引業者が、宅地・建物の貸借の媒介を行う場合に、貸主・借主の双方から受け取ることができる報酬の合計額の上限は、賃料の**1ヵ月分**に相当する額である。

問題44 解答：**2**

1．**不適切**。不動産の売買契約は諾成契約であるため、売買契約書を作成しない口頭の契約でも有効である。なお、一般的には、売買契約書が作成される。

2．**適切**。解約手付が交付された場合、相手方が契約の履行に着手するまでは契約を解除できる。買主が解約する場合は手付金の放棄、売主が解除する場合は手付金の倍額の金銭を現実に提供することが必要である。

3．**不適切**。不動産の売買契約を締結した後、代金決済および引渡しの前に自然災害等の不可抗力により当該不動産が滅失した場合、買主は売買代金の支払いを拒絶できる。

4．**不適切**。未成年者が法定代理人の同意を得ずに不動産の売買契約を締結した場合、原則として、その法定代理人だけでなく、未成年者本人も、当該売買契約を取り消すことができる。

問題45 解答：**2**

1．**不適切**。普通借地権の設定当初の存続期間は、30年以上である。したがって、期間の定めがない場合には、存続期間は**30年**となる。

2．**適切**。普通借地権は、1回目の更新について20年以上、2回目以降の更新について10年以上とする必要がある。

3．**不適切**。事業用定期借地権等は、必ず公正証書で契約しなければならない。

4．**不適切**。借地権者（借地人）の債務不履行により借地の契約が解除された場合は、建物買取請求権は認められない。

問題46 解答：**3**

1．**不適切**。建築基準法第42条第2項により道路境界線とみなされる線と道路との間の敷地の部分（セットバック部分）は、建築物を建築することができず、<u>建蔽率および容積率を算定する際の敷地面積に算入することもできない。</u>

2．**不適切**。建築物の敷地が接する前面道路の幅員が12m未満である場合、当該建築物の容積率は、「都市計画で定められた容積率」と「前面道路の幅員に一定の数値を乗じて得たもの」のいずれか<u>低い</u>方の数値以下でなければならない。

3．**適切**。第一種・第二種低層住居専用地域または田園住居地域で建築物を建築する場合、（隣地斜線制限よりも低い）10mまたは12mの高さ制限がある。

4．**不適切**。商業地域、工業地域および工業専用地域においては、地方公共団体の条例で日影規制（日影による中高層の建築物の高さの制限）の対象区域として指定することができない。

問題47 解答：**1**

1．**不適切**。区分所有建物のうち、区分所有権の目的となる専有部分を、<u>規約により共用部分とすることができる。</u>

2．**適切**。規約に別段の定めをすることにより、共有持分を共有者一律とすること等も可能である。

3．**適切**。区分所有者は、その意思に関係なく管理組合の構成員となる。

4．**適切**。4分の3以上の多数による集会決議が必要なものの1つとして、形状または効用の著しい変更を伴う共有部分の変更がある。

問題48 解答：**1**

1．**適切**。原則として、固定資産税の納税義務者は、1月1日時点における固定資産税課税台帳に所有者として登録されている者である。

2．**不適切**。住宅用地に係る固定資産税の課税標準については、住宅1戸当たり200㎡以下の部分について課税標準となるべき価格の<u>6分の1</u>相当額とする特例がある。

3．**不適切**。都市計画税は、都市計画区域のうち、原則として<u>市街化区域内</u>に所在する土地または家屋の所有者に対して課される。

4．**不適切**。都市計画税の税率は各地方自治体の条例で定められるが、<u>制限税率である100分の0.3（0.3%）を超えることはできない</u>。なお標準税率である固定資産税は100分の1.4（1.4%）を超えて定めることができる。

問題49 解答：**2**

1．**不適切**。3,000万円特別控除は、所有期間にかかわらず適用を受けることができる。

2．**適切**。居住しなくなってから3年を経過した年の年末までに売却しなければ、適用を受けることはできない。

3．**不適切**。軽減税率の特例では、課税長期譲渡所得金額のうち<u>6,000万円以下</u>の部分の金額について、軽減税率が適用される。

4．**不適切**。3,000万円特別控除と軽減税率の特例は、併用して適用を受けることができる。

問題50 解答：**4**

1．**不適切**。建設協力金方式における建物の所有名義は、土地の所有者である。したがって、本問では、<u>Sさんが建物の所有名義人</u>である。

2．**不適切**。等価交換方式とは、土地の一部または全部をデベロッパーに譲渡し、その対価として建設された建物の一部を取得する方式である。したがって、Sさんは、建設資金を負担する必要がない。

3．**不適切**。事業受託方式とは、デベロッパーが、調査、事業計画・決定・運営等一切の業務を請け負うが、事業の主体は土地所有者であるため、建設資金を負担する。<u>土地および建物の所有名義は、Sさん</u>である。

4．**適切**。定期借地権方式では、借地期間中の当該土地上の建物の所有名義は借地権者となる。また、建設資金においては、借地権者が負担する。

問題51 解答：**2**

1．**不適切**。被相続人は、遺言で、相続開始の時から<u>5年間</u>に限り、遺産の分割を禁ずることができる。

2．**適切**。自書による自筆証書と一体のものであることを証明するために目録への署名・押印が必要となる。

3．**不適切**。相続開始後、自筆証書遺言を発見した者は、本来、家庭裁判所の検認が必要だが、遺言者が法務局における自筆証書遺言書保管制度を利用した場合、その自筆証書遺言について、相続開始後の家庭裁判所の検認手続きは不要である。

4．**不適切**。遺言による相続分の指定または遺贈によって、相続人の遺留分が侵害された場合でも、その遺

言は有効である。なお、遺留分を侵された相続人は、遺留分侵害額請求権を行使して、侵害された遺留分に相当する額の金銭を該当する（受遺者を含む）相続人に請求することができる。

問題52 解答：**2**

1. **不適切**。書面によらない贈与の場合、まだ履行していない部分は撤回することができるが、すでに履行した部分については取り消すことができない。
2. **適切**。負担付贈与は、契約に際し贈与者が受贈者に一定の負担を課す贈与だが、その受贈者の負担により利益を受ける者は贈与者に限られない。
3. **不適切**。死因贈与は契約であり、贈与者と受贈者の合意によって効力が生じる。贈与者のみの意思表示によっては効力を生じない。
4. **不適切**。特約等がない限り、贈与者または受贈者の死亡によって、その効力を失う。

問題53 解答：**2**

1. **適切**。個人から受ける香典、花輪代、年末年始の贈答、祝物または見舞い等のための金品で、社会通念上相当と認められるものは、贈与税の課税対象とならない。
2. **不適切**。不動産等の名義を無償で変更した場合、贈与税の課税対象となる。
3. **適切**。相続や遺贈による財産を取得した者が、相続があった年に被相続人から贈与により取得した財産は、生前贈与加算により相続税のみ課されるため、贈与税の課税対象とならない。
4. **適切**。個人が法人からの贈与により財産を取得した場合には、贈与税ではなく、所得税が課される。

問題54 解答：**1**

1. **適切**。推定相続人から廃除されていることにより相続人となれなかった者に子がいる場合は、その子は代襲相続人となる。
2. **不適切**。民法上、養子の数に制限はない。
3. **不適切**。被相続人の配偶者は、常に相続人となり、被相続人に子がいる場合、子が**第1順位**の血族相続人となる。
4. **不適切**。胎児は、死産とならない限り、相続開始時にすでに生まれたものとみなされるため、相続権を有する。

問題55 解答：**4**

1. **不適切**。相続人が自己のために相続の開始があったことを知った日から3ヵ月以内に限定承認または放棄をしなかったとき、相続人は単純承認をしたものとみなされる。
2. **不適切**。相続の放棄は、相続人が複数いる場合、相続の放棄を行おうとする者が単独ですることができる。
3. **不適切**。相続人が不存在であることが確定した場合、特別縁故者の請求により、家庭裁判所の判断でその財産の全部または一部が特別縁故者に対して分与されることがある。
4. **適切**。限定承認では、被相続人が債務超過であった場合においても、相続人はその債務超過部分を自分の財産を持ち出してまで弁済する必要はない。

問題56 解答：**3**

1. **適切**。相続開始時において、まだ保険事故の発生していない生命保険契約（契約者および被保険者：相続人）で被相続人が保険料を負担していた場合、みなし相続財産として相続税の課税対象となる。

2. **適切**。暦年課税による贈与を受けたとしても、相続または遺贈により財産を取得していない場合には、生前贈与加算の適用はない。

3. **不適切**。遺族が支給を受けた当該未支給の年金は、遺族の一時所得として所得税の課税対象となる。

4. **適切**。受贈者が相続または遺贈により財産を取得していなくても、2023年12月31日以前に相続時精算課税制度を選択した後の受贈財産は、すべて相続税の計算に加算される。

問題57 解答：**1**

1. **適切**。延納税額および利子税の額に相当する担保を提供することが原則である。

2. **不適切**。相続税の延納については、納付すべき相続税額が10万円を超え、その納期限までに金銭で納付することが困難である場合には、その納付を困難とする金額を限度として、延納が認められる。

3. **不適切**。物納に充てることができる財産には、生前贈与加算の適用を受けた財産は含まれるが、相続時精算課税制度の適用を受けた財産は含まれない。

4. **不適切**。小規模宅地等の特例の適用を受けた宅地を物納した場合の収納価額は、**特例適用後**の価額とされる。

問題58 解答：**1**

1. **適切**。なお、取引相場のあるゴルフ会員権（取引価格に含まれない預託金等がある場合を除く）は、課税時期における通常の取引価格の70％に相当する金額によって評価する。

2. **不適切**。相続開始時において、まだ保険事故が発生していない生命保険契約に関する権利の価額は、相続開始時における**解約返戻金相当額**によって評価する。

3. **不適切**。金融商品取引所に上場されている利付公社債の価額は、**市場価格**と源泉所得税相当額控除後の既経過利息の額との合計額によって評価する。

4. **不適切**。外貨預金の邦貨換算については、原則として、取引金融機関が公表する課税時期における最終の対顧客直物電信買相場（ＴＴＢ）またはこれに準ずる相場による。

問題59 解答：**3**

1. **適切**。配偶者が取得した場合、所有や居住に関する要件がないため、申告期限までにその宅地を賃貸していたとしても、本特例の適用を受けることができる。

2. **適切**。小規模宅地等の特例は、法定相続人以外の親族（配偶者および3親等内の姻族、6親等内の血族）でも適用できる。

3. **不適切**。下表参照。

〈小規模宅地等についての相続税の課税価格の評価減の特例〉

特例対象宅地等の区分	減額の対象となる限度面積	減額割合
特定事業用宅地等	400㎡	80%
特定居住用宅地等	330㎡	
特定同族会社事業用宅地等	400㎡	
貸付事業用宅地等	200㎡	50%

4. **適切**。仮に、貸付事業用宅地等を含む場合には、それぞれの適用対象面積の限度まで本特例を適用することはできず、一定の計算式に基づき限度面積が調整される。

　非上場会社のオーナー社長であるAさんの推定相続人は、妻Bさん、子Cさんおよび子Dさんの3人であり、Aさんの自社株以外の主な財産は、現預金だけである。

　将来、自己に相続が開始したときにおいて、自己の保有するすべての自社株を後継者である子Dさんに相続させるとともに、子Dさんは、他の相続人に対して代償財産を交付するという代償分割を実施することを検討している。この場合、交付する代償財産の財源として、契約者（＝保険料負担者）および被保険者を（**ア：Aさん**）、死亡保険金受取人を（**イ：子Dさん**）とする終身保険に加入することは効果的である。

第2予想・学科

解答一覧・苦手論点チェックシート

※ 間違えた問題に✔を記入しましょう。

問題	科目	論点	正解	難易度	あなたの苦手※	
					1回目	2回目
1	ライフ	コンプライアンス	3	A		
2		在職老齢年金	4	A		
3		公的介護保険	2	A		
4		雇用保険	3	A		
5		国民年金の保険料	2	B		
6		公的年金の老齢給付	4	A		
7		公的年金の障害給付	1	B		
8		公的年金の併給調整	3	B		
9		教育資金	4	A		
10		クレジットカード	1	A		
11	リスク	保険制度	1	A		
12		個人年金保険	1	A		
13		団体生命保険	2	A		
14		保険契約と税金	3	A		
15		火災保険	3	A		
16		傷害保険	3	A		
17		損害保険契約の経理処理（法人契約）	4	B		
18		第三分野の保険	3	A		
19		家庭のリスク管理（生命保険）	4	A		
20		事業のリスク管理（損害保険）	1	A		
21	金融	経済指標	3	B		
22		貯蓄型金融商品	3	A		
23		複利計算	2	A		
24		債券の一般的特徴	3	A		
25		外貨建て金融商品	3	A		
26		債券のイールドカーブ	3	A		
27		ポートフォリオ理論	4	A		
28		ポートフォリオの期待収益率	2	B		
29		セーフティネット	3	A		
30		先物取引・オプション取引	2	B		
31	タックス	所得税の仕組み	2	A		
32		所得税の課税所得	4	A		
33		各種所得	4	A		

問題	科目	論点	正解	難易度	あなたの苦手※	
					1回目	2回目
34	タックス	損益通算	1	A		
35		医療費控除	3	A		
36		住宅借入金等特別控除	2	A		
37		個人住民税	4	B		
38		消費税	1	A		
39		会社と役員間の課税関係	4	A		
40		決算書および法人税申告書	2	A		
41	不動産	土地の価格	3	A		
42		売買契約	4	A		
43		借地借家法（借地）	4	A		
44		借地借家法（借家）	3	A		
45		都市計画法	4	A		
46		建築基準法	2	A		
47		農地法	3	B		
48		区分所有法	2	A		
49		不動産の取得に係る税金	3	A		
50		不動産の有効活用	4	A		
51	相続	親族等に係る民法の規定	1	A		
52		民法上の相続分	2	A		
53		贈与	4	A		
54		贈与税	2	A		
55		遺産分割等	3	B		
56		相続税の非課税財産	1	A		
57		相続税の税額控除等	2	B		
58		宅地の評価	3	A		
59		相続税および贈与税の納付	2	A		
60		会社法	1	B		

配点は各1点　難易度　A…基本　B…やや難　C…難問

科目別の成績		

ライフ	リスク	金融
1回目 /10	1回目 /10	1回目 /10
2回目 /10	2回目 /10	2回目 /10

タックス	不動産	相続
1回目 /10	1回目 /10	1回目 /10
2回目 /10	2回目 /10	2回目 /10

あなたの得点

1回目

　　/60　　−　　**36**/60　　=

2回目

　　/60　　−　　**36**/60　　=

合格点

合格への距離

第2予想 学科 ………… 解答・解説

問題1 解答：**3**

1. **適切。** 生命保険募集人の登録を受けていないFPであっても、保険の一般的な商品内容や活用方法を説明することはできる。

2. **適切。** 弁護士の資格を有しないFPであっても、自筆証書遺言書保管制度についての一般的な説明をすることはできる。

3. **不適切。** 金融商品取引業の登録を受けていないFPが顧客と投資一任契約を締結し、顧客の代わりに投資を行うことはできない。

4. **適切。** 税理士の資格を有しないFPであっても、贈与税の非課税制度の説明をすることはできる。

問題2 解答：**4**

1. **不適切。** 在職老齢年金の仕組みにより、老齢基礎年金が支給停止されることはない。

2. **不適切。** 老齢厚生年金の年金額は、<u>毎年9月1日</u>を基準日として再計算され、その翌月分の年金から改定される（在職定時改定）。

3. **不適切。** どちらも同じである。基本月額（報酬比例部分の額）＋総報酬月額相当額が支給停止調整額（50万円）を超えた場合、年金の一部または全部が支給停止となる。

4. **適切。** 70歳以降も厚生年金保険の適用事業所に勤務する場合、厚生年金保険の被保険者ではないが在職老齢年金の仕組みが引き続き適用される。

問題3 解答：**2**

1. **不適切。** 要介護認定を受けた被保険者の介護サービス計画（ケアプラン）は、一般に、被保険者の依頼に基づき、介護支援専門員（ケアマネージャー）が作成するが、所定の手続きにより、被保険者本人が作成することもできる。

2. **適切。** 公的介護保険の保険料は、健康保険の保険料とあわせて、被保険者と事業主で2分の1ずつ負担する。

3. **不適切。** 第2号被保険者は、加齢に伴う疾病（**特定疾病**）が原因で要介護または要支援の認定を受けたときに限り、公的介護保険の保険給付を受けることができる。

4. **不適切。** 第2号被保険者の自己負担割合は、**一律1割**である。

問題4 解答：**3**

1. **不適切。** 特定受給資格者等を除く一般の受給資格者に支給される基本手当の所定給付日数は、算定基礎期間が20年以上の場合、<u>150日</u>である。

2. **不適切。** 高年齢雇用継続基本給付金の額は、1支給対象月に支払われた賃金の額が、みなし賃金日額に30を乗じて得た額の61％未満である場合、原則として、当該支給対象月に支払われた賃金の額の<u>15％</u>相当額である。

3. **適切。** 1支給単位期間において、「休業開始時賃金日額×支給日数の80％以上の賃金」が支払われている場合は、育児休業給付金の支給額は、0（ゼロ）円となる。

4. **不適切。** 育児休業給付金の支給額は、1支給単位期間について、休業開始日から休業日数が通算して180日に達するまでの間は、原則として、休業開始時賃金日額に支給日数を乗じて得た額の<u>67％相当額</u>で

ある。なお、休業開始後181日以降は50％相当額である。

問題5 解答：**2**

1. **適切**。学生納付特例期間は、保険料の追納がない場合でも受給資格期間に算入されるが、年金額には反映されない。なお、追納した場合は年金額にも反映される。
2. **不適切**。生活保護法による生活扶助を受けることによる保険料免除期間は、受給資格期間に算入され、追納がない場合でも年金額に反映される。
3. **適切**。なお、老齢基礎年金の受給権者は追納することはできない。
4. **適切**。産前産後期間の保険料免除制度では、出産予定日または出産日が属する月の前月から4ヵ月間（多胎妊娠は3ヵ月前から6ヵ月間）の国民年金保険料が免除される。当該期間は、保険料を納付したものとして老齢基礎年金の受給額に反映される。

問題6 解答：**4**

1. **適切**。健康保険の傷病手当金が支給される事由と同一の傷病で障害厚生年金の支給を受けることができるとき、原則、傷病手当金は支給されない。
2. **適切**。国民年金の保険料納付済期間が10年以上ある場合、65歳から老齢基礎年金を受給することができる。また、厚生年金保険の被保険者期間が1ヵ月以上あれば老齢厚生年金も65歳から受給できる。
3. **適切**。加給年金額は、老齢厚生年金の繰下げ支給による増額の対象とはならない。なお、振替加算額も同様に繰下げによる増額の対象とならない。
4. **不適切**。老齢厚生年金の繰下げ支給と老齢基礎年金の繰下げ支給は、それぞれ別々に請求することができる。一方で繰上げ支給の場合は、両方を同時に請求する必要がある。

問題7 解答：**1**

1. **適切**。20歳前に傷病を負った者の障害基礎年金については、所得による支給制限がある。
2. **不適切**。障害等級1級に該当する者に支給される障害基礎年金額は、障害等級2級に該当する者に支給される障害基礎年金額の**100分の125（1.25倍）**に相当する額である。
3. **不適切**。障害等級3級に該当する者に支給される障害厚生年金額は、障害等級2級に該当する者に支給される障害基礎年金額の**4分の3**に相当する金額が最低保障される。
4. **不適切**。障害等級2級に該当する程度の障害の状態にある障害厚生年金の受給権者が、所定の要件を満たす配偶者を有する場合、その受給権者に支給される障害厚生年金には加給年金額が加算される。なお、障害基礎年金において、所定の要件を満たす子を有する場合、その子の数に応じて一定額が加算される。

問題8 解答：**3**

1. **適切**。65歳以上の受給権者は、「障害基礎年金＋遺族厚生年金」の組み合わせで併給することができる。
2. **適切**。65歳以上の受給権者は、「障害基礎年金＋老齢厚生年金」の組み合わせで併給することができる。
3. **不適切**。65歳以上の者が遺族厚生年金と老齢厚生年金の受給権を有している場合は、自身が納付した保険料を年金額に反映させるため、まず自身の老齢厚生年金が全額支給される。次の②と③の額を算出し、その額が①の額を上回る場合は、その差額のみ遺族厚生年金として支給される。
   ① 老齢厚生年金
   ② 遺族厚生年金
   ③ 老齢厚生年金×2分の1＋遺族厚生年金×3分の2（配偶者が死亡した場合に支給されるものに限る）

4．**適切**。同一の事由により、障害（補償）年金や遺族（補償）年金等の労災年金と、国民年金および厚生年金が支給される場合、国民年金および厚生年金は全額支給されるが、労災年金は所定の調整率により減額される。

問題9 解答：**4**

1．**適切**。第一種奨学金採用者は、返還方式として定額返還方式と所得連動返還方式を選択することができる。

2．**適切**。なお、給付奨学金と第一種奨学金を一緒に受ける場合、第一種奨学金の貸与月額は制限される。

3．**適切**。国の教育ローンの資金使途は、学校納付金以外にも受験費用、在学のため必要となる住居費用、パソコン購入費や学生の国民年金保険料等、幅広く利用することができる。

4．**不適切**。国の教育ローンは、主に学生等の保護者が申込人となる。ただし、成人しており、勤務収入などの安定した収入があって、独立して生計を営んでいる場合であれば、学生本人でも申し込みすることができる。

問題10 解答：**1**

1．**不適切**。クレジットカードを使った商品やサービスの購入（ショッピング）は、貸金業法の対象外であるため、総量規制の対象外である。一方、クレジットカードを使用した借入（キャッシング）は、総量規制の対象となる。

2．**適切**。クレジットカードの支払方式は、分割払いのほかに、翌月一括（1回）払い、ボーナス（1回）払い、リボルビング払い等がある。

3．**適切**。ＩＣ取引では、店頭でのクレジットカード利用時に行う伝票へのサイン（署名）の代わりに、4桁の「暗証番号」を入力する方法等がある。

4．**適切**。クレジットカードは、クレジットカード会社から会員へ貸与されているのであり、会員が所有権を有しているわけではない。

問題11 解答：**1**

1．**適切**。少額短期保険業者と締結した保険契約は、保険法や保険業法の適用対象となる。

2．**不適切**。生命保険契約者保護機構において、補償対象契約は、原則として、破綻時点の**責任準備金等**の90％まで補償される。保険金や年金等の90％が補償されるわけではない。

3．**不適切**。保険期間が1年以内の契約の場合、クーリング・オフ制度は適用されない。

4．**不適切**。ソルベンシー・マージン比率が**200％**未満になると、監督当局による業務改善命令などの早期是正措置の対象となる。

問題12 解答：**1**

1．**適切**。生存保障重視型の個人年金保険は、長寿への備えをより重視した個人年金保険であり、解約時や死亡時の受取額を低く設定されるため、年金原資が増加し、長期にわたり受け取る年金を確保することが可能となる。

2．**不適切**。確定年金では、年金受取期間中に被保険者が死亡した場合、残りの期間分の年金（または一時金）が遺族に支払われる。

3．**不適切**。終身年金は、生存している限り年金が受け取れるため、被保険者（＝年金受取人）の年齢や基本年金額などの他の条件が同一である場合、統計上で男性より長寿の傾向にある女性の方が保険料は高くなる。

4．**不適切**。変額個人年金保険の死亡給付金は、定額ではなく、運用実績に応じた金額が支払われるが、既払込保険料相当額が最低保証されている。

問題13 解答：**2**

1．**適切**。なお、団体定期保険（Bグループ保険）は、一定以上の集団で加入するため、一般的に保険料は、個人で加入する保険より割安になる。
2．**不適切**。ヒューマン・ヴァリュー特約を付加する場合、被保険者の同意が必要である。
3．**適切**。なお、一般財形貯蓄は、契約時の年齢制限がなく、複数の契約も可能である。
4．**適切**。団体信用生命保険とは、債権者である金融機関等を保険契約者および保険金受取人、金融機関等から融資を受けている住宅ローン利用者（債務者）を被保険者とする保険契約である。

問題14 解答：**3**

1．**不適切**。身体の傷病に基因して支払いを受ける保険金や給付金等（高度障害保険金、入院給付金、通院給付金、手術給付金等）は、被保険者（配偶者や直系血族等も含む）が受け取る場合、**非課税**となる。
2．**不適切**。契約者（＝保険料負担者）と保険金受取人が同一人の場合、受け取る死亡保険金は、**一時所得**（総合課税）として所得税の課税対象となる。
3．**適切**。一時払終身保険を解約したことにより受け取る解約返戻金は、一時所得（総合課税）として所得税の課税対象となる。
4．**不適切**。契約者と被保険者が同一人の場合、保険金受取人が被保険者の相続人ではない者であっても、**相続税**の課税対象となる。

問題15 解答：**3**

1．**不適切**。家財を保険の対象とした契約では、同一敷地内の車庫にある総排気量125cc以下の原動機付自転車は補償対象であるが、自動車は補償対象外である。火災による自動車の損害は、車両保険で補償される。
2．**不適切**。ペットは、保険会社が補償対象として規定する「家財」には含まれない。
3．**適切**。住宅用建物を対象とする火災保険では、竜巻による建物の損害は「風災による損害」となり、補償対象となる。
4．**不適切**。時間の経過による建物の風化、劣化は、火災保険の補償対象外である。

問題16 解答：**3**

1．**適切**。交通事故傷害保険においての交通乗用具には、電車、自転車、自動車、バイク、船、飛行機、エレベーター、エスカレーター等がある。
2．**適切**。家族傷害保険では、保険期間中に生まれた記名被保険者本人の子は、手続きせずとも自動的に被保険者となり、追加保険料も不要である。
3．**不適切**。海外旅行傷害保険では、海外旅行中に罹患したウイルス性食中毒は補償の対象となる。
4．**適切**。国内旅行傷害保険では、地震・津波・噴火による傷害は補償の対象とならない。

問題17 解答：**4**

1．**適切**。長期の火災保険料を一括で支払った場合は、事業年度ごとにその年度に係る部分の額を損金算入することができる。
2．**適切**。益金と損金の差額は、雑収入又は雑損失として処理する。

3．**適切**。法人が受け取った保険金は、雑収入として益金に算入する。

4．**不適切**。滅失等したときに現に建設中であったものは、代替資産に該当せず、圧縮記帳の対象とならない。

問題18 解答：**3**

1．**適切**。原則として、人間ドックは入院給付金の対象とならないが、検査で異常が認められ治療目的の入院を医師に指示された場合は対象となる。

2．**適切**。がん保険では、がんの疑いがある人の加入を減らし、契約者間の公平性を保つ目的で、免責期間が設定されている。

3．**不適切**。先進医療特約で先進医療給付金の支払対象とされている先進医療は、<u>療養の時点</u>において厚生労働大臣によって定められているものである。

4．**適切**。特定疾病保障保険は、支払事由に該当し保険金が支払われると契約が消滅する。

問題19 解答：**4**

1．**適切**。死亡時に現金として保険金を受け取れる生命保険は、相続税の納税資金対策として有効な手段となる。保険の種類は、一生涯保障が続く終身保険が望ましいといえる。

2．**適切**。主契約である終身保険の契約が消滅した場合、医療特約も消滅する。

3．**適切**。必要保障額は、末子の誕生で最大になり、時間の経過とともに減少していくのが一般的である。

4．**不適切**。一括で受け取ると、年金現価を一時金で受け取ることになるため、受取総額は年金形式よりも一時金の方が少なくなる。

問題20 解答：**1**

1．**不適切**。請負業者賠償責任保険とは、請負作業の遂行中に起こした事故、または作業のために所有・管理している施設の欠陥や管理不備に起因した事故による賠償責任に備える保険である。従業員の業務中のケガに対する賠償責任を負担する場合に備える保険として、労働災害総合保険などがある。

2．**適切**。製造・販売した物の欠陥などによって第三者の身体や財産に損害が生じた場合などの賠償責任に備える保険は、生産物賠償責任保険である。

3．**適切**。労働災害総合保険は、従業員の労働災害に対して備える保険で、政府労災の上乗せとして給付がなされる。

4．**適切**。施設の不備・欠陥による事故のほか、施設の用法に伴う関連業務を遂行中に起こした賠償事故に対して補償する保険は、施設所有（管理）者賠償責任保険である。

問題21 解答：**3**

1．**不適切**。有効求人倍率（除学卒）は、「月間有効求人数÷月間有効求職者数」で求める。なお、景気動向指数の一致指数に採用されている。

2．**不適切**。消費者物価指数（生鮮食品を除く総合、前年同月比）は、景気動向指数の**遅行**系列に採用されている。

3．**適切**。なお、消費動向指数の調査機関は、総務省である。

4．**不適切**。消費者態度指数は、内閣府の「消費動向調査」の中で毎月1回公表されており、景気動向指数の**先行**系列に採用されている。

問題22 解答：**3**

1．適切。貯蓄預金は、残高が基準以上あると、多くの場合普通預金より金利が高くなる。一方で、自動振替や自動受取といったサービスが利用できない。

2．適切。法人は単利型のみ利用することができる。

3．不適切。期日指定定期預金は、据置期間経過後から最長預入期日までの間で、<u>預金者</u>が指定した日が満期日となる。

4．適切。仕組預金は、預金者の判断で、満期日を延長する等について決定することはできない。

問題23 解答：**2**

将来の金額÷（1＋割引率）^{経過年数}

割引率0.5％を使って100万円を現在価値に割り戻す。

100万円÷（1＋0.005）^{5}≒<u>975,370円</u>（円未満切捨て）

問題24 解答：**3**

1．不適切。いわゆる「価格変動リスク（金利変動リスク）」に関する記述である。景気が拡大して物価が上昇すると市場金利も上昇する。一般に、市場金利が上昇すると債券価格は下落し利回りは上昇する。反対に、市場金利が低下すると債券価格は上昇し利回りは低下する。

市場金利⬆	債券価格⬇	債券の利回り⬆
市場金利⬇	債券価格⬆	債券の利回り⬇

2．不適切。上記1参照。市場金利と債券価格は、逆の動きをとる。

3．適切。いわゆる「信用リスク（デフォルトリスク）」に関する記述である。一般に、信用リスク（デフォルトリスク）が上昇すると債券価格は下落し利回りは上昇する。反対に、信用リスクが低下すると債券価格は上昇し利回りは低下する。

4．不適切。信用度の高い債券の方が債券の価格は高い。

問題25 解答：**3**

1．不適切。外貨預金の預入時に円貨を外貨に換える際の為替レートは、一般に、<u>ＴＴＳ</u>が適用される。

2．不適切。国外の証券取引所に上場している外国株式を国内店頭取引により売買する場合、<u>外国証券取引口座を開設する必要がある</u>。

3．適切。外国株式は、国内の証券取引所に上場しているもの等を除き、金融商品取引法のディスクロージャー制度の適用を受けていない。

4．不適切。米ドル建て債券を保有している場合、為替レートが円安・米ドル高に変動することは、当該債券に係る円換算の投資利回りの<u>上昇</u>要因となる。

問題26 解答：**3**

1．不適切。イールドカーブは、縦軸を債券の利回り、横軸を<u>債券の残存期間</u>として、利回りと投資期間の関係を表した曲線である。

2．不適切。右上がりのときを順イールド、右下がりのときを逆イールドという。金融緩和時や平常時には、順イールドとなり、金融引締め時には逆イールドとなることが多い。

3．適切。急激な経済成長を抑えるために、中央銀行が金融引締めとして政策金利の引上げを行うと、この引上げに影響を受けて短期金利が上昇し、インフレ期待が収まり長期金利は低下していく。その結果、長

短金利差が縮小して、イールドカーブはフラット化（傾きが緩やかになる）する傾向がある。一方、中央銀行が金融緩和として政策金利の引下げを行うと、短期金利も下落するが、先行き長期的な金利の上昇が見込まれる。その結果、長短金利差が拡大して、イールドカーブはスティープ化（傾きが急になる）する傾向がある。

4．**不適切**。将来の景気拡大が予想されると、長短金利差が拡大して、イールドカーブは<u>スティープ化</u>（傾きが急になる）する傾向がある。一方、将来の景気後退が予想されると、長短金利差が縮小して、イールドカーブは<u>フラット化</u>（傾きが緩やかになる）する傾向がある。

問題27 解答：**4**

1．**適切**。ポートフォリオの期待収益率は、個別証券の期待収益率を、その投資比率（組入比率）で加重平均したものと等しくなる。

2．**適切**。なお、アンシステマティック・リスクは、組入れ銘柄数を増やすことにより、一定水準まで低減することができる。

3．**適切**。相関係数と相関関係は次のとおりである。

相関係数 −1	2つの資産が反対の動きをする（リスク軽減効果最大）
相関係数 0	2つの資産に相関性がみられない
相関係数 ＋1	2つの資産が同じ動きをする（リスク軽減効果なし）

4．**不適切**。ポートフォリオのリスクは、組み入れた各資産のリスクを組入比率で加重平均した値以下となる。

問題28 解答：**2**

ポートフォリオの期待収益率は、個別資産の期待収益率を構成比で加重平均したものと等しくなる。

預金：0.2％×0.55＝0.11％

債券：1.0％×0.25＝0.25％

株式：6.0％×0.20＝1.20％

0.11％＋0.25％＋1.20％＝<u>1.56％</u>

問題29 解答：**3**

1．**不適切**。外貨預金は、預金保険制度の対象外である。

2．**不適切**。ゆうちょ銀行であっても、預金保険制度による決済用預金以外の保護の金額は、元本1,000万円までとその利息である。

3．**適切**。仕組預金の利息については、預入時における通常の円定期預金（仕組預金と同一の期間および金額）の店頭表示金利までが預金保険制度の対象となり、それを超える部分は預金保険制度の対象外となる。

4．**不適切**。証券会社が破綻し、分別管理が適切に行われていなかったために、一般顧客の資産の一部または全部が返還されない事態が生じた場合、日本投資者保護基金により、補償対象債権に係る顧客資産について一般顧客一人当たり**1,000万円**を上限として補償される。

問題30 解答：**2**

1．**適切**。ヘッジ取引とは、先物取引などを利用して、保有資産と反対のポジションを取ることで価格変動リスクを回避する取引である。

2．**不適切**。本肢は、スペキュレーション取引の説明である。裁定取引とは、割安な方を買い割高な方を売るポジションを組み、その価格差を利益として得ることを狙う取引をいう。

3．**適切**。なお、オプションの売り手の損失は無限定である。

4．**適切**。オプションの権利は、満期日（期日）に権利行使をしなければ消滅するため、満期までの残存期間が短くなればなるほど原資産価格と権利行使価格差が小さくなるため、プレミアム（オプション料）は安くなる。一方、他の条件が同じであれば、満期までの期間が長いほど、プレミアム（オプション料）は高くなる。

問題31 解答：**2**

1．**不適切**。所得税では、原則として、納税者の一人一人が、自ら税務署へ所得等の申告を行うことにより税額が確定し、この確定した税額を自ら納付する<u>申告納税制度</u>が採用されている。

2．**適切**。所得は、その性質によって10種類に区分され、それぞれの所得について、収入、必要経費の範囲や計算方法が定められている。

3．**不適切**。課税総所得金額に対する所得税額は、課税総所得金額に応じて<u>7段階</u>に区分された税率を用いて計算される。

4．**不適切**。下記参照。

個人の区分		定義	課税所得の範囲
居住者	非永住者以外の居住者	次のいずれかに該当する個人のうち非永住者以外の者 ・日本国内に住所を有する者 ・日本国内に現在まで引き続き1年以上居所を有する者	国内および国外において生じたすべての所得
	非永住者	居住者のうち、次のいずれにも該当する者 ・日本国籍を有していない者 ・過去10年以内において、日本国内に住所又は居所を有していた期間の合計が5年以下である者	国外源泉所得以外の所得および国外源泉所得で日本国内において支払われ、または国外から送金されたもの
非居住者		居住者以外の個人	国内源泉所得

問題32 解答：**4**

1．**不適切**。所得補償保険の保険金は、身体の傷害に基因して支払いを受ける保険金に該当するため、<u>非課税</u>である。

2．**不適切**。高年齢雇用継続基本給付金は、非課税である。

3．**不適切**。火災保険金は、突発的な事故により資産に加えられた損害に基因して支払いを受ける保険金に該当するため、非課税である。

4．**適切**。法人からの贈与により取得する金品（業務に関して受けるもの、継続的に受けるものを除く）は、一時所得として所得税の課税対象となる。

問題33 解答：**4**

1．**不適切**。一般資産の譲渡所得（総合課税）の短期・長期の区別は、「資産の取得日から**譲渡日**までの期間」で判定する。問題文は、土地建物等の譲渡所得の短期・長期の判定期間である。

2．**不適切**。給与所得控除額は、給与等の収入金額に応じて計算されるが、収入金額が162.5万円以下である場合は**55万円**となり、収入金額が850万円を超える場合は一律195万円となる。

3．**不適切**。納税者本人の給与収入が850万円を超えており、年金収入はなく、また納税者本人が**23歳未満**の扶養親族を有する場合、所得金額調整控除の適用対象となる。

4．**適切**。無利息で金銭を借り入れることにより、利息相当分の経済的利益を得たとみなされ、その利益は給与所得として課税対象となる。

問題34 解答：**1**

1．**適切**。不動産の貸付け規模にかかわらず、不動産所得の計算上生じた損失は損益通算することができる。

2．**不適切**。一時所得の金額の計算上生じた損失の金額は、他の所得の金額と損益通算することができない。

3．**不適切**。山林所得の金額の計算上生じた損失の金額は、他の所得の金額と損益通算することができる。

4．**不適切**。金地金を売却したことによる譲渡所得の金額の計算上生じた損失の金額は、他の所得の金額と損益通算することができない。

問題35 解答：**3**

1．**不適切**。医師等による診療等を受けるための通院費（電車やバスなどの公共交通機関を利用した場合等）で通常必要なものは、医療費控除の対象となる。ただし、自家用車で通院する場合のガソリン代や駐車料金は含まれない。

2．**不適切**。年末調整によって医療費控除の適用を受けることはできない。

3．**適切**。健康保険などにより支給される出産育児一時金や高額療養費は、医療費を補てんするものとして支出した医療費から控除する。

4．**不適切**。支払った医療費全額が医療費控除の対象とはならない。医療費控除の金額は、次の式で計算した金額（最高で200万円）となる。

「実際に支払った医療費の合計額－①の金額－②の金額」
① 保険金などで補てんされる金額
② 10万円（その年の総所得金額等が200万円未満の者は、総所得金額等×５％）

問題36 解答：**2**

1．**適切**。住宅ローン控除を受けるには、住宅取得から６ヵ月以内に居住の用に供し、適用を受ける年の12月31日まで引き続き居住する必要がある。

2．**不適切**。住宅ローン控除の適用を受けていた者が、転勤等のやむを得ない事由により転居した場合、再入居した年以降、住宅ローン控除の適用を受けることができる。

3．**適切**。翌年分からは、勤務先に必要書類等を提出することで年末調整により適用を受けることができる。

4．**適切**。居住用財産の譲渡所得の特例各種を受けている場合は、住宅ローン控除の適用を受けることができない。

問題37 解答：**4**

1．**適切**。個人住民税は、その年の１月１日の住所地で課税される。

2．**適切**。個人住民税の所得割額は、前年中の所得金額をもとに算出される。

3．**適切**。所得税の確定申告をすれば、住民税の確定申告は不要である。

4．**不適切**。相続の放棄をした者には、被相続人の未納付の個人住民税を納税する義務はない。

問題38 解答：**1**

1．**不適切**。株式や国債、社債等の譲渡は、消費してしまうものではないため、非課税取引とされている。

2．**適切**。消費税の確定申告書の提出期限は、法人事業者の場合、原則として課税期間の末日の翌日から2ヵ月以内である。

3．**適切**。新たに設立された法人は、設立1期目および2期目の基準期間がないため、原則として消費税の納税義務が免除される。ただし、新たに設立された法人であっても、資本金が1,000万円以上である場合は、課税事業者とされる。

4．**適切**。基準期間の課税売上高が1,000万円以下であっても、特定期間の課税売上高が1,000万円超で、かつ、その期間の給与総額が1,000万円超の場合には、課税事業者とされる。なお、適格請求書発行事業者は、基準期間における課税売上高にかかわらず納税義務は免除されない。

問題39 解答：**4**

1．**適切**。法人が役員に支給する退職金で適正な額のものは、損金の額に算入される。

2．**適切**。会社が所有する居住用資産を役員に無償で提供した場合、通常取得すべき賃貸料の額が、役員に対する給与として取り扱われる。

3．**適切**。役員が会社に対して無利息で貸付けを行った場合、原則として、役員に対して特別な取り扱いはない。

4．**不適切**。会社が役員の所有する土地を適正な時価よりも低い価額で取得した場合、その適正な時価と実際に支払った対価との差額が、その会社の所得金額の計算上、益金の額に算入される。

問題40 解答：**2**

1．**適切**。資産の額よりも負債の額が多い場合（債務超過）は、純資産の部の合計額がマイナスになる。

2．**不適切**。損益計算書における税引前当期純利益の額は、経常利益の額に特別利益の額を加算し、特別損失の額を減算した額である。

〈報告式の損益計算書〉

```
 売上高
－売上原価
 売上総利益

－販売費及び一般管理費
 営業利益

＋営業外収益
－営業外費用
 経常利益

＋特別利益
－特別損失
 税引前当期純利益
－法人税住民税等
 当期純利益
```

3．**適切**。会計上の当期純利益（または当期純損失）に、益金と収益、損金と費用にズレがあるものだけを調整して所得金額を計算する。

4．**適切**。キャッシュフロー計算書は、資金の流れを把握する手段であり、一般的に、営業活動、投資活動、財務活動の3つに分類して作成される。

問題41 解答：**3**

1. **適切**。なお、固定資産税評価額は、原則として、３年ごとの基準年度において評価替えが行われる。
2. **適切**。なお、都道府県地価調査は、都道府県知事が標準価値を判定するもので、土地取引規制に際しての価格審査や地方公共団体等による買収価格の算定の規準となる。
3. **不適切**。標準地は、都市計画区域に限定されていない。
4. **適切**。固定資産税評価額は一般に公開されない。納税義務者本人または本人から委任を受けた人、借地人、借家人等に限って、「固定資産課税台帳」を閲覧することができる。

問題42 解答：**4**

1. **適切**。債務の全部の履行が不能である場合は、催告なしに解除することができる。
2. **適切**。買主が代金の一部を支払うなど契約の履行に着手した後では、売主は、代金を返還し、手付金の倍額を提供しても、契約を解除することができない。
3. **適切**。不動産が共有されている場合において、自己が有している持分を第三者へ譲渡する場合、他の共有者の同意を得る必要はない。
4. **不適切**。売主が種類または品質に関して契約の内容に適合しないことを過失なく知らないまま、売買契約の目的物を買主に引き渡した場合、買主は、その不適合を知った時から１年以内にその旨を売主に通知しないときは、その不適合を理由として契約の解除をすることができない。

問題43 解答：**4**

1. **不適切**。一般定期借地権の設定を目的とする契約は、書面または電磁的方法によって行うことになっており、公正証書でなくてもよい。なお、事業用定期借地権等の設定を目的とする契約の場合は、公正証書によってしなければならない。
2. **不適切**。事業用定期借地権等の建物の所有目的は、専ら事業用に限定されるため、一部であっても居住用にすることはできない。
3. **不適切**。期間の定めのない建物の賃貸借がされたものとみなされる。
4. **適切**。建物を取得した第三者は、借地権設定者に対して、建物の買取りを請求することができる。

問題44 解答：**3**

1. **適切**。定期借家契約では、１年未満の契約期間とすることができる。
2. **適切**。なお、定期借家契約で、契約期間が１年以上の場合、通知の期間内に貸主が借主に対し期間満了で賃貸借契約が終了する旨通知しなければならない。
3. **不適切**。賃貸人は、定期借家契約締結前に、建物の賃借人に対して契約の更新がなく、期間の満了により当該建物の賃貸借が終了する旨を記載した書面を交付または電磁的方法による提供をしなければならない。
4. **適切**。定期借家契約においては、賃料の増減額に関する特約は、借主にとって有利か不利かに関係なく有効である。

問題45 解答：**4**

1. **適切**。なお、土地を譲渡することはできる。
2. **適切**。市街化調整区域または非線引都市計画区域において、農林漁業者の居住の用に供する建築物の建築用の開発行為は、許可不要である。
3. **適切**。開発行為とは、主として、建築物の建築や特定工作物の建設を目的とした土地の区画形質の変更

をいう。

4．**不適切**。都市計画区域の中には、市街化区域と市街化調整区域に線引きされていない区域（非線引都市計画区域）もある。

問題46 解答：**2**

1．**適切**。敷地が複数の地域にまたがる場合、敷地の過半が属する方の用途地域の規定が適用される。

2．**不適切**。第一種・第二種低層住居専用地域または田園住居地域で建築物を建築する場合、<u>10mまたは12m</u>の高さ制限がある。

3．**適切**。日影規制（日影による中高層の建築物の高さの制限）は、原則として、商業地域、工業地域および工業専用地域を除く用途地域における建築物に適用される。

4．**適切**。下表参照。

〈斜線制限と適用区域〉

斜線制限	適用区域
道路斜線制限	全用途地域および用途地域の指定のない区域
隣地斜線制限	第一種低層住居専用地域、第二種低層住居専用地域および田園住居地域を除く地域
北側斜線制限	第一種低層住居専用地域、第二種低層住居専用地域、田園住居地域、第一種中高層住居専用地域、第二種中高層住居専用地域

問題47 解答：**3**

1．**適切**。なお、市街化区域内の農地を宅地に転用する目的で権利移動する場合も、あらかじめ農業委員会へ届け出れば、都道府県知事等の許可は不要である。

2．**適切**。賃借権を設定する場合でも、売買と同様に農業委員会の許可が必要である。

3．**不適切**。選択肢1の解説参照。

4．**適切**。市街化区域内の農地であっても、売買する場合は農業委員会の許可が必要である。

問題48 解答：**2**

1．**不適切**。形状または効用の著しい変更を伴わない共用部分の変更を行うためには、区分所有者および議決権の**過半数**の集会の決議が必要である。

2．**適切**。建物価格の2分の1を超える滅失（大規模滅失）の場合、区分所有者および議決権の各4分の3以上の多数による集会の決議が必要である。

3．**不適切**。通常の集会の招集の通知は、原則として、開催日の少なくとも**1週間前**までに、会議の目的たる事項を示して、各区分所有者に発しなければならない。ただし、この期間は規約で伸縮できる。

4．**不適切**。区分所有者は、敷地利用権が数人で有する所有権である場合、原則として、敷地利用権を専有部分と分離して処分することはできない。ただし、規約で区分所有者が特に分離処分を許可した場合は除かれる。

問題49 解答：**3**

1．**適切**。不動産取得税は、売買、贈与、建築などで不動産を取得した場合に課税される。なお、相続により不動産を取得した場合には課税されない。

2．**適切**。なお、新築の認定長期優良住宅の場合は、1,200万円に代えて、1,300万円を課税標準から控除することができる。

3．**不適切**。登録免許税において、表示の登記は非課税である。ただし、分筆・合筆の表示変更登記は課税

される。

4．**適切**。なお、所有権移転登記における登録免許税の税率は、本則では、贈与による移転は2％、相続による移転は0.4％である。

問題50 解答：**4**

1．**不適切**。事業受託方式では、土地所有者が建設資金を負担し、土地有効活用の企画、建設会社の選定、土地上に建設した建物の管理・運営等をデベロッパーに任せることができる。

2．**不適切**。建設金協力方式とは、建物を借り受ける予定のテナント等が建物の建設費用の一部、又は全額を預託し、土地所有者はその預託金を建設費用に充当する方式であり、建物の所有名義は土地所有者である。

3．**不適切**。等価交換方式における全部譲渡方式は、土地所有者がいったん土地の全部をデベロッパーに譲渡し、その対価としてその土地上にデベロッパーが建設した建物およびその土地の一部を譲り受ける方式である。なお、部分譲渡方式とは、土地の一部をデベロッパーに譲渡し、その等価の建物の一部を取得する方式である。

4．**適切**。建物の建設資金は土地を借りる者が負担する。

問題51 解答：**1**

1．**不適切**。親族とは、配偶者、6親等内の血族、3親等内の姻族に該当する者をいう。本人からみて、配偶者の姪は、3親等の姻族であり、親族に該当する。

2．**適切**。特別養子縁組の成立には、原則として、養子となる者の父母の同意がなければならない。ただし、実父母による虐待など養子となる者の利益を著しく害する理由がある場合は、この限りではない。

3．**適切**。半血兄弟姉妹の法定相続分は、全血兄弟姉妹の法定相続分の2分の1である。

4．**適切**。養子の法定相続分は実子と同等であり、また、非嫡出子の法定相続分は嫡出子と同等である。

問題52 解答：**2**

以下の通りとなる。

	配偶者の法定相続分	血族相続人の法定相続分
（ア）被相続人の配偶者および子2人	1/2	1/2（全体）
（イ）被相続人の配偶者および父母	2/3	1/3（全体）
（ウ）被相続人の配偶者および兄姉2人	3/4	1/4（全体）

問題53 解答：**4**

1．**適切**。負担付贈与は、双務契約として扱われ、受贈者がその負担を履行しない場合は、贈与者は契約を解除できる。

2．**適切**。なお、負担付贈与における贈与財産が土地・建物等である場合、その財産の価額は、課税時期の通常の取引価額である。

3．**適切**。なお、死因贈与は、双方の合意により成立する諾成契約である。

4．**不適切**。書面によらない贈与の場合、まだ履行していない部分は解除することができる。なお、すでに履行した部分は解除することができない。

問題54 解答：**2**

1．**適切**。下表参照。

〈死亡保険金と税金〉

契約者	被保険者	受取人	対象となる税金
A	A	B	相続税
A	B	A	所得税
A	B	C	贈与税

2．**不適切**。個人から著しく低い価額の対価で土地および家屋等を譲り受けた場合には、<u>通常の取引価額に相当する金額と支払った対価との差額</u>が、贈与税の課税対象となる。

3．**適切**。なお、債務者が資力を喪失して債務を弁済することが困難であるときにおいて、債務の免除を受けた場合だけでなく、債務者の扶養義務者に債務の引受けまたは弁済をしてもらった場合も、その債務の弁済をすることが困難である部分の金額については、贈与税の課税対象とならない。

4．**適切**。離婚により相手方からもらった財産は、原則として、贈与税の課税対象とならない。

問題55 解答：**3**

1．**不適切**。適法に成立した遺産分割協議については、<u>共同相続人全員の合意があれば、既に成立した遺産分割協議を解除して、再度、遺産分割協議をすることができる</u>。

2．**不適切**。遺産分割協議書には、相続税のような申告期限はなく、家庭裁判所に提出する必要もない。

3．**適切**。不動産など現物の分割が困難な場合等に採用される。

4．**不適切**。相続人が代償分割により他の相続人から交付を受けた代償財産は、<u>相続税の課税対象</u>となる。

問題56 解答：**1**

1．**適切**。弔慰金は、被相続人の死亡が、業務上の死亡の場合は「被相続人の死亡当時の普通給与の3年分に相当する額」、業務上以外の死亡の場合は「被相続人の死亡当時の普通給与の半年分に相当する額」まで、相続税の課税対象とならない。

2．**不適切**。死亡保険金の非課税金額の規定による非課税限度額は、「**500万円×法定相続人の数**」の算式により計算した金額である。

3．**不適切**。被相続人の死亡によって被相続人に支給されるべきであった死亡退職金で、<u>被相続人の死亡後3年以内に支給が確定したもの</u>を相続人が取得した場合は、死亡退職金の非課税金額の規定の適用を受けることができる。

4．**不適切**。相続人以外の者が取得した死亡保険金には、非課税金額の規定の適用はない。

問題57 解答：**2**

1．**適切**。相続開始年分の被相続人からの贈与財産について、生前贈与加算により相続税の課税価格に加算された場合には、その財産の価額は贈与税の課税価格に算入されず、<u>二重課税が生じないため</u>、贈与税額控除の適用を受けることはできない。

2．**不適切**。被相続人の孫は、被相続人と養子縁組をしても、原則として、相続税額の2割加算の対象者となる。ただし、被相続人の孫（被相続人と養子縁組をしている者を含む）は、<u>被相続人の子を代襲して相続人となった場合に限り</u>、相続税額の2割加算の対象者とならない。

3. **適切**。相続税における配偶者の税額軽減額は次の算式によって計算する。

次の(1)と(2)のいずれか少ない金額（配偶者の贈与税額控除後の税額が限度）

(1)相続税の総額× $\dfrac{〔A〕×配偶者の法定相続分（最低1億6,000万円）}{相続税の課税価格の合計額〔A〕}$

(2)相続税の総額× $\dfrac{配偶者の相続税の課税価格}{〔A〕}$

　　相続人が配偶者のみで相続の放棄をした者がおらず、配偶者が遺産（みなし相続財産を含む）のすべてを相続により取得した場合には、課税価格の合計額（上記計算式中の〔A〕）と配偶者の課税価格（上記計算式(2)の分子）は同額となる。したがって、相続税額の全額が軽減の対象となり、納付すべき相続税額はゼロとなる。
4. **適切**。未成年者控除は、被相続人の法定相続人であることが要件とされ、法定相続人は、相続の放棄がなかったものとした場合における相続人をいう。したがって、子Aは法定相続人に該当するため、未成年者控除の適用を受けることができる。

問題58 解答：**3**

1. **適切**。車庫などの施設がない青空駐車場（月極駐車場）の用に供していた場合の土地は、借地借家法が適用されないため、自用地として評価する。
2. **適切**。Aさんの宅地上にAさん以外の者が建物を建築する場合、当該宅地は貸宅地として評価する。
3. **不適切**。Aさんが、所有する宅地をAさんの子に権利金や地代の授受なく無償で貸し付け、その子がアパートを建築して賃貸の用に供していた場合、使用貸借（借地借家法の対象外）となり、Aさんの相続が開始したときには、相続税額の計算上、そのアパートの敷地の用に供されている宅地は、<u>自用地</u>として価額を評価する。
4. **適切**。借地上にAさん名義の賃貸物件が建っているので、その宅地はAさんの権利の価額としては貸家建付借地権として評価する。

問題59 解答：**2**

1. **不適切**。相続税は一括納付が原則であるが、納付すべき相続税額が10万円を超え、かつ、納期限までに金銭で納付することを困難とする事由がある場合においては、その者の申請により、その納付を困難とする金額を限度として、延納ができる。さらに、納付すべき相続税額を<u>延納によっても金銭で納付することを困難とする事由がある場合</u>においては、その者の申請により、その納付を困難とする金額を限度として物納ができる。
2. **適切**。相続税を延納中の者が、資力の状況の変化などにより延納による納付が困難となった場合には、相続税の申告期限から10年以内に限り、延納税額からその納期限の到来した分納税額を控除した残額を限度として、物納を選択することができる。これを特定物納という。
3. **不適切**。延納の担保として提供できる財産は、贈与により取得した財産に限らず、<u>受贈者の固有の財産や第三者が所有している財産</u>でもよい。
4. **不適切**。贈与税の延納について認められる延納期間は、最長で**5年間**である。

問題60 解答：**1**

1. **適切**。会社法における公開会社とは、上場会社を意味するのではなく、株式の譲渡制限の有無により分

類される。

2．**不適切**。取締役会を設置した場合には、取締役は<u>3人以上</u>でなければならない。

3．**不適切**。資本金額には下限はなく、<u>1円以上</u>で会社を設立することができる。

4．**不適切**。株式会社が特定の株主から自己株式を有償で取得する場合、株主総会の<u>特別決議が必要</u>となる。

第3予想・学科

解答一覧・苦手論点チェックシート

※ 間違えた問題に✓を記入しましょう。

問題	科目	論点	正解	難易度	あなたの苦手※ 1回目	あなたの苦手※ 2回目
1	ライフ	ライフプランニングの各種表	3	A		
2		各種係数	4	A		
3		健康保険	1	B		
4		労働者災害補償保険	4	A		
5		公的年金	2	A		
6		公的年金の遺族給付	2	A		
7		確定拠出年金	4	A		
8		住宅ローンの借換え	1	A		
9		損益計算書	4	B		
10		中小企業の資金調達	2	A		
11	リスク	生命保険料	4	A		
12		生命保険の種類と商品	1	A		
13		個人年金保険	3	A		
14		生命保険料控除	4	A		
15		損害保険による損害賠償等	1	A		
16		傷害保険	3	A		
17		自動車保険	3	A		
18		生命保険契約の経理処理（法人契約）	4	A		
19		家庭のリスク管理（損害保険）	3	A		
20		法人の福利厚生（生命保険）	2	B		
21	金融	物価等	3	A		
22		債券の一般的商品性	2	A		
23		債券の利回り計算	4	A		
24		債券のデュレーション	4	B		
25		投資信託の運用手法	4	A		
26		株式の信用取引	4	A		
27		デリバティブ取引等	2	A		
28		ＮＩＳＡ	3	B		
29		シャープレシオ	2	A		
30		金融商品取引に係る各種法令	4	B		
31	タックス	所得税の納税義務者	1	B		
32		不動産所得	4	A		
33		一時所得	4	A		

問題	科目	論点	正解	難易度	あなたの苦手※	
					1回目	2回目
34	タックス	退職所得	3	A		
35		所得税の申告	2	A		
36		所得税の課税所得	3	A		
37		法人成り	1	A		
38		益金不算入	2	B		
39		会社と役員間の課税関係	4	A		
40		消費税	2	A		
41	不動産	土地の価格	4	A		
42		不動産の登記	2	A		
43		宅地建物取引業法	2	A		
44		借地借家法（借地）	4	A		
45		借地借家法（借家）	1	A		
46		都市計画法	3	A		
47		建築基準法	2	A		
48		譲渡所得	1	A		
49		不動産の譲渡に係る各種特例	2	B		
50		不動産の投資判断手法等	1	A		
51	相続	民法	3	A		
52		贈与税	1	A		
53		贈与税の申告と納付	2	A		
54		相続税の計算	2	A		
55		債務控除	4	A		
56		宅地の評価	4	A		
57		家屋等の評価	2	A		
58		上場株式の評価	2	B		
59		取引相場のない株式の評価	1	B		
60		金融資産の評価	3	B		

配点は各1点　難易度　A…基本　B…やや難　C…難問

科目別の成績			あなたの得点	合格点	合格への距離

ライフ	リスク	金融
1回目　　/10	1回目　　/10	1回目　　/10
2回目　　/10	2回目　　/10	2回目　　/10

1回目

/60　−　**36**/60　＝

タックス	不動産	相続
1回目　　/10	1回目　　/10	1回目　　/10
2回目　　/10	2回目　　/10	2回目　　/10

2回目

/60　−　**36**/60　＝

第3予想 学科 ・・・・・・・・・・・ 解答・解説

問題1 解答：**3**

1．**適切**。なお、給与所得者の可処分所得を算出する場合、「年収－（社会保険料＋所得税・住民税）」の算式で計算する。

2．**適切**。なお、キャッシュフロー表に固定金利の元利均等返済型の住宅ローンの返済額を記載する場合、変動率0（ゼロ）となることもある。

3．**不適切**。個人バランスシートを作成するにあたっては、年次ごとの現状を把握する必要があるため、記載する数値は、取得価額より作成時点の**時価**が望ましい。

4．**適切**。キャッシュフロー表では、金利や賃金・物価等の上昇率を考慮して変動率を想定し将来価値を算定する。

問題2 解答：**4**

1．**適切**。一定期間後に一定金額を得るためには現在いくらの元本があればよいか、を求めるときには、現価係数を使う。

2．**適切**。一定期間、一定金額を受け取るためには現在いくらの元本があればよいか、を求めるときには、年金現価係数を使う。

3．**適切**。現在保有の元本を一定期間にわたり一定の利率で複利運用した場合、将来いくらになるか、を求めるときには、終価係数を使う。

4．**不適切**。一定期間後に一定金額を得るために毎年どれだけ積立をすればよいか、を求めるときには、減債基金係数を使う。なお、資本回収係数は、一定金額を一定期間で取り崩していく場合、毎年どれだけの金額が得られるかを求めるとき等に使う。

問題3 解答：**1**

1．**適切**。被保険者（妊娠4ヵ月以上）が産科医療補償制度に加入する医療機関において出産した場合には、出産育児一時金が1児につき50万円支給される。

2．**不適切**。埋葬料として5万円が支給される。

3．**不適切**。傷病手当金の支給期間は、その支給を始めた日から最長1年6ヵ月である。

4．**不適切**。高額療養費制度では、自己負担限度額を超えた部分の医療費が支給される。一部負担金等の全額が支給されるわけではない。

問題4 解答：**4**

1．**不適切**。労災保険においては、アルバイトやパートタイマーである者、日雇労働者や外国人労働者など雇用形態を問わず、すべての労働者が対象となる。

2．**不適切**。労災保険の保険料を計算する際に用いる保険料率は、適用事業所の事業の種類によって変わる。

3．**不適切**。労働者が業務上の負傷または疾病による療養のため労働することができず、賃金を受けられない場合、賃金を受けない日の第4日目から休業補償給付が支給される。

4．**適切**。障害等級は第1級から第14級まであり、第1級～第7級が年金、第8級～第14級が一時金と定められている。

102

問題5　解答：**2**

1．**適切**。年金を受ける権利（基本権）は、権利が発生してから５年を経過したときは、時効によって消滅する。

2．**不適切**。同一の事由により、障害厚生年金と労働者災害補償保険法に基づく障害補償年金が支給される場合、障害補償年金は所定の調整率により減額され、障害厚生年金は全額支給される。

3．**適切**。なお、遺族厚生年金より老齢厚生年金の年金額が高い場合は、遺族厚生年金は全額支給停止となる。

4．**適切**。「総報酬月額相当額＋基本月額」が50万円以下の場合、年金は全額支給される。

問題6　解答：**2**

1．**不適切**。遺族基礎年金を受給できる遺族は、子のある配偶者もしくは子である。

2．**適切**。なお、遺族厚生年金の額が老齢厚生年金の額を上回る場合は、老齢厚生年金を上回る額が遺族厚生年金として支給される。

3．**不適切**。遺族厚生年金の年金額は、死亡した者の老齢厚生年金の報酬比例部分の<u>４分の３相当額</u>である。

4．**不適切**。厚生年金保険の被保険者が死亡したことにより支給される遺族厚生年金の額は、死亡した者の厚生年金保険の被保険者期間が<u>300月未満の場合、300月とみなして計算</u>する。

問題7　解答：**4**

1．**適切**。加入者資格喪失後から75歳に達するまでの間に、老齢給付金の受給の請求を行わなかった場合、積み立てた年金資産（個人別管理資産）は、一時金として支給される。

2．**適切**。企業型年金加入者が加入者掛金を拠出（マッチング拠出）している場合は、個人型年金に加入することができない。

3．**適切**。通算加入者等期間が10年以上ある場合、60歳から老齢給付金を受給することができる。

［老齢給付に必要な通算加入者等期間］

通算加入者等期間	受給開始可能年齢
10年以上	60歳
8年以上　10年未満	61歳
6年以上　8年未満	62歳
4年以上　6年未満	63歳
2年以上　4年未満	64歳
1月以上　2年未満	65歳

※通算加入者等期間とは、60歳に達した日の前日が属する月以前の期間のａ）企業型年金加入者期間、ｂ）企業型年金運用指図者期間、ｃ）個人型年金加入者期間、ｄ）個人型年金運用指図者期間を合算した期間をいう。

4．**不適切**。企業型年金における加入者掛金は、事業主掛金の額との合計額が拠出限度額を超えてはならず、かつ、事業主掛金を加入者掛金が上回ることもできない。

問題8　解答：**1**

1．**不適切**。全期間固定金利型の住宅ローンに借り換えた場合、完済まで契約時の金利が適用されるため、市中金利の上昇によって返済負担が増加することはない。

2．**適切**。借換えに伴い、現行の抵当権を抹消し新たな抵当権を設定する必要があり、これに伴う登録免許税などの諸費用が発生する。

3．**適切**。収入が減少し、返済負担率（収入に占める年間返済額の割合）が高くなっている場合、借換先の金融機関が定める審査基準を充足しない可能性があるため、借換えができない場合がある。

4．**適切**。「フラット35」や「フラット50」は、借換えにも利用できる。

問題9 解答：4

X社損益計算書　　　　　　　　　（単位：百万円）

売上高	500
売上原価	300
売上総利益	200
販売費及び一般管理費	80
営業利益	120
営業外収益	30
営業外費用	50
経常利益	100
特別利益	20
特別損失	10
税引前当期純利益	110
法人税・住民税及び事業税	40
当期純利益	70

1．**適切**。売上高営業利益率＝営業利益/売上高×100

　　120百万円/500百万円×100＝<u>24％</u>

2．**適切**。売上高経常利益率＝経常利益/売上高×100

　　100百万円/500百万円×100＝<u>20％</u>

3．**適切**。限界利益率＝限界利益※/売上高×100

　　※限界利益＝売上高−変動費

　　　変動費は、売上原価に等しいと問題文にあることから300百万円。

　　　500百万円−300百万円＝200百万円

　　200百万円/500百万円×100＝<u>40％</u>

4．**不適切**。損益分岐点売上高＝固定費※/限界利益率

　　※固定費は、販売費及び一般管理費に等しいと問題文にあることから80百万円。

　　80百万円/40％＝<u>200百万円</u>

問題10 解答：2

1．**適切**。信用保証協会保証付融資は、常時使用する従業員数または資本金のいずれか一方が所定の要件を満たした場合に利用することができる。

2．**不適切**。ＡＢＬは、企業が保有する売掛債権等の債権や在庫・機械設備等の動産を担保として資金調達する方法である。

3．**適切**。インパクトローンとは、資金使途に制限のない外貨建て融資のことをいう。

4．**適切**。手形貸付は、借用証書の代わりに借入用の約束手形を金融機関に差し入れて融資を受ける方法で

ある。

問題11 解答：**4**

1．**適切**。死亡保険の場合、予定死亡率が低ければ保険会社が支払う死亡保険金額が少なくなるため保険料は低くなる。

2．**適切**。純保険料は予定死亡率と予定利率をもとに計算され、付加保険料は予定事業費率をもとに計算される。

3．**適切**。なお、予定死亡率・予定事業費率が引き上げられた場合、新規契約の保険料は高くなる。

4．**不適切**。保険会社が実際に要した事業費が、保険料を算定する際に見込んでいた事業費よりも<u>少なかった</u>場合、費差益が生じる。

問題12 解答：**1**

1．**不適切**。終身保険では、保険料払込期間が有期払いの場合と終身払いの場合を比較すると、他の契約条件が同一であれば、年払いの1回当たりの払込保険料は有期払いの方が<u>高くなる</u>。

2．**適切**。変額保険（終身型）の死亡保険金は、運用実績に応じて保険金額が変動するが、契約時に定めた保険金額（基本保険金額）は保証される。

3．**適切**。更新時の年齢や保険料率等によって保険料が再計算されるため、通常、更新後の保険料は高くなる。

4．**適切**。特定疾病保険金が支払われることなく死亡した場合は、その原因にかかわらず死亡保険金が支払われる。

問題13 解答：**3**

1．**不適切**。確定年金では、年金受取期間中に被保険者が死亡した場合、<u>残りの期間分の年金（または一時金）</u>が遺族に支払われる。

2．**不適切**。円換算支払特約をつけたとしても、為替変動の影響を受けるため、既払込保険料総額を下回ることもある。

3．**適切**。終身年金は、生存している限り年金が受け取れるため、他の条件が同一である場合、統計上で男性より長寿の傾向にある女性の方が保険料は高くなる。

4．**不適切**。変額個人年金保険は、資産の運用実績により、将来受け取る年金額も変動する。

問題14 解答：**4**

1．**適切**。自動振替貸付は、保険料の支払が困難になった場合でも契約を継続させるための方法の一つである。

2．**適切**。生命保険料控除の対象となるのは、実際に支払った年の保険料である。

3．**適切**。傷害特約は被保険者が事故によってケガをした場合等の保障が目的であり、その保険料は生命保険料控除の対象とはならない。

4．**不適切**。少額短期保険の保険料は、保障内容に関係なく、所得税の生命保険料控除または地震保険料控除の対象とならない。

問題15 解答：**1**

1．**不適切**。重大な過失がなかったときは、民法709条（不法行為による損害賠償）の規定が適用されない。

2．**適切**。生産物賠償責任保険（ＰＬ保険）とは、製造・販売した製品の欠陥等や請負業者等が行った作業

の結果によって、消費者等の第三者の身体や財産に損害が生じて、法律上の賠償責任を負った場合に補償する保険である。

3．**適切**。なお、個人賠償責任保険は、職務遂行中の賠償事故は対象とならない。

4．**適切**。政府の自動車損害賠償保障事業は、政府が自動車損害賠償保障法（自賠法）に基づき、被害者の救済を図るために損害のてん補を行う制度であり、てん補される損害の範囲および限度額は、自賠責保険の基準と同様である。

問題16 解答：**3**

1．**不適切**。海外旅行傷害保険では、海外旅行のために日本国内の住居を出発してから住居に帰着するまでの間に被った傷害を補償する。したがって、国内移動中の事故によって被った損害は補償の対象となる。

2．**不適切**。国内旅行傷害保険では、国内旅行中の飲食による細菌性食中毒は補償の対象となる。

3．**適切**。交通事故傷害保険では、国内外を問わず、交通事故による傷害は補償の対象となる。

4．**不適切**。家族傷害保険では、記名被保険者またはその配偶者と生計を共にする同居の親族および別居の未婚の子は被保険者となる。

問題17 解答：**3**

1．**適切**。自賠責保険の支払額を超過する部分の金額が支払われる。

2．**適切**。被保険自動車の運転中の者またはその父母・配偶者・子が所有・使用・管理する財物に損害責任が生じた場合は補償の対象外であるが、兄弟姉妹が所有・使用・管理する財物に損害責任が生じた場合は、補償の対象となる。

3．**不適切**。人身傷害（補償）保険は、自動車事故によって被保険者が死傷または後遺障害を負った場合に、過失割合にかかわらず、保険金額の範囲内で損害額の全額が支払われる。

4．**適切**。なお、地震・噴火、これらによる津波によって生じた損害の場合には特約を付していなければ保険金は支払われない。

問題18 解答：**4**

1．**適切**。法人を契約者とし、役員または従業員を被保険者とする保険期間3年以上の定期保険または第三分野保険の経理処理は、最高解約返戻率に応じて処理する。下表参照。
〈2019年7月8日以後（一定の保険については10月8日以後）に締結した法人契約の定期保険および第三分野保険の経理処理〉

最高解約返戻率※	取扱い		
	資産計上期間	資産計上額	資産取り崩し方法
50％以下	資産計上不要（全額損金算入）		
50％超70％以下	保険期間の当初40％相当の期間	年間の支払保険料×40％	保険期間の75/100相当期間経過後から、保険期間の終了の日まで
70％超85％以下		年間の支払保険料×60％	
85％超	保険期間開始日から解約返戻率が最高となる期間の終了日	年間の支払保険料×最高解約返戻率×70％（保険期間開始日から10年経過日までの期間は90％）	解約返戻金が最高となった期間経過後から、保険期間の終了の日まで

※最高解約返戻率とは、その保険契約の保険期間を通じて解約返戻率が最も高い割合となる期間におけるその割合をいう。

2．**適切**。給付金受取人が法人である解約返戻金のない第三分野の保険の保険料は、全額を損金の額に算入することができる。

3．**適切**。死亡保険金受取人が法人である終身保険の保険料は、保険料積立金として資産計上する。

4．**不適切**。死亡保険金および満期保険金の受取人が法人である養老保険の保険料は、<u>全額を保険料積立金として資産計上する</u>。なお、役員および従業員全員加入であり、死亡保険金受取人が被保険者の遺族、満期保険金受取人が法人である養老保険の保険料は、その2分の1を損金の額に算入することができる。

問題19 解答：3

1．**適切**。地震保険を付帯した火災保険は、住宅用建物と家財が火災等や地震、噴火、津波が原因で損害を被った場合を補償する。

2．**適切**。家族傷害保険では、生計を一にする配偶者、同居の親族および別居の未婚の子が日常生活においてケガを負った場合の治療費等を補償する。

3．**不適切**。個人賠償責任保険は、記名被保険者とその家族が日本国内での日常生活における偶然な事故により第三者に損害を与えた場合は補償するが、<u>他人から借りた物、預かった物に対する賠償責任は補償しない</u>。

4．**適切**。普通傷害保険は、国内外を問わず日常生活における急激かつ偶然な外来の事故による傷害を補償する。したがって、運動中のケガによる入院や通院の治療費等も補償される。

問題20 解答：2

1．**適切**。団体就業不能保障保険とは、従業員が就業不能状態にある場合、保険金が支払われる保険であるため、従業員の休業の補償に係る原資の準備に適している。

2．**不適切**。団体定期保険（Bグループ保険）は、従業員が勤務先を通して割安な保険料で任意加入する死亡保険であり、定年退職時に支給する退職金の原資の準備には適していない。

3．**適切**。勤労者財産形成貯蓄積立保険（一般財形）は、従業員の資産形成の支援を目的に活用するものである。

4．**適切**。養老保険は、満期保険金や死亡保険金が支払われる保険であるため、定年退職時に支給する生存退職金や死亡退職金などの原資の準備に適している。

問題21 解答：3

・財やサービスの価格（物価）が継続的に上昇する状態をインフレーション（インフレ）という。インフレには、その発生原因に着目した分類として、好景気等を背景とした需要の増大が原因となる（**ア：ディマンドプル**）型や、賃金や材料費の上昇等が原因となる（**イ：コストプッシュ**）型などがある。

・消費者物価指数（CPI）と（**ウ：GDPデフレーター**）は、いずれも物価変動に係る代表的な指標であるが、消費者物価指数（CPI）がその対象に輸入品の価格を含む一方、（**ウ：GDPデフレーター**）は、国内生産品の価格のみを対象とする点などで違いがある。なお、（**ウ：GDPデフレーター**）は、国内要因による物価動向を反映することから、ホームメイド・インフレを示す指標と呼ばれる。

問題22 解答：2

1．**適切**。株価指数連動債とは、基準日からの株価指数の変動によって、償還金額や利率が変動する仕組債

の一種である。早期償還条項が付いているものは、償還日前に償還されたり、償還金額が額面金額を下回ったりする可能性がある。

2. **不適切**。デュアルカレンシー債は、購入代金の払込みおよび利払いの通貨と、償還される通貨が異なる債券である。

〈デュアルカレンシー債とリバース・デュアルカレンシー債の違い〉

	払込み	利払い	償還
デュアルカレンシー債	円	円	外貨
リバース・デュアルカレンシー債	円	外貨	円

3. **適切**。割引形式で発行される債券で、利息（クーポン）がないため、ゼロ・クーポン債という。

4. **適切**。なお、株式に転換できるメリットが付いているため、同じ企業が発行する通常の社債と比べて、一般的に、利率が低くなっている。

問題23 解答：**4**

1. **誤り**。直接利回りとは、投資金額（購入価格）に対する表面利率の割合を示したものである。

$$直接利回り（\%）= \frac{表面利率}{購入価格} \times 100$$

$$= \frac{0.3}{100.50} \times 100$$

2. **誤り**。応募者利回りとは、新規発行された債券（新発債）を購入し、償還まで保有した場合の利回りである。

$$応募者利回り（\%）= \frac{表面利率 + \dfrac{額面（100円）- 発行価格}{償還期限（年）}}{発行価格} \times 100$$

$$= \frac{0.3 + \dfrac{100 - 100.50}{10}}{100.50} \times 100$$

3. **誤り**。所有期間利回りとは、新発債や既発債を償還まで保有せずに、途中で売却した場合の利回りである。

$$所有期間利回り（\%）= \frac{表面利率 + \dfrac{売却価格 - 購入価格（発行価格）}{所有期間（年）}}{購入価格（発行価格）} \times 100$$

$$= \frac{0.3 + \dfrac{102 - 101.50}{4}}{101.50} \times 100$$

4. **正しい**。最終利回りとは、既発債を購入し、償還まで保有した場合の利回りである。

$$最終利回り（\%）= \frac{表面利率 + \dfrac{額面（100円）- 購入価格}{残存期間（年）}}{購入価格} \times 100$$

$$= \frac{0.3 + \dfrac{100 - 100.20}{3}}{100.20} \times 100$$

問題24 解答：**4**

> デュレーションは、債券への投資資金の平均回収期間を表すとともに、債券投資における金利変動リスクの度合い（金利変動に対する債券価格の感応度）を表す指標としても用いられる。他の条件が同じであれば、債券の表面利率が低いほど、また残存期間が長いほど、デュレーションは（**ア：長くなる**）。なお、割引債券のデュレーションは、残存期間（**イ：と等しくなる**）。

問題25 解答：**4**

1．**不適切**。割安な銘柄を買い持ち（ロング）にする一方、割高な銘柄を売り持ち（ショート）にすることで、市場全体の動きに左右されない収益を求める運用手法を、ロング・ショート戦略という。
2．**不適切**。インデックス・ファンドは、パッシブ運用（ベンチマークに連動する運用成果を目指す運用手法）の代表的なものである。
3．**不適切**。本肢は、トップダウン・アプローチの説明である。なお、ボトムアップ・アプローチとは、個別銘柄の選択を重視し、ファンドの運用方式に基づいて、企業訪問などのリサーチによって投資魅力の高い銘柄を発掘してポートフォリオを構築する手法のことをいう。
4．**適切**。グロース投資は、市場平均に比べてPERが高いポートフォリオとなる傾向がある。

問題26 解答：**4**

1．**適切**。信用取引では、所有していない銘柄でも、「売り」から入って「買い戻す」といった売買ができる。
2．**適切**。制度信用取引と一般信用取引の相互間で建株を変更することはできない。
3．**適切**。委託保証金には最低維持率が証券会社ごとに定められており、建玉の評価損の拡大や代用有価証券の値下がりなどによって最低維持率を下回った場合、追加保証金（追証）を差し入れる必要がある。
4．**不適切**。信用取引の売買が成立した場合、原則として約定代金の30％以上の委託保証金（最低30万円）を証券会社に差し入れる必要がある。

問題27 解答：**2**

1．**適切**。国債先物取引には、超長期国債先物（20年）、長期国債先物（10年）、中期国債先物（5年）、ミニ長期国債先物の4種類があり、国内では大阪取引所で取引されている。実際に発行されている国債ではなく、証券取引所が利率や償還期限等を標準化し、設定した「標準物」を取引の対象としている。
2．**不適切**。コール・オプションでもプット・オプションでも、オプションの**買い手**の損失は、プレミアム（オプション料）に限定される。一方、オプションの売り手の損失は、無限定である。
3．**適切**。なお、金利スワップには、取引所取引はなく相対取引で行われる。
4．**適切**。なお、外国為替証拠金取引における法令上の証拠金倍率の上限は、25倍とされている。

問題28 解答：**3**

1．**適切**。下記参照。
2．**適切**。下記参照。
3．**不適切**。2023年末までに一般NISAにおいて投資した商品は、非課税保有期間満了後、新NISAへロールオーバーすることはできない。一般NISAと新NISAは分離されており、非課税での投資枠も別枠になる。
4．**適切**。株式数比例配分方式以外で配当金を受領した場合は、20.315％の税率で課税される。

	成長投資枠	つみたて投資枠
対象者	18歳以上の居住者等	
新規投資期間	恒久化	
年間投資枠	240万円	120万円
	併用可（年間最大360万円）	
非課税期間	無期限	
非課税保有限度額 （生涯投資枠）	1,800万円（売却後の投資枠の**再利用可**）	
	1,200万円（枠内）	
投資対象商品	上場株式・投資信託など （①整理・監理銘柄、②**信託期間20年未満、毎月分配型の投資信託およびデリバティブ取引を用いた一定の投資信託等を除く**）	長期の積立・分散投資に適した一定の公募株式投資信託・ＥＴＦ （つみたてＮＩＳＡと同じ）
新旧制度の関係	2023年末までに一般ＮＩＳＡおよびつみたてＮＩＳＡにおいて投資した商品は**新しい制度の外枠**で、現行制度における非課税措置を適用 ※現行制度から新しい制度への**ロールオーバー不可**	

問題29 解答：**2**

　　無リスク金利を0.5％として、〈資料〉の数値によりファンドＡのシャープレシオの値を算出すると（**ア：0.75**）となり、同様に算出したファンドＢのシャープレシオの値は（**イ：0.84**）となる。両ファンドの運用パフォーマンスを比較すると、過去４年間は（**ウ：ファンドＢ**）の方が効率的な運用であったと判断される。

$$シャープレシオ = \frac{ポートフォリオの収益率 － 無リスク資産の収益率}{ポートフォリオの標準偏差}$$

$$ファンドＡのシャープレシオ = \frac{9.5 - 0.5}{12.0} = \underline{0.75}$$

$$ファンドＢのシャープレシオ = \frac{4.7 - 0.5}{5.0} = \underline{0.84}$$

　数値が大きいほど、取ったリスクに対して優れたパフォーマンスであったと評価される。したがって、ファンドＢの方が、投資効率が高いといえる。

問題30 解答：**4**

1．**適切**。例えばデリバティブ等は、仲介することが認められていない。
2．**適切**。取り消すことはできるが、損害賠償請求については認められていない。
3．**適切**。原則として契約の都度、契約締結前交付書面をあらかじめ顧客に交付しなければならない。
4．**不適切**。犯罪収益移転防止法では、金融機関等の特定事業者が顧客と特定業務に係る取引を行った場合、特定事業者は、原則として、直ちに当該取引に関する記録を作成し、当該取引の行われた日から7年間保存しなければならないとされている。

問題31 解答：**1**

1．**不適切**。非居住者（居住者以外の個人）の課税所得の範囲は、国内源泉所得に限られる。

2．**適切**。非永住者とは、居住者のうち、次のいずれにも該当する者である。
   ・日本国籍を有していない者
   ・過去10年以内において、日本国内に住所または居所を有していた期間の合計が5年以下である者

3．**適切**。なお、居住者は、「非永住者以外の居住者」と「非永住者」に分かれる。

4．**適切**。非永住者以外の居住者の課税所得の範囲は、すべての所得（日本国内および国外で生じたすべての所得）である。

問題32 解答：**4**

1．**不適切**。賃借人に支払う立退き料は、不動産所得の金額の計算上、必要経費に算入することができる。

2．**不適切**。不動産所得を生ずべき建物に付した地震保険料は必要経費に算入され、地震保険料控除の対象とはならない。

3．**不適切**。不動産貸付業に係る住民税は、必要経費に算入することができない。

4．**適切**。青色事業専従者に対する給与および賞与のうち、「青色事業専従者給与に関する届出書」に記載した範囲内で支払った金額は、原則として、必要経費になる。

問題33 解答：**4**

1．**適切**。個人年金保険の年金受給開始後に、将来の年金給付の総額に代えて受け取った一時金は、一時所得として課税される。

2．**適切**。保険料が月払いである変額個人年金の解約返戻金は、一時所得として課税される。

3．**適切**。一時所得の金額は、「総収入金額－支出した金額－特別控除（最高50万円）」である。なお、その2分の1が総所得金額を構成する。

4．**不適切**。一時払い養老保険を保険期間5年以下で解約して受け取る解約返戻金は、**金融類似商品**として20.315％の税率による**源泉分離課税**となる。

問題34 解答：**3**

1．**不適切**。退職所得控除額は、収入金額に応じてではなく、**勤続年数**によって計算される。

2．**不適切**。（2,000万円－1,500万円）×1/2＝250万円

3．**適切**。「退職所得の受給に関する申告書」を提出した者は、退職金等の支払いが行われるときに、適正な税額が源泉徴収される。

4．**不適切**。役員が受け取ったとしても退職金は退職所得となる。なお、法人の役員などで勤続年数が5年以下である特定役員の退職金等は、退職所得の算出が「（収入金額－退職所得控除額）×1/2」ではなく、「収入金額－退職所得控除額」となる。

問題35 解答：**2**

1．**不適切**。年間の給与収入の金額が2,000万円超の給与所得者は、年末調整の対象とならない。

2．**適切**。公的年金等の収入金額が400万円以下であり、公的年金等に係る雑所得以外の所得金額が20万円以下である場合には、確定申告の必要はない。

3．**不適切**。年の中途で死亡した者のその年分の所得税について確定申告を要する場合、原則として、その相続人は、相続の開始があったことを知った日の翌日から4ヵ月以内に、死亡した者に代わって確定申告をしなければならない。

4．**不適切**。前年からすでに業務を行っている者が、本年分から新たに青色申告の適用を受けようとする場合、その承認を受けようとする年の<u>3月15日</u>までに「青色申告承認申請書」を納税地の所轄税務署長に提出しなければならない。

問題36 解答：**3**

1．**不適切**。国債の償還差益は、<u>譲渡所得</u>として所得税の課税対象となる。
2．**不適切**。高年齢雇用継続基本給付金は社会政策上の観点から<u>非課税</u>である。
3．**適切**。老齢基礎年金は、雑所得として所得税の課税対象となる。なお、遺族年金や障害年金は社会政策上の観点から非課税である。
4．**不適切**。火災保険金は災害による損害を埋め合わせるために受け取った保険金であり、利益を得ているわけではないので<u>非課税</u>である。

問題37 解答：**1**

1．**適切**。なお、役員が会社に無利息で金銭を貸し付けた場合、役員に対して本来受け取ることができる利息額について課税されることはない。
2．**不適切**。減価償却は、<u>個人が強制償却</u>であるのに対して、<u>法人が任意償却</u>である。
3．**不適切**。法人税の欠損金は、翌事業年度以後<u>10年間</u>繰り越すことができる。
4．**不適切**。所得税の税率は原則として5％から45％までの<u>超過累進税率</u>であるが、法人税の税率は原則として23.2％の<u>比例税率</u>（中小法人には特例税率がある）である。

問題38 解答：**2**

1．**全額は減算することができない**。内国法人から受け取る非支配目的株式等の配当等の額の20％相当額であれば益金不算入として、減算することができる。
2．**減算することができる**。欠損金の繰戻しによる法人税額の還付金は、益金不算入として、減算することができる。
3．**全額は減算することができない**。内国法人から受け取る完全子法人株式等、関連法人株式等および非支配目的株式等のいずれにも該当しない株式等の配当等の額の50％相当額であれば益金不算入として、減算することができる。
4．**減算することができない**。還付に際して支払われる還付加算金は、益金に算入される。

問題39 解答：**4**

1．**適切**。会社が役員に対し無利息の貸付けをした場合、通常取得すべき利率により計算した利息の額を、会社は益金の額に算入し、役員には給与として課税される。
2．**適切**。会社が所有する建物を適正な時価よりも高い価額で役員に譲渡した場合、時価で譲渡したものとみなされ、譲渡対価と時価の差額が受贈益となる。
3．**適切**。役員が所有する土地を時価の2分の1未満の価額で会社に譲渡した場合、時価で譲渡したものとみなして、時価の金額が役員の譲渡所得の収入金額に算入される。
4．**不適切**。役員が会社に無利息で金銭の貸付けを行った場合、役員に対して課税されない。

問題40 解答：**2**

1．**不適切**。居住の用に供する家屋の貸付けは、その貸付期間が1ヵ月以上であれば、消費税の<u>非課税取引</u>に該当する。1ヵ月未満であれば、課税取引となる。

2．**適切**。「消費税課税事業者選択届出書」は、事業者が、基準期間における課税売上高が1,000万円以下である課税期間においても課税事業者となることを選択しようとする場合に提出するものである。

3．**不適切**。簡易課税制度を選択することができるのは、基準期間における課税売上高が5,000万円以下の事業者である。

4．**不適切**。課税事業者である法人事業者は、原則として、消費税の確定申告書をその年の課税期間の末日の翌日から2ヵ月以内に納税地の所轄税務署長に提出しなければならない。なお、個人事業主の場合は、翌年の3月31日までに納税地の所轄税務署長に提出しなければならない。

問題41 解答：**4**

1．**不適切**。地価公示の公示価格は、**毎年1月1日**を価格判定の基準日としている。

2．**不適切**。都道府県地価調査の基準地は、地価公示の標準地と同じ地点に設定されることもある。

3．**不適切**。相続税路線価は、公示価格の**80%**である。

4．**適切**。固定資産税評価額は、公示価格の**70%**である。

問題42 解答：**2**

1．**適切**。不動産登記には、公信力が認められていない。したがって、登記記録を信用して、真の権利者でない者と取引したとしても、必ずしも法的な保護を受けることができない。

2．**不適切**。土地の所有者とその土地上の建物の所有者が異なる場合、その土地の登記記録に借地権の登記がなくても、借地権が設定されていることがある。なお、借地権者は、借地上にある建物について登記することで第三者に対抗することができる。

3．**適切**。譲受人相互間では、先に所有権移転登記を済ませた方が、当該不動産の所有者となる。

4．**適切**。地図に準ずる図面として登記所に備え付けられている。

問題43 解答：**2**

1．**不適切**。宅地建物取引業法に媒介報酬の受領時期についての規定はない。

2．**適切**。なお、宅地建物取引業者同士の売買の場合、手付の額の制限はない。

3．**不適切**。専任媒介契約を締結したときは、たとえ依頼者からの申出があっても、所定の事項を指定流通機構に登録しない旨の特約を定めることはできない。

4．**不適切**。専任媒介契約における業務処理状況の報告義務は**2週間**に1回以上である。なお、専属専任媒介契約における業務処理状況の報告義務は1週間に1回以上である。

問題44 解答：**4**

1．**不適切**。普通借地権の設定契約方法に、制限はない。

2．**不適切**。借地権者（借地人）の債務不履行により借地の契約が解除された場合は、建物買取請求権は認められない。

3．**不適切**。普通借地権の存続期間を30年以上で定めた場合、その定めた期間（本肢では40年）が存続期間となる。

4．**適切**。借地権者が、借地借家法に規定する事項を土地上の見やすい場所に掲示しておけば、滅失した日から2年間は、第三者に対し借地権を対抗することができる。

問題45 解答：**1**

1．**不適切**。定期借家契約において、書面による契約と同様に、電磁的記録でも契約を締結することができ

る。

2．**適切**。建物の賃借権の登記がなくても、建物の引渡しがあったときは、その後、その建物について物権を取得した者に対して対抗できる。

3．**適切**。普通借家契約において、1年未満の期間で定めた場合、期間の定めのない賃貸借契約とみなされる。

4．**適切**。定期借家契約では、賃料を増減額しない旨の特約も有効である。

問題46 解答：**3**

1．**不適切**。都市計画区域において、区域区分されている市街化区域と市街化調整区域のほかに、<u>区域区分されていない非線引都市計画区域</u>もある。

2．**不適切**。農業を営む者の居住の用に供する建築物の建築を目的として市街化調整区域内で行う開発行為は、<u>都道府県知事等による開発許可は不要</u>である。

3．**適切**。

4．**不適切**。開発許可を受けた開発区域内の土地について、開発行為に関する工事完了の公告があるまでの間は、建築物を建築することはできないが、<u>譲渡することはできる</u>。

問題47 解答：**2**

$(13m - 0.5m^{※}) \times 16m \times (50\% + 10\%) = \underline{120㎡}$

※　0.5mはセットバック部分

当該敷地は防火地域であり、耐火建築物を建築するため、建蔽率の加算がある。

敷地の反対側はがけ地等ではないため、道路の中心線から2mの部分が道路の境界とみなされ、その境界線までの部分（セットバック）には建物の建築はできない。

問題48 解答：**1**

1．**不適切**。土地を譲渡した年の1月1日における所有期間が5年以下の場合には短期譲渡所得に区分され、5年超の場合には長期譲渡所得に区分される。

2．**適切**。譲渡した土地の取得費が不明な場合や実際の取得費が譲渡収入金額の5％よりも少ないときは、譲渡収入金額の5％相当額を取得費とすることができる。

3．**適切**。相続（限定承認を除く）により取得した土地の取得時期は、被相続人の取得時期を引き継ぐ。

4．**適切**。また、立退料や土地を更地で売るための建物の取壊し費用なども譲渡費用となる。

問題49 解答：**2**

1．**不適切**。3,000万円特別控除は、<u>所有期間にかかわらず</u>適用を受けることができる。

2．**適切**。長期譲渡所得の課税の特例（軽減税率の特例）の適用を受ける場合、同年に取得して入居した家屋について住宅借入金等特別控除の適用を受けることはできない。

3．**不適切**。相続開始があった日の翌日から相続税の申告期限の翌日以後3年（相続開始から3年10ヵ月）を経過する日までに譲渡すると、納付した相続税のうち一定の金額を取得費に加算することができる。

4．**不適切**。3,000万円特別控除と長期譲渡所得の課税の特例（軽減税率の特例）は、重複して適用を受けることができる。

問題50 解答：**1**

1．**不適切**。借入金併用型の不動産投資において、レバレッジ効果が働いて自己資金に対する収益率の向上

が期待できるのは、借入金の金利が総投下資本に対する収益率を下回っている場合である。

2．**適切**。ＮＯＩ利回り（純利回り）は、純利益（年間総収入－諸経費）を総投資額で除して算出する。

3．**適切**。ＮＰＶ（正味現在価値）とは、投資によって将来発生するキャッシュフローを現在価値に割り戻した上で、投資額を差し引いたものである。一般的にＮＰＶの値が大きいほど、有利な投資といえる。

4．**適切**。なお、内部収益率が投資家の期待収益率を上回るほど有利な投資といえる。

問題51 解答：**3**

1．**適切**。財産目録はパソコン等で作成してもよい。ただし、財産目録の各頁に署名押印する必要がある。

2．**適切**。なお、配偶者居住権は、譲渡することができない。

3．**不適切**。遺留分侵害額に相当する金銭の支払いの請求先は、受遺者（所定の要件を満たす相続人を含む）または受贈者である。

4．**適切**。なお、特別寄与者とは、相続人ではない被相続人の親族（相続の放棄をした者、相続人の欠格事由に該当する者および廃除によってその相続権を失った者を除く）で、被相続人の財産の維持または増加について特別の寄与をした者をいう。

問題52 解答：**1**

1．**適切**。保険契約者、被保険者、保険金受取人がすべて異なる場合、死亡保険金に贈与税がかかる。

2．**不適切**。子が母から著しく低い価額の対価で土地の譲渡を受けた場合、原則として、その時価と支払った対価の額との差額を限度に、子が母から贈与により取得したものとみなされ、その差額相当分は、贈与税の課税対象となる。

3．**不適切**。相続または遺贈により財産を取得した者が、相続開始の年において被相続人から贈与により取得した財産は、贈与税は非課税となり、相続税（生前贈与加算）の課税対象となる。

4．**不適切**。離婚による財産分与については、その財産価額が婚姻中の夫婦の協力によって得た財産の額等の事情を考慮して社会通念上相当な範囲内である場合、贈与税の課税対象とならない。

問題53 解答：**2**

1．**適切**。贈与税の配偶者控除の適用を受けるためには、贈与税の申告をすることが必要である。

2．**不適切**。贈与税を延納する場合、延納税額が100万円以下で、かつ、延納期間が３年以下であるときは、延納の許可を受けるに当たって担保を提供する必要はない。

3．**適切**。１暦年（その年の１月１日から12月31日まで）中に贈与により取得した財産の価額の合計額が基礎控除額（110万円）を超える場合は、贈与税の申告が必要である。

4．**適切**。贈与税は、物納ができない。

問題54 解答：**2**

1．**適切**。意図的に相続を放棄することで法定相続人の数を操作できるため、相続税の計算上、法定相続人の数について、民法と異なる扱いをしている。

2．**不適切**。遺産に係る基礎控除額の計算上、法定相続人の数に含めることができる養子（実子とみなされる者を除く）の数は、実子がいる場合、１人に制限される。

3．**適切**。代襲相続をする孫は、孫としてではなく、子に代わって相続しているので、２割加算の対象ではない。

4．**適切**。配偶者が取得した遺産が「１億6,000万円以下」または「法定相続分まで」であれば、配偶者に相続税はかからない。配偶者のみが相続人であれば法定相続分は１分の１となるため、相続により取得し

た遺産額の多寡にかかわらず配偶者に相続税はかからない。

問題55 解答：**4**

1．**債務控除できない**。遺言執行に係る費用は、相続財産の管理に関する費用であり、相続開始時点での被相続人の債務に該当しないため、債務控除することはできない。

2．**債務控除できない**。被相続人が生前に購入した墓碑・墓石の未払代金等、非課税財産の取得のために生じた債務は、債務控除することはできない。

3．**債務控除できない**。香典返しのためにかかった費用は、債務控除することができる葬式費用には該当しない。

4．**債務控除できる**。債務控除することができる。特別の寄与とは、相続人以外の被相続人の親族（特別寄与者）が、無償で被相続人の療養看護等を行った場合、一定の要件の下で、相続人に対して金銭（特別寄与料）を請求することができる制度である。相続人が支払った特別寄与料の額は、当該相続人に係る相続税の課税価格から控除することができる。

問題56 解答：**4**

宅地の相続税評価額（自用地評価額）

＝路線価×奥行価格補正率×間口狭小補正率×奥行長大補正率×地積

1,000千円×1.00×0.94×0.96×90㎡＝<u>81,216千円</u>

問題57 解答：**2**

1．**適切**。なお、費用現価とは、課税時期までに投下した費用の額を課税時期の価額に引き直した額の合計額をいう。

2．**不適切**。貸家の価額は、「自用家屋の評価額×（1－借家権割合×賃貸割合）」で算出される。

3．**適切**。構築物の価額は、「（再構築価額－償却費の額の合計額または減価の額）×0.7」で算出される。

4．**適切**。自用家屋の価額は、原則として、「その家屋の固定資産税評価額×1.0」で算出される。

問題58 解答：**2**

上場株式の相続税評価額は、次の金額のうち最も小さい金額で評価する。

①　課税時期の最終価格※

②　課税時期の属する月の毎日の最終価格の月平均額

③　課税時期の属する前月の毎日の最終価格の月平均額

④　課税時期の属する前々月の毎日の最終価格の月平均額

※課税時期に最終価格がない場合（休日など）は、最も近い日の最終価格

したがって、相続税評価額は、2024年12月の最終価格の月平均額<u>2,120円</u>となる。

問題59 解答：**1**

1．**不適切**。会社規模が大会社である会社の株式の価額は、原則として、類似業種比準方式で評価するが、純資産価額方式を選択することもできる。

2．**適切**。会社規模が中会社である会社の株式の価額は、原則として、類似業種比準方式と純資産価額方式の併用方式で評価するが、純資産価額方式を選択することもできる。

3．**適切**。会社規模が小会社である会社の株式の価額は、原則として、純資産価額方式で評価するが、類似業種比準方式と純資産価額方式の併用方式を選択することもできる。

4．**適切**。年配当金額は、直前2期の平均金額とする。

問題60 **解答：3**

1．**適切**。個人向け国債の価額は、「額面金額＋経過利子相当額－中途換金調整額」で計算した金額によって評価する。

2．**適切**。保険事故が発生していない生命保険契約に関する権利の価額は、相続開始時における解約返戻金の額により評価する。

3．**不適切**。既経過利息の額が少額である普通預金の価額は、課税時期現在の預入高により評価する。

4．**適切**。相続税や贈与税を計算する場合の外貨は、円貨に換算する必要がある。この場合の円貨への換算は、原則として、被相続人の死亡日における最終の対顧客直物電信買相場（ＴＴＢ）またはこれに準ずる相場により行う。

直前予想模試
実　技

解答・解説

実技・金財 個人資産相談業務

解答一覧・苦手論点チェックシート

※ 間違えた問題に✓を記入しましょう。

大問	問題	科目	論点	正解	難易度	配点	あなたの苦手※ 1回目	あなたの苦手※ 2回目
第1問	1	ライフ	老齢年金	①763,300（円）　②269,665（円） ③164（円）　④269,829（円）	B	各1点		
	2		確定拠出年金	①ロ　②ト　③ヌ	A	各1点		
	3		公的年金制度等の各種取扱い	①×　②○　③×	A	各1点		
第2問	4	金融	株式の投資指標	①1.33（倍）　②20.00（倍）	A	各2点		
	5		株式購入する際の留意点等	①○　②○　③○	A	各1点		
	6		新NISA	①○　②×　③×	A	各1点		
第3問	7	タックス	医療費控除	①ヘ　②ロ　③ホ	A	各1点		
	8		所得税の課税	①×　②○　③×	A	各1点		
	9		総所得金額	①700（万円）　②630（万円）	B	各2点		
第4問	10	不動産	建築面積・延べ面積	①320（㎡）　②960（㎡）	A	各2点		
	11		宅地の相続	①×　②×　③○	A	各1点		
	12		借地借家法	①イ　②ホ　③ト	A	各1点		
第5問	13	相続	相続等（遺言、相続放棄等）	①○　②×　③×　④×	A	各1点		
	14		直系尊属から教育資金の一括贈与を受けた場合の贈与税の非課税	①○　②×　③○	A	各1点		
	15		相続税の総額	①4,200（万円）　②3,860（万円） ③7,720（万円）	B	各1点		

難易度　A…基本　B…やや難　C…難問

科目別の成績

ライフ	金融
1回目　　／10	1回目　　／10
2回目　　／10	2回目　　／10

タックス	不動産	相続
1回目　　／10	1回目　　／10	1回目　　／10
2回目　　／10	2回目　　／10	2回目　　／10

あなたの得点	合格点	合格への距離
1回目 ／50	− 30／50	=
2回目 ／50	− 30／50	=

【第1問】

問1 解答：①763,300(円)　②269,665(円)　③164(円)　④269,829(円)

〈計算の手順〉

1. 老齢基礎年金の年金額（円未満四捨五入）

   （①　763,300）円

2. 老齢厚生年金の年金額

   (1) 報酬比例部分の額（円未満四捨五入）：（②　269,665）円

   (2) 経過的加算額（円未満四捨五入）　　：（③　164）円

   (3) 基本年金額（上記「(1)+(2)」の額）　：269,829円

   (4) 加給年金額（要件を満たしている場合のみ加算すること）

   (5) 老齢厚生年金の年金額　　　　　　　：（④　269,829）円

〈解説〉

1. ①老齢基礎年金は20歳から60歳になるまでの40年間にわたって国民年金保険料を納めると、65歳から満額が支給される。保険料を免除した期間の年金額は、免除の時期と免除の種類に応じて算出するが、保険料の未納期間、学生納付特例制度や保険料納付猶予制度を適用した期間のうち保険料を追納しなかった期間は、年金額の計算の対象期間に含めない。厚生年金保険の被保険者期間は、国民年金保険料納付済期間となる。Aさんは20歳から22歳までの学生納付特例期間（31月）について、追納していないため保険料納付済期間に含めない。

$$816{,}000円 \times \frac{164月 + 285月}{480月} = \underline{763{,}300円}（円未満四捨五入）$$

2. 老齢厚生年金の年金額

   (1) 報酬比例部分の額（円未満四捨五入）

   Aさんの2003年4月以降の被保険者月数164月は、平均標準報酬額30万円を用いて算出する。

   ⓐ 2003年3月以前の期間分　0円

   ⓑ 2003年4月以後の期間分

   $$300{,}000円 \times \frac{5{,}481}{1{,}000} \times 164月 = 269{,}665.2円$$

   ⓐ＋ⓑ　0円 + 269,665.2円 ≒ <u>269,665円</u>（円未満四捨五入）

   (2) 経過的加算額

   $$1{,}701円 \times 164月 - 816{,}000円 \times \frac{164月}{480月} = \underline{164円}（円未満四捨五入）$$

   ※厚生年金保険の被保険者期間の月数は、480月が上限となる。

   (3) 基本年金額（(1)+(2)）

   269,665円 + 164円 = <u>269,829円</u>

   (4) 加給年金額は、厚生年金保険の被保険者期間が20年（240月）以上ある人が、65歳到達時点で、その人に生計を維持されている65歳未満の配偶者、18歳到達年度の末日までの間の子または1級・2級の障害の状態にある20歳未満の子がいるときに加算される。Aさんは要件を満たしていないため加算されな

い。

(5) 老齢厚生年金の年金額　269,829円

問2 解答：①ロ　②ト　③ヌ

Ⅰ 「Aさんおよび妻Bさんは、老後の年金収入を増やす方法として、個人型年金に加入することができます。個人型年金は、加入者の指図により掛金を運用し、その運用結果に基づく給付を受け取る制度であり、拠出できる限度額は、Aさんの場合は年額816,000円であり、妻Bさんの場合は年額（**①：276,000**）円です。加入者が拠出した掛金は、その全額を所得税の（**②：小規模企業共済等掛金控除**）として総所得金額等から控除することができます」

Ⅱ 「Aさんおよび妻Bさんが個人型年金の老齢給付金を受給する場合、通算加入者等期間が10年以上あれば、老齢給付金の受給開始時期を、60歳から（**③：75**）歳になるまでの間で選択することができます」

〈解説〉

① 国民年金の第2号被保険者で、勤務先に確定拠出年金の企業型年金および他の企業年金がない個人型年金加入者の掛金拠出限度額は、年額276,000円（月額23,000円）である。

② 個人型年金の掛金は、全額が小規模企業共済等掛金控除として所得控除の対象となる。

③ 老齢給付金は、60歳以降に受給開始されるが、遅くとも75歳までに受給を開始しなければならない。

問3 解答：①✕　②○　③✕

〈解説〉

① 老齢基礎年金および老齢厚生年金は、65歳で受け取らずに<u>66歳以後75歳までの間で繰り下げて増額した</u>年金を受け取ることができる。65歳1ヵ月以降ではない。なお、増額率の計算は、「増額率（最大84％）＝0.7％×65歳に達した月から繰下げ申出月の前月までの月数」となる。

② 相続税法上のみなし相続財産として相続税の課税対象となった確定拠出年金の死亡一時金には、退職手当等の非課税（500万円×法定相続人の数）が適用される。

③ 老齢基礎年金を繰上げ・繰下げ受給する場合は、付加年金も繰上げ・繰下げ受給となり、付加年金も老齢基礎年金と同率で減額あるいは増額される。

【第2問】

問4 解答：①1.33（倍）　②20.00（倍）

〈解説〉

① PBR（株価純資産倍率）＝$\dfrac{株価}{1株当たり純資産}$

X社のPBR＝$\dfrac{20,000円}{15,000円}$≒1.333倍 → <u>1.33倍</u>（小数点以下第3位四捨五入）

※1株当たり純資産＝$\dfrac{1,500,000百万円}{1億株}$＝15,000円

② PER（株価収益率）＝$\dfrac{株価}{1株当たり純利益}$

Y社のPER＝$\dfrac{15,000円}{750円}$＝<u>20.00倍</u>（小数点以下第3位四捨五入）

$$※1株当たり純利益 = \frac{60,000百万円}{8,000万株} = 750円$$

問5 解答：①〇　②〇　③〇

〈解説〉

① ROE（自己資本利益率）（%）＝ $\dfrac{当期純利益}{自己資本} \times 100$

X社のROE ＝ $\dfrac{40,000百万円}{1,500,000百万円} \times 100 \fallingdotseq \underline{2.666\%}$

Y社のROE ＝ $\dfrac{60,000百万円}{1,100,000百万円} \times 100 \fallingdotseq \underline{5.454\%}$

② 配当性向（%）＝ $\dfrac{配当金}{当期純利益} \times 100$

X社の配当性向 ＝ $\dfrac{4,000百万円}{40,000百万円} \times 100 = \underline{10\%}$

Y社の配当性向 ＝ $\dfrac{2,400百万円}{60,000百万円} \times 100 = \underline{4\%}$

③ 権利付最終日までに買えば、配当金を取得することができる。権利付最終日とは、権利確定日（設例の場合2025年3月31日）の2営業日前である。

問6 解答：①〇　②×　③×

〈解説〉

① 年間投資枠は、つみたて投資枠が120万円、成長投資枠が240万円であり、非課税保有期間は無制限である。

② 非課税保有限度額は1,800万円であり、そのうち、<u>成長投資枠</u>は1,200万円が限度である。

③ つみたて投資枠と成長投資枠は、<u>併用することができる</u>。

【第3問】

問7 解答：①ヘ　②ロ　③ホ

I 「通常の医療費控除は、その年分の総所得金額等の合計額が200万円以上である場合、その年中に自己または自己と生計を一にする配偶者等のために支払った医療費の総額から保険金などで補填される金額を控除した金額が（①：100,000）円を超えるときは、その超える部分の金額（最高200万円）を総所得金額等から控除することができます」

II 「通常の医療費控除との選択適用となるセルフメディケーション税制（医療費控除の特例）は、定期健康診断や予防接種などの一定の取組みを行っている者が自己または自己と生計を一にする配偶者等のために特定一般用医薬品等購入費を支払った場合、その年中に支払った特定一般用医薬品等購入費の総額から保険金などで補填される金額を控除した金額が（②：12,000）円を超えるときは、その超える部分の金額（最高（③：88,000）円）を総所得金額等から控除することができます」

〈解説〉

① 通常の医療費控除は、支払った医療費の総額から保険金などで補填される金額を控除した金額から10万円（その年の総所得金額等が200万円未満の者は、総所得金額等×5%）を差し引いた金額（最高200万

円）となる。

②③　医療費控除の特例は、特定一般用医薬品等購入費の総額から保険金などで補填される金額を控除した金額から12,000円を差し引いた金額（最高88,000円）となる。

問8 解答：①×　②○　③×

〈解説〉

①　社会保険料控除は、納税者本人または納税者と生計を一にする配偶者やその他の親族の負担すべき社会保険料を支払った場合、その支払った金額について、所得控除を受けることができる。

②　扶養控除は、合計所得金額が48万円以下の扶養親族に適用される。

母Dさんの合計所得金額：72万円－110万円（公的年金等控除額）＜0円（雑所得なし）

特定扶養親族に該当する長男Cさんに係る控除額は、63万円である。

老人扶養親族（同居老親等）に該当する母Dさんに係る控除額は、58万円である。

したがって、63万円＋58万円＝<u>121万円</u>となる。

区　分		控除額
一般の控除対象扶養親族（16歳以上）		38万円
特定扶養親族（19歳以上23歳未満）		63万円
老人扶養親族（70歳以上）	同居老親等以外の者	48万円
	同居老親等	58万円

③　Aさんは、白色申告であるため、純損失の繰越控除の適用を受けることはできない。

問9 解答：①700（万円）　②630（万円）

〈解説〉

①　総所得金額に算入される給与所得の金額

給与所得：900万円－195万円－（900万円－850万円）×10％＝<u>700万円</u>

※給与収入が850万円を超える者で、23歳未満の扶養親族を有する等に該当した場合、所得金額調整控除額を給与所得から控除する。

所得金額調整控除額：（給与収入（上限1,000万円）－850万円）×10％

②　総所得金額

給与所得：700万円

損益通算できる不動産所得：▲150万円＋30万円＝▲120万円

※不動産所得の経費に含まれる土地等の取得に係る負債の利子は、損益通算の対象とならない。

一時払変額個人年金保険の解約返戻金額から正味払込保険料を差し引き、特別控除額（50万円）を控除して一時所得の金額を求める。

一時所得の金額：650万円－500万円－50万円＝100万円

一時所得の金額は、その2分の1を総所得金額に含める。

総所得金額に算入される一時所得の金額：$100万円 \times \frac{1}{2} = 50万円$

総所得金額：700万円－120万円＋50万円＝<u>630万円</u>

【第4問】

問10 解答：①**320**（㎡）　②**960**（㎡）

〈解説〉

① 建蔽率の上限となる建築面積

　　準防火地域に耐火建築物または準耐火建築物等を建築する場合、建蔽率が10%緩和される。また、甲土地は、建蔽率の緩和について特定行政庁が指定する角地であるため、建蔽率が10%緩和される。

　　400㎡×（60%＋10%＋10%）＝<u>320㎡</u>

② 容積率の上限となる延べ面積

　　前面道路幅員が12m未満のため、前面道路幅員による容積率の制限を計算する。

　　前面道路幅員による容積率の制限：$6\,m$（広い方）$\times \dfrac{4}{10} = 240\%$

　　前面道路幅員による容積率の制限（240%）と指定容積率（300%）の小さい方を適用する。

　　400㎡×240%＝<u>960㎡</u>

問11 解答：①**×**　②**×**　③**〇**

〈解説〉

① 相続財産に係る譲渡所得の課税の特例（相続税の取得費加算の特例）は、相続の開始があった日の翌日から<u>相続税の申告期限の翌日以後3年を経過する日</u>までに譲渡した場合に適用を受けることができる。

② 「建物を取り壊して更地で譲渡する場合、一定の要件を満たしていれば、被相続人の居住用財産（空き家）に係る譲渡所得の特別控除の特例の適用を受けることができる。

③ 「相続税路線価は1㎡当たりの価額を千円単位で表示しており、『D』の記号（アルファベット）は、借地権割合が60%であることを示している。

記号	A	B	C	D	E	F	G
借地権割合	90%	80%	70%	60%	50%	40%	30%

問12 解答：①**イ**　②**ホ**　③**ト**

「事業用定期借地権等は、事業用に限定して土地を定期で貸し出す方式です。事業用定期借地権等は、存続期間が（①：10）年以上30年未満の事業用借地権と30年以上（②：50）年未満の事業用定期借地権に区別されます。事業用定期借地権等の設定契約は、公正証書により作成しなければなりません。

　仮に、Z社が、事業用定期借地権等が設定された甲土地にデイサービス（通所介護）の施設を建設した後に、Aさんに相続が開始した場合、相続税額の計算上、甲土地は（③：**貸宅地**）として評価されます」

〈解説〉

①② 事業用定期借地権等は、存続期間が10年以上30年未満である短期型の事業用借地権と、30年以上50年未満である長期型の事業用定期借地権に区別される。

③ 事業用定期借地権方式で土地を賃貸した場合、相続税の計算上、土地は貸宅地として評価される。

【第5問】

問13 解答：①**〇**　②**×**　③**×**　④**×**

〈解説〉

① 公正証書遺言または法務局の保管制度を利用した自筆証書遺言は、遺言書の紛失等を防ぐことができ、

相続開始後、家庭裁判所における遺言書の検認が不要となる。

② 相続人が相続の放棄をした場合、代襲はされない。

③ 基礎控除の金額は「3,000万円＋600万円×法定相続人の数」であるが、実子がいる場合、法定相続人の数に含めることができる普通養子の数は、1人までである。遺産に係る基礎控除額は、3,000万円＋600万円×3人＝4,800万円である。

④ 自宅の敷地について『小規模宅地等についての相続税の課税価格の計算の特例』の適用を受けた場合、330㎡を限度として課税価格を80％減額できるため、相続税の課税価格に算入すべき価額は2,720万円となる。$8,000万円 － 8,000万円 × \dfrac{330㎡}{400㎡} × 80\% = 2,720万円$

問14 解答：①○ ②× ③○

〈解説〉

① 直系尊属から教育資金の一括贈与を受けた場合の贈与税の非課税制度の適用を受けた場合、受贈者が30歳に達した日に残額があるときは、その年の贈与税の課税価格に算入される。ただし、その受贈者が30歳に達した日において学校等に在学している場合、または教育訓練を受けている場合は、教育資金管理契約は終了しない。

② 直系尊属から教育資金の一括贈与を受けた場合の贈与税の非課税制度は、受贈者ごとに1,500万円までの教育資金の贈与が非課税となる。1,500万円のうち、学校等以外の者に支払われる金銭は500万円が限度額であり、学校等に支払われる金銭と別枠に設けられているわけではない。

③ 直系尊属から教育資金の一括贈与を受けた場合の贈与税の非課税制度の適用を受けた後に贈与者の相続が開始した場合、贈与者の死亡に係る相続税の課税価格の合計額が5億円を超えるときは、23歳未満である場合、学校等に在学している場合、教育訓練給付金の支給対象となる教育訓練を受けている場合のいずれに該当するときであっても、相続開始時における管理残額を相続財産に加算する。

問15 解答：①4,200（万円）②3,860（万円）③7,720（万円）

(a) 相続税の課税価格の合計額	3億2,000万円
(b) 遺産に係る基礎控除額	（①：4,200）万円
課税遺産総額（(a)－(b)）	2億7,800万円
相続税の総額の基となる税額	
長男Cさん	（②：3,860）万円
長女Dさん	3,860万円
(c) 相続税の総額	（③：7,720）万円

〈解説〉

① 遺産に係る基礎控除額：3,000万円＋600万円×2人＝4,200万円

　法定相続人は、長男Cさん、長女Dさんの2人となる。

　課税価格の合計額から遺産に係る基礎控除額を差し引き、課税遺産総額を求める。

　課税遺産総額：3億2,000万円－4,200万円＝2億7,800万円

② 相続税の総額の基となる税額は、課税遺産総額を法定相続分で分割すると仮定して、相続税の速算表に当てはめて算出する。

　長男Cさん：$2億7,800万円 × \dfrac{1}{2} = 13,900万円$

$$13,900万円 \times 40\% - 1,700万円 = \underline{3,860万円}$$

長女Dさん：$2億7,800万円 \times \dfrac{1}{2} = 13,900万円$

$$13,900万円 \times 40\% - 1,700万円 = 3,860万円$$

③　相続税の総額

$$3,860万円 + 3,860万円 = \underline{7,720万円}$$

実技・金財 生保顧客資産相談業務

解答一覧・苦手論点チェックシート

大問	問題	科目	論点	正解	難易度	配点	あなたの苦手※ 1回目	あなたの苦手※ 2回目
第1問	1	ライフ	老齢年金の計算	①816,000（円）　②1,428,375（円）	B	各2点		
	2		老齢給付	①×　②×　③○	A	各1点		
	3		雇用保険の高年齢雇用継続基本給付金	①ト　②ホ　③ハ	A	各1点		
第2問	4	リスク	必要保障額の計算	①11,700（万円）　②15,300（万円）　③▲5,900（万円）	A	各1点		
	5		必要保障額の考え方	①×　②×　③×	A	各1点		
	6		生命保険の見直し等	①○　②×　③×　④×	A	各1点		
第3問	7	タックス	退職所得	①2,060（万円）　②2,470（万円）	A	①1点 ②2点		
	8	リスク	長期平準定期保険	①○　②○　③○　④○	C	各1点		
	9		生命保険の活用方法	①×　②○　③○	A	各1点		
第4問	10	タックス	所得税の課税等	①○　②×　③×	A	各1点		
	11		所得税の所得控除	①ロ　②ヌ　③ハ　④イ	A	各1点		
	12		所得税の算出税額	①4,950,000（円）　②480,000（円）　③127,500（円）	B	各1点		
第5問	13	相続	相続税の総額	①7,000（万円）　②5,400（万円）　③2,660（万円）　④11,640（万円）	B	各1点		
	14		相続等（非上場株式の相続税評価額、相続税の申告書等）	①ニ　②ロ　③チ	A	各1点		
	15		相続等（準確定申告、遺産分割、小規模宅地等の特例）	①×　②○　③×	A	各1点		

難易度　A…基本　B…やや難　C…難問

科目別の成績

ライフ	リスク
1回目　　　/10	1回目　　　/17
2回目　　　/10	2回目　　　/17

タックス	相続
1回目　　　/13	1回目　　　/10
2回目　　　/13	2回目　　　/10

あなたの得点　　合格点　　合格への距離

1回目

/50　−　**30**/50　=

2回目

/50　−　**30**/50　=

【第1問】

問1 解答：①**816,000（円）** ②**1,428,375（円）**

〈解説〉

① 厚生年金保険の被保険者（国民年金の第2号被保険者）の期間のうち、20歳以上60歳未満の期間（40年＝480月）が保険料納付済期間に該当する。

$$816{,}000円 \times \frac{480月}{480月} = \underline{816{,}000円}$$

② 報酬比例部分の額の計算式において、2003年3月以前の期間分の計算における平均標準報酬月額は28万円、被保険者期間の月数は180月、2003年4月以後の期間分の計算における平均標準報酬額は52万円、被保険者期間の月数は375月を〈資料〉の計算式に当てはめる。

Aさんの厚生年金保険の被保険者期間の月数は555月（180月＋375月）であるが、経過的加算額の計算式における被保険者期間の月数は480月が上限である。また、1961年4月以後で20歳以上60歳未満の厚生年金保険の被保険者期間の月数は、①と同様に480月である。

配偶者に係る加給年金額の支給要件は、㋐配偶者の年齢が65歳未満であること、㋑配偶者自身が被保険者期間20年以上の老齢厚生年金、障害を支給事由とする公的年金給付等を受けられないこと、㋒受給権者の厚生年金保険の被保険者期間が20年（240月）以上あること、㋓受給権者と加給年金額の対象者との間に生計維持関係があることである。本問において、Aさんが65歳で老齢厚生年金を受給する場合、妻Bさんは既に65歳に達しており、要件㋐を満たさないため、加給年金額は加算されない。

$$報酬比例部分の額 = 280{,}000円 \times \frac{7.125}{1{,}000} \times 180月 + 520{,}000円 \times \frac{5.481}{1{,}000} \times 375月$$

$$= 1{,}427{,}895円（円未満四捨五入）$$

$$経過的加算額 = 1{,}701円 \times 480月 - 816{,}000円 \times \frac{480月}{480月} = 480円$$

$$老齢厚生年金の年金額 = 1{,}427{,}895円 + 480円 = \underline{1{,}428{,}375円}$$

問2 解答：①**×** ②**×** ③**○**

〈解説〉

① 1961年4月2日以後生まれの男性、1966年4月2日以後生まれの女性は、特別支給の老齢厚生年金を受給することができない。したがって、1969年7月12日生まれのAさんと1968年9月5日生まれの妻Bさんは、いずれも特別支給の老齢厚生年金を受給することができない。

② 老齢基礎年金および老齢厚生年金は、65歳で受け取らずに<u>66歳以後75歳までの間</u>で繰り下げて増額した年金を受け取ることができる。65歳1ヵ月以降ではない。

③ 減額率＝0.4％×繰上げ請求月から65歳に達する日の前月までの月数
62歳0カ月で繰上げ支給の請求をした場合、0.4％×3年×12カ月＝<u>14.4％</u>となる。

問3 解答：①**ト** ②**ホ** ③**ハ**

「AさんがX社の継続雇用制度を利用して、60歳以後も引き続きX社に勤務し、かつ、60歳以後の各月（支給対象月）に支払われた賃金額（みなし賃金を含む）が60歳到達時の賃金月額の（①：75）％未満とな

る場合、Aさんは所定の手続きにより、原則として、（②：65）歳に達する月まで高年齢雇用継続基本給付金を受給することができます。

　高年齢雇用継続基本給付金の額は、支給対象月ごとに、その月に支払われた賃金額の低下率に応じて、一定の方法により算定されますが、賃金額が60歳到達時の賃金月額の61％未満となる場合、原則として、当該金額は賃金額の15％に相当する額になります。ただし、2025（令和7）年4月1日から新たに60歳となる者への当該給付の最大給付率は15％から（③：10）％に引き下げられます」

〈解説〉
③　2025（令和7）年4月1日より、高年齢雇用継続給付の最大給付率が15％から10％に引き下げられる。

【第2問】

問4 解答：①11,700(万円)　②15,300(万円)　③▲5,900(万円)

〈解説〉
① 生活費の総額
- 長女Cさん独立までの遺族の生活費
  30万円×70％×12カ月×20年＝5,040万円
- 長女Cさん独立後の妻Bさんの生活費
  30万円×50％×12カ月×37年（長女Cさん独立時の妻Bさんの平均余命）＝6,660万円
- 生活費の総額
  5,040万円＋6,660万円＝<u>11,700万円</u>
② 遺族に必要な資金の総額
- 住宅ローンの返済額
  団体信用生命保険に加入するため、Aさんが死亡した場合、住宅ローンの返済額はない。
- 遺族に必要な資金の総額
  11,700万円＋400万円＋400万円＋1,300万円＋1,200万円＋300万円＝<u>15,300万円</u>
③ 必要保障額
  (a)－(b)＝15,300万円－21,200万円＝<u>▲5,900万円</u>

問5 解答：①✕　②✕　③✕

〈解説〉
① 配偶者に会社員としての給与収入がある場合と、専業主婦やパート等の世帯の場合を比較すると、会社員としての給与収入がある場合のほうが収入見込額は多くなるため、必要保障額は異なる。ただし、病気等で働けなくなる場合や離職した場合などは、給与収入が減少し、結果として必要保障額が変化することになる。
② 厚生年金保険の被保険者であるAさんが死亡した場合、妻Bさんは遺族厚生年金の支給を受けることができる。遺族厚生年金の額は、Aさんの厚生年金保険の被保険者記録を基礎として計算した老齢厚生年金の報酬比例部分の額の<u>4分の3相当額</u>である。
③ 大学に進学した場合にかかる費用は、学費面では国公立と私立、文系学部と理系学部で異なる。また、自宅通学と下宿では、仕送り等の要否に影響するため、教育費の差を生じさせる原因は進路希望だけではない。

問6 解答：①〇　②×　③×　④×

〈解説〉

① 　一般に必要保障額は末子の誕生時が最大であり、子どもの成長とともに逓減していく。そのため、生命保険については、ライフステージの変化に合わせて定期的な見直しが必要である。

② 　Aさんが現在加入している生命保険には、定期保険特約、特定疾病保障定期保険特約、傷害特約、入院特約およびリビング・ニーズ特約が付帯されているが、これらは就業不能状態や要介護状態になった場合の保障にはならない。見直しの際には、公的介護保険等の社会保障制度に連動して給付金が支払われる保険（特約）を検討する余地がある。

③ 　妻Bさんの保障内容については、《設例》から判断することができない。そこで、妻Bさんが死亡あるいはケガや病気等で働けなくなった場合、例えば、それまで夫婦で行ってきた家事や育児等を外部の代行業者等に頼ることなどを想定して、現在の保障がどのようになっているのかを確認する必要がある。その上で、足りない部分は加入を検討し、保障が重複している部分は解約または減額などを検討することが大切である。

④ 　団体信用生命保険は、一般に、死亡・所定の高度障害状態の場合に住宅ローン債務が弁済されるが、3大疾病（がん・急性心筋梗塞・脳卒中）により所定の状態に該当した場合に住宅ローン債務が弁済される商品や、疾病による所定の状態や所定の介護状態に該当した場合に住宅ローン債務が弁済される商品もあるため、弁済基準を確認した上で加入を検討する必要がある。

【第3問】

問7 解答：①2,060（万円）　②2,470（万円）

〈解説〉

退職所得の金額の計算式および退職所得控除額は次のとおりである。

$$退職所得の金額 = (収入金額 - 退職所得控除額) \times \frac{1}{2}$$

勤続年数	退職所得控除額
20年以下	40万円×勤続年数（最低保障80万円）
20年超	800万円+70万円×（勤続年数−20年）

　勤続年数に1年未満の端数があるときは、1年に切り上げる。Aさんの役員在任期間（勤続年数）は37年3カ月であるから、1年未満を切り上げて「38年」とする。

① 　退職所得控除額

800万円+70万円×（38年−20年）=<u>2,060万円</u>

② 　退職所得の金額

$(7,000万円 - 2,060万円) \times \dfrac{1}{2} = $<u>2,470万円</u>

問8 解答：①〇　②〇　③〇　④〇

〈解説〉

① 　契約年月日が2005年7月1日であり、2019年7月7日以前のため、保険の種類に応じた経理処理が必要である。

　《設例》の生命保険は、次の2つの条件をともに満たすため、長期平準定期保険となる。

> (a) 保険期間満了の時における被保険者の年齢が70歳を超える。
> (b) 当該保険に加入した時における被保険者の年齢に保険期間の2倍に相当する数を加えた数が105を超える。

(a) 保険期間満了時の被保険者の年齢100歳＞70歳

(b) 契約当初の被保険者の年齢：2025年－2005年＝20年、73歳－20年＝53歳

　　保険期間：100歳－53歳＝47年

　　よって、53歳＋47年×2＝147＞105

　また、「長期平準定期保険」に該当すると、保険期間に応じて次のような経理処理を行わなければならない。

ⅰ）保険期間の前半6割に相当する期間

借方		貸方	
定期保険料（損金算入）	×××	現金・預金	×××
前払保険料（資産計上）	×××		

※保険料の2分の1に相当する金額を「前払保険料」として資産に計上し、残りの2分の1に相当する金額を損金に算入する。

ⅱ）保険期間の後半4割に相当する期間

借方		貸方	
定期保険料（損金算入）	×××	現金・預金	×××
		前払保険料（資産取崩）	×××

※保険料は全額損金に算入するとともに、資産に計上されていた「前払保険料」を残りの4割の期間で均等に取り崩して損金に算入する。

　保険期間は47年であり、解約時は保険期間の前半6割に相当する期間内にある。したがって、保険料支払時の仕訳は上記ⅰ）で継続的に行っているため、資産計上されている「前払保険料」を取り崩すことになる。これは解約時までに支払った保険料総額8,000万円の2分の1相当額である4,000万円である。

　また、保険契約を解約し解約返戻金を受領した場合、解約時の資産計上額（前払保険料）と解約返戻金との差額を益金算入（雑収入）または損金算入（雑損失）する。

　資産計上額（前払保険料）＜解約返戻金　→　益金算入（雑収入）

　資産計上額（前払保険料）＞解約返戻金　→　損金算入（雑損失）

　以上より、前払保険料として資産計上していた4,000万円と解約時に受け取る解約返戻金6,000万円を比較すると「4,000万円＜6,000万円」となるため、差額2,000万円を「雑収入」として計上することになる。

借方		貸方	
現金・預金	6,000万円	前払保険料	2,000万円
		雑収入	4,000万円

② 　長期平準定期保険を払済終身保険に変更した場合、洗替経理処理が必要となる。洗替経理処理とは、変更時点における解約返戻金相当額とその保険契約に係る資産計上額の差額について、払済保険に変更した日の属する事業年度の益金または損金の額に算入することをいう。①の解説のとおり、解約返戻金相当額

と資産計上額の差額は雑収入となるため、利益を減少させる効果はない。

③　契約者貸付金を受け取った場合、次のように契約者貸付金を借入金（負債）として計上する。

借方		貸方	
現金・預金	×××	借入金	×××

④　終身保険は一定の解約返戻金が得られるため、名義変更時点における解約返戻金相当額を役員退職金の一部として現物支給できる。なお、契約者が法人から個人になるため、相続発生後、死亡保険金を相続税の納税資金として利用できるとともに、死亡保険金の非課税規定の適用を受けられることになる。

問9 解答：①×　②〇　③〇
〈解説〉
①　要介護状態または重度の疾患等で長期間経営から離れた場合、業績に大きな影響が出る。それを避けるために、要介護状態または重度の疾患等になった場合に、X社が一時金を受け取れる保障内容の契約を検討することが重要である。
②　保険期間10年の定期保険は、解約返戻金がほとんどないため、長期平準定期保険に比べて保険料が割安となっている。役員（生存）退職金の準備としては適していない。
③　養老保険の福利厚生プランは、契約者を法人、被保険者を役員・従業員全員、死亡保険金受取人を役員・従業員の遺族、満期保険金受取人を法人として契約したものである。この場合、支払保険料の2分の1を福利厚生費として損金の額に算入することができる。

【第4問】
問10 解答：①〇　②×　③×
〈解説〉
①　一時所得内の内部通算は可能である。Aさんが受け取った解約返戻金は、次のように計算する。
・一時所得の金額＝（300万円＋620万円）－（330万円＋450万円）－50万円＝90万円
②　上場株式の譲渡損失の金額は、給与所得や一時所得と損益通算することができない。ただし、申告分離課税を選択した上場株式等の配当所得ならびに特定公社債等の利子所得および譲渡所得とは損益通算することができる。
③　契約者と受取人が同一人で、保険期間5年以下の一時払養老保険・一時払変額保険（有期型）等の満期保険金、または保険期間が5年超の一時払養老保険等で5年以下に解約した場合の解約返戻金は、金融類似商品として源泉分離課税となる。Aさんが受け取った一時払変額個人年金保険の解約返戻金は、契約から5年を超えて解約しているため、一時所得として総合課税の対象となる。

問11 解答：①ロ　②ヌ　③ハ　④イ
Ⅰ　「Aさんが適用を受けることができる長男Cさんに係る扶養控除の額は、（①：38）万円です」
Ⅱ　「（②：ひとり親）控除は、現に婚姻していない者が、総所得金額等が（③：48）万円以下の生計を一にする子を有すること、納税者本人の合計所得金額が500万円以下であること、納税者本人と事実上婚姻関係と同様の事情にあると認められる一定の人がいないことの3つの要件を満たした場合に適用を受けることができます。Aさんが適用を受けることができる（②：ひとり親）控除の額は、（④：35）万円です」

〈解説〉
Ⅰ　扶養控除は、控除対象扶養親族を有する場合に適用を受けることができる。控除対象扶養親族とは、年

齢16歳以上の配偶者以外の親族（青色事業専従者や事業専従者は除く）で同一生計の者のうち、合計所得金額が48万円以下の者である。

　長男Cさんに2024年の収入はなく、合計所得金額は48万円以下であるため、Aさんは38万円の扶養控除の適用を受けることができる。

II　ひとり親控除は、本人がひとり親である場合に控除額35万円の適用を受けることができる。ひとり親とは、合計所得金額が500万円以下で、次のすべての要件を満たす者をいう。

① 現在婚姻していないこと

② 総所得金額等の合計額が48万円以下の子を有していること

　なお、寡婦控除は、女性に限り適用を受けることができる所得控除であり、適用を受けるために生計を一にする子を有する必要はない。

問12 解答：①4,950,000（円）　②480,000（円）　③127,500（円）

(a) 総所得金額	(① 4,950,000) 円
社会保険料控除	□□□円
生命保険料控除	120,000円
地震保険料控除	20,000円
□□□控除	□□□円
配偶者控除	□□□円
扶養控除	□□□円
基礎控除	(② 480,000) 円
(b) 所得控除の額の合計額	2,700,000円
(c) 課税総所得金額（(a)－(b)）	2,250,000円
(d) 算出税額（(c) に対する所得税額）	(③ 127,500) 円

〈解説〉

① 総所得金額

　　給与所得の金額：450万円

　　一時所得の金額：90万円　**問10** の解説参照）

　　総所得金額＝450万円＋90万円×$\frac{1}{2}$＝4,950,000円

② 損失の繰越控除がないため、Aさんの合計所得金額は総所得金額と等しい。合計所得金額は495万円であり、2,400万円以下であるため、基礎控除の額は480,000円である。

③ 算出税額は速算表を用いる。

　・課税総所得金額

　　(a)4,950,000円－(b)2,700,000円＝2,250,000円

　・算出税額

　　2,250,000円×10％－９万7,500円＝127,500円

【第5問】

問13 解答：①7,000（万円）　②5,400（万円）　③2,660（万円）　④11,640（万円）

	妻Bさんに係る課税価格	（① 7,000） 万円
	長男Dさんに係る課税価格	4億円
	孫Eさんに係る課税価格	1,000万円
	孫Fさんに係る課税価格	1,000万円
(a)	相続税の課税価格の合計額	4億9,000万円
	(b) 遺産に係る基礎控除額	（② 5,400） 万円
課税遺産総額 （(a)−(b)）		4億3,600万円
	相続税の総額の基となる税額	
	妻Bさん	7,110万円
	長男Dさん	（③ 2,660） 万円
	孫Eさん	935万円
	孫Fさん	935万円
(c)	相続税の総額	（④ 11,640） 万円

〈解説〉

死亡保険金および死亡退職金については、それぞれ非課税金額の適用を受けることができる。法定相続人は妻Bさん、長男Dさん、孫Eさんおよび孫Fさんの4人で、非課税金額は次のとおり。

500万円×4人＝2,000万円

したがって、妻Bさんに係る課税価格は、次のとおりである。

2,000万円＋2,000万円＋1,000万円＋（3,000万円−2,000万円）＋（3,000万円−2,000万円）

＝7,000万円（空欄①）

第1順位である子が相続人の場合、配偶者の法定相続分は2分の1、残りの2分の1が子の法定相続分である。また、長女Cさんは既に死亡しているため、孫Eさんおよび孫Fさんは代襲相続人となる。代襲相続人の相続分は、長女Cさんが受けるはずであった相続分を人数で分割した割合となる。したがって、妻Bさんの相続分は2分の1、長男Dさんの相続分は4分の1 （＝$\frac{1}{2} \times \frac{1}{2}$）、孫Eさんおよび孫Fさんの相続分は

それぞれ8分の1 （＝$\frac{1}{2} \times \frac{1}{2} \times \frac{1}{2}$）となる。

・相続税の課税価格の合計額

7,000万円＋4億円＋1,000万円＋1,000万円＝4億9,000万円

・遺産に係る基礎控除額

3,000万円＋600万円×4人＝5,400万円（空欄②）

・課税遺産総額

4億9,000万円−5,400万円＝4億3,600万円

・相続税の総額

㋐　妻Bさんが法定相続分にしたがって取得したものとして計算した相続税の額

4億3,600万円×$\frac{1}{2}$＝2億1,800万円

2億1,800万円×45％−2,700万円＝7,110万円

㋑　長男Ｄさんが法定相続分にしたがって取得したものとして計算した相続税の額

　　4億3,600万円×$\frac{1}{4}$＝1億900万円

　　1億900万円×40％－1,700万円＝<u>2,660万円</u>（空欄③）

㋒　孫Ｅさんおよび孫Ｆさんが法定相続分にしたがって取得したものとして計算した相続税の額

　　4億3,600万円×$\frac{1}{8}$＝5,450万円

　　5,450万円×30％－700万円＝935万円

㋓　相続税の総額

　　7,110万円＋2,660万円＋935万円＋935万円＝<u>11,640万円</u>（空欄④）

問14 解答：①ニ　②ロ　③チ

Ⅰ 「X社株式の相続税評価額は、原則として（**①：類似業種比準**）方式により評価されます。（**①：類似業種比準**）価額は、類似業種の株価ならびに1株当たりの配当金額、利益金額および簿価純資産価額を基として計算します」

Ⅱ 「『配偶者に対する相続税額の軽減』の適用を受けた場合、妻Ｂさんが相続により取得した財産の金額が、配偶者の法定相続分相当額と（**②：1億6,000万**）円とのいずれか多い金額までであれば、原則として、妻Ｂさんが納付すべき相続税額は算出されません」

Ⅲ 「Ａさんに係る相続税の申告書の提出期限は、原則として、2025年（**③：10月13日**）になります。申告書の提出先は、Ａさんの死亡時の住所地を所轄する税務署長です」

〈解説〉

Ⅰ　大会社は上場会社に準ずる規模の会社であるため、事業内容が類似する上場株式の株価と比較して評価しようというのが、類似業種比準方式の考え方である。類似業種比準方式では、比較の要素となるものが、配当金額、利益金額、純資産価額の3つである。

Ⅱ　配偶者の税額軽減は、配偶者が取得した遺産額が「1億6,000万円以下」または「配偶者の法定相続分相当額以下」である場合に、配偶者に相続税がかからない制度である。

Ⅲ　相続税の申告書の提出期限は、相続の開始があったことを知った日の翌日から10カ月以内である。また、申告書の提出先は、被相続人の死亡時の住所地を管轄する税務署長である。

問15 解答：①×　②○　③×

〈解説〉

①　年の中途で死亡した者の所得税は、その相続人等が、1月1日から死亡した日までに確定した所得金額および税額を計算して、<u>相続の開始があったことを知った日の翌日から4ヵ月以内</u>に申告と納税をしなければならない。これを準確定申告という。

②　なお、相続税の特例である『配偶者に対する相続税額の軽減』や『小規模宅地等についての相続税の課税価格の計算の特例』は、相続税の申告書に「申告期限後3年以内の分割見込書」を添付して提出しておき、相続税の申告期限から3年以内に分割があった場合には、当該特例を適用することができる。

③　「小規模宅地等についての相続税の課税価格の計算の特例」における減額割合および限度面積は次のとおりである。

区分	減額割合	限度面積
特定事業用宅地等	80%	400㎡
特定同族会社事業用宅地等		
特定居住用宅地等		330㎡
貸付事業用宅地等	50%	200㎡

実技・日本FP協会 資産設計提案業務

解答一覧・苦手論点チェックシート

※ 間違えた問題に✓を記入しましょう。

大問	問題	科目	論点	正解	難易度	配点	あなたの苦手※ 1回目	あなたの苦手※ 2回目
第1問	1	ライフ	関連業法	(ア) ○ (イ) ○ (ウ) × (エ) ×	A	各1点		
	2	金融	金融サービス提供法	4	A	2点		
第2問	3	金融	投資信託	2	A	2点		
	4		債券の利回り	1.336(%)	B	2点		
	5		株式の投資指標	3	A	2点		
	6		個人向け国債	(ア) × (イ) × (ウ) × (エ) ×	A	各1点		
第3問	7	不動産	建築面積	200(㎡)	A	2点		
	8		不動産のインターネット広告	(ア) ○ (イ) × (ウ) × (エ) ×	A	各1点		
	9		固定資産税	1	A	2点		
	10		不動産投資の利回り	2	A	2点		
第4問	11	リスク	生命保険の保障内容	(ア) 1,603(万円) (イ) 295(万円) (ウ) 400(万円)	B	各1点		
	12		生命保険料控除	3	A	2点		
	13		少額短期保険	(ア) 2 (イ) 5 (ウ) 6 (エ) 10	A	各1点		
	14		火災保険および地震保険	(ア) × (イ) ○ (ウ) × (エ) ○	A	各1点		
第5問	15	タックス	退職所得	475(万円)	A	2点		
	16		損益通算	3	A	2点		
	17		総所得金額	2	A	2点		
	18		減価償却費	1	A	2点		
第6問	19	相続	宅地の相続税評価額	3	A	2点		
	20		相続税の課税価格	2	B	2点		
	21		法定相続分および遺留分	(ア) 2/3 (イ) ゼロ (ウ) 1/6	A	各1点		
	22		相続の手続き等	(ア) × (イ) ○ (ウ) × (エ) ○	A	各1点		

大問	問題	科目	論点	正解	難易度	配点	あなたの苦手※ 1回目	2回目
第7問	23	ライフ	キャッシュフロー表の計算	533（万円）	A	2点		
	24		キャッシュフロー表の計算	1,034（万円）	A	2点		
	25		奨学金	4	A	2点		
第8問	26	ライフ	6つの係数	4,972,500（円）	A	2点		
	27		6つの係数	855,000（円）	A	2点		
	28		6つの係数	3,219,400（円）	A	2点		
第9問	29	不動産	土地の価格	2,300（万円）	A	2点		
	30	リスク	収入保障保険	3	A	2点		
	31	タックス	所得税の仕組み	（ア）○ （イ）× （ウ）× （エ）×	A	各1点		
	32	ライフ	傷病手当金	（ア）3 （イ）5 （ウ）8	A	各1点		
	33		雇用保険の基本手当	（ア）1 （イ）4 （ウ）8	A	各1点		
	34		確定拠出年金	（ア）○ （イ）× （ウ）× （エ）○	A	各1点		
第10問	35	ライフ	バランスシート	10,540（万円）	A	2点		
	36	ライフ	高額療養費	3	A	2点		
	37	金融	投資信託の譲渡所得	3	B	2点		
	38		国債の償還金に対する課税	30,000（円）	B	2点		
	39	ライフ	退職後の公的医療保険	1	A	2点		
	40		公的年金の老齢給付	4	A	2点		

難易度　A…基本　B…やや難　C…難問

科目別の成績		
ライフ	リスク	金融
1回目 ／34	1回目 ／15	1回目 ／16
2回目 ／34	2回目 ／15	2回目 ／16

タックス	不動産	相続
1回目 ／12	1回目 ／12	1回目 ／11
2回目 ／12	2回目 ／12	2回目 ／11

あなたの得点　合格点　合格への距離

1回目　／100 － 60/100 ＝

2回目　／100 － 60/100 ＝

【第1問】

問1 解答：（ア）〇　（イ）〇　（ウ）×　（エ）×

（ア）**適切**。税理士資格のないFPでも、有料セミナーで仮定事例における一般的な税法の解説を行うことはできる。

（イ）**適切**。生命保険募集人・保険仲立人の登録を受けていないFPでも、一般的な保険商品についての説明を行うことはできる。

（ウ）**不適切**。投資助言・代理業の登録を受けていないFPは、特定企業の具体的な投資時期等の判断や助言を行うことができない。

（エ）**不適切**。社会保険労務士の登録を受けていないFPは、顧客の求めに応じ有償で公的年金の裁定請求手続きを代行することができない。

問2 解答：4

1. **不適切**。金融サービス提供法により保護されるのは顧客である。なお、当該法律により保護される顧客とは、個人および事業者（特定顧客を除く）である。

2. **不適切**。投資信託等の売買の仲介を行うIFA（Independent Financial Advisor＝独立系ファイナンシャル・アドバイザー）は、金融サービス提供法が適用される。

3. **不適切**。金融商品販売業者等が重要事項の説明義務を怠ったことにより顧客が損害を被った場合、当該金融商品販売業者等は損害賠償責任を負う。

4. **適切**。金融商品販売業者等は、金融商品を販売する際に、金融商品の有するリスク等に係る重要事項について説明する義務がある。ただし、プロの投資家（特定顧客）の場合や、顧客が重要事項の説明を要しない旨の意思を表明した場合は、説明は不要である。

【第2問】

問3 解答：2

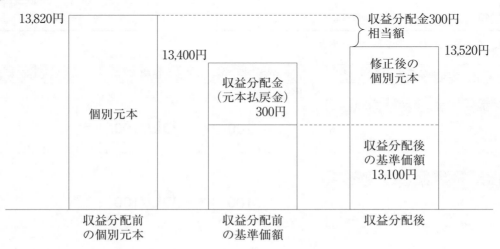

13,820円

13,400円

収益分配金300円相当額

13,520円

個別元本

収益分配金（元本払戻金）300円

修正後の個別元本

収益分配後の基準価額 13,100円

収益分配前の個別元本

収益分配前の基準価額

収益分配後

・水野さんが保有するＧＦ投資信託の収益分配後の個別元本は、（**ア：13,520円**）である。
・水野さんが特定口座で受け取った分配金には、所得税・住民税が課税（**イ：されない**）。

〈解説〉
・分配落ち後の個別元本＝収益分配前の個別元本－元本払戻金（特別分配金）

$$= 13,820円 - 300円 = \underline{13,520円}^{※}$$

※収益分配前の基準価格がすでに個別元本を下回っているため収益分配金はすべて元本払戻金（特別分配金）となる。元本払戻金は課税されない。

※収益分配前の基準価格から収益分配金（元本払戻金）を引くのではないことに注意すること。

問4 解答：**1.336（%）**

$$所有期間利回り（\%）＝\frac{表面利率＋\dfrac{売却価格－購入価格}{所有期間（年）}}{購入価格}×100$$

$$所有期間利回り（\%）＝\frac{0.9＋\dfrac{101.00－98.50}{6}}{98.50}×100$$

$$= 1.3367\cdots → \underline{1.336\%}（小数点以下第4位切捨て）$$

問5 解答：**3**

・ＤＡ株式会社とＤＢ株式会社の株価をＰＥＲ（株価収益率）で比較した場合、（**ア：ＤＢ**）株式会社の方が割安といえる。
・ＤＡ株式会社とＤＢ株式会社の資本効率性をＲＯＥ（自己資本利益率）で比較した場合、（**イ：ＤＡ**）株式会社の方が効率的に利益を上げているといえる。

〈解説〉

（ア）
$$ＰＥＲ（株価収益率）＝\frac{株価}{1株当たり当期純利益}$$

・ＤＡ社　株価6,886円、1株当たり当期純利益275円であるため

$$ＰＥＲ＝\frac{6,886}{275}＝25.04（倍）$$

・ＤＢ社　株価13,152円、1株当たり当期純利益640円であるため

$$ＰＥＲ＝\frac{13,152}{640}＝20.55（倍）$$

ＤＡ社：25.04（倍）＞ＤＢ社：20.55（倍）

したがって、ＰＥＲは低い値の方が割安であるため、ＤＢ社の方が割安である。

（イ）
$$ＲＯＥ（自己資本利益率）＝\frac{1株当たり当期純利益}{1株当たり自己資本}$$

・DA社　1株当たり当期純利益275円、1株当たり自己資本2,985円であるため

$$ROE = \frac{275}{2,985} \times 100 ≒ 9.21（％）$$

・DB社　1株当たり当期純利益640円、1株当たり自己資本8,873円であるため

$$ROE = \frac{640}{8,873} \times 100 ≒ 7.21（％）$$

DA社：9.21（％）＞ DB社：7.21（％）

したがって、ROEは値の高い方が効率的であるため、DA社の方が効率的に利益を上げている。

問6 解答：**（ア）× （イ）× （ウ）× （エ）×**

（ア）**不適切**。個人向け国債の最低保証金利は、年率0.05％である。

（イ）**不適切**。個人向け国債の購入単価（販売価格）は、最低1万円から1万円単位である。

（ウ）**不適切**。個人向け国債以外にも、新型窓口販売方式による2年固定利付国債、5年固定利付国債などがある。

（エ）**不適切**。個人向け国債は、発行から1年経過後、原則として、一部または全部を中途換金することができる。

【第3問】

問7 解答：**200（㎡）**

建築面積の最高限度は建蔽率を用いて計算する。また2つ以上の用途地域に分かれた土地の場合は、用途地域ごとに計算し、それらを合算し求める（加重平均）。

・第二種住居地域：280㎡×6/10＝168㎡
・近隣商業地域　：40㎡×8/10＝32㎡

168㎡ ＋ 32㎡ ＝ 200㎡

問8 解答：**（ア）〇 （イ）× （ウ）× （エ）×**

（ア）**適切**。壁芯面積は、登記簿上の内法面積より大きい。

（イ）**不適切**。バルコニーは、共用部分に当たる。

（ウ）**不適切**。マンションの区分所有者には、購入前になされた集会の決議についても効力が及ぶ。

（エ）**不適切**。取引形態が「売主」であるため、仲介手数料を支払う必要はない。

問9 解答：**1**

固定資産税は、（**ア：市町村（東京23区は都）**）が、毎年1月1日現在の土地や家屋等の所有者に対して課税する。課税標準は固定資産税評価額だが、一定の要件を満たす住宅が建っている住宅用地（小規模住宅用地）は、住戸一戸当たり（**イ：200㎡**）以下の部分について、課税標準額が固定資産税評価額の（**ウ：6分の1**）になる特例がある。また、新築住宅が一定の要件を満たす場合は、新築後の一定期間、一戸当たり120㎡相当分の固定資産税が（**エ：2分の1**）に減額される特例がある。

問10 解答：**2**

$$表面利回り（\%）＝\frac{1年当たり収入}{購入費用総額}×100$$

$$
\begin{aligned}
1年当たり収入 &＝賃料×12ヵ月\\
&＝150,000円×12ヵ月\\
&＝1,800,000円
\end{aligned}
$$

表面利回り（%）＝1,800,000円/52,000,000円×100＝3.461…→ <u>3.46%</u>（小数点以下第3位四捨五入）

$$実質利回り（\%）＝\frac{1年当たり収益}{購入費用総額}×100$$

$$
\begin{aligned}
1年当たり収益 &＝（賃料－管理費・修繕積立金－管理業務委託費）×12ヵ月\\
&\quad－（火災保険料＋固定資産税等税金）\\
&＝（150,000円－28,000円－7,000円）×12ヵ月－（22,000円＋70,000円）\\
&＝1,288,000円
\end{aligned}
$$

実質利回り（%）＝1,288,000円/52,000,000円×100＝2.476…→ <u>2.48%</u>（小数点以下第3位四捨五入）

【第4問】

問11 解答：**（ア）1,603（万円）（イ）295（万円）（ウ）400（万円）**

・2025年3月に、今泉さんが交通事故で死亡（入院・手術なし）した場合、保険会社から支払われる保険金・給付金の合計は（**ア：1,603**）万円である。なお、死亡時の利率変動型積立保険の積立金額は2万円とする。

・2025年6月に、今泉さんが初めてがん（悪性新生物）と診断され、治療のため25日間継続して入院し、その間に約款所定の手術を1回受けた場合、保険会社から支払われる保険金・給付金の合計は（**イ：295**）万円である。なお、上記内容は、がんに対する所定の手術、所定の生活習慣病、7大疾病で所定の診断に該当するものとする。

・2025年7月に、今泉さんが余命6ヵ月以内と判断された場合、リビング・ニーズ特約の請求において指定できる最大金額は（**ウ：400**）万円である。なお、利率変動型積立保険と長期生活保障保険のリビング・ニーズ特約の請求はしないものとし、指定保険金額に対する6ヵ月分の利息と保険料相当額は考慮しないものとする。

〈解説〉

（ア）交通事故で死亡した場合は、下記の保険金・給付金を受け取ることができる。

〈利率変動型積立保険〉	
災害死亡給付金　（積立金額2万円×1.5倍）	3万円
長期生活保障保険（毎年120万円×10年）	1,200万円
普通定期保険	400万円

3万円＋1,200万円＋400万円＝<u>1,603万円</u>

（イ）がんによる入院・手術は、下記保険金・給付金を受け取ることができる。

〈利率変動型積立保険〉			
入院給付金	入院 1 日目から	日額	10,000円
手術給付金（イ、入院中）			20万円
手術給付金（ハ、がんの手術）			20万円
入院サポート特約			5万円
生活習慣病入院給付金	入院 1 日目から	日額	10,000円
7 大疾病一時金特約			200万円

10,000円×25日＋20万円＋20万円＋ 5 万円＋10,000円×25日＋200万円＝295万円

（ウ）リビング・ニーズ特約の請求における最大金額は以下の通りである。

〈利率変動型積立保険〉	
普通定期保険	400万円

※利率変動型積立保険と長期生活保障保険の請求はしないため、普通定期保険400万円のみとなる。

問12 解答：3

［定期保険特約付き終身保険（無配当）］は、契約日が2011年 5 月 1 日であるため、旧契約（2011年12月31日以前に締結）に該当する。〈速算表〉より、控除額は

・98,240円×1/4＋25,000円＝49,560円

［がん保険（無配当）］は、契約日が2012年10月 1 日であるため、新契約（2012年 1 月 1 日以降に締結）に該当する。〈速算表〉より、控除額は

・58,400円×1/4＋20,000円＝34,600円

49,560円＋34,600円＝84,160円

問13 解答：（ア）2 （イ）5 （ウ）6 （エ）10

・少額短期保険業者が、 1 人の被保険者について引き受ける死亡保険金額および疾病を原因とする重度障害保険の保険金額の上限はそれぞれ（**ア：300万円**）で、低発生率保険を除いたすべての保険契約の保険金額を合計して1,000万円を超えてはならない。

・保険期間の上限は、生命保険・医療保険が（**イ：1 年**）、損害保険は（**ウ：2 年**）である。

・保険料は、生命保険料控除・地震保険料控除の（**エ：対象とならない**）。

問14 解答：（ア）× （イ）〇 （ウ）× （エ）〇

（ア）**不適切**。③盗難の補償の有無が「〇」となっているため、補償の対象となる。

（イ）**適切**。②風災、ひょう災、雪災の補償の有無が「×」となっているため、大雪の被害は、補償の対象とならない。

（ウ）**不適切**。〈資料 2 〉③に該当するため、受け取ることができる保険金は60万円（1,200万円× 5 ％）となる。

（エ）**適切**。〈資料 3 〉より、焼失した床面積が延床面積の40％（20％以上50％未満）の場合は、小半損となることがわかる。

【第5問】

問15 解答：475(万円)

> 退職所得＝(退職一時金−退職所得控除額※)×1/2
> ※　勤続年数20年超：800万円＋70万円×(勤続年数−20年)
> 勤続年数1年未満の端数は切上げ

・退職所得＝(2,800万円−1,850万円※)×1/2＝<u>475万円</u>
　※　800万円＋70万円×(35年−20年)＝1,850万円

問16 解答：3

〈解説〉

・不動産所得▲60万円のうち、土地取得のための借入金利子40万円分は損益通算できない。したがって、不動産所得の損失のうち、損益通算できるのは▲20万円である。
・雑所得の損失は損益通算の対象とならない。
・譲渡所得の上場株式の売却に係る損失は、事業所得と損益通算できない。なお、上場株式等の譲渡損失は、上場株式等に係る配当所得等の金額(申告分離課税を選択したもの)と損益通算することができる。

問17 解答：2

・給与所得＝収入金額−給与所得控除額
　　　　　　＝50万円−55万円(給与所得控除額の下限)→0円(給与所得なし)
・老齢年金と企業年金は雑所得となる。
　雑所得の金額＝収入金額(年金額)−公的年金等控除額
　　　　　　　　＝350万円−115万円※＝235万円
　※〈速算表〉より350万円→330万円超410万円以下であるため、控除額は
　　　350万円×25％＋27.5万円＝115万円
・不動産所得の金額＝収入金額−経費−青色申告特別控除額
　　　　　　　　　　＝150万円−30万円−10万円＝110万円
・総所得金額＝235万円＋110万円＝<u>345万円</u>

問18 解答：1

> 減価償却費＝取得価額×定額法の償却率※1×2月/12月※2
> ※1　建物の償却方法は、定額法となる。
> ※2　事業供用月数で月割り按分する。

　減価償却費＝6,000万円×0.020×2/12＝<u>20万円</u>

【第6問】

問19 解答：3

> 普通借地権の相続税評価額＝路線価×奥行価格補正率×地積×借地権割合

　したがって、普通借地権の相続税評価額の計算式は、「<u>220千円×1.00×330㎡×60％</u>」となる。
　なお、路線価は、千円単位である。

問20 解答：**2**

(1) 相続税の課税価格の合計額は以下の通りである。

	評価額	備　考
マンション	2,900万円	評価減特例適用後
現預金	2,000万円	
死亡保険金	0円	非課税控除後※
死亡退職金	1,000万円	非課税控除後※
債務および葬式費用	▲300万円	控除
合　　計	5,600万円	

※　生命保険金等の非課税限度額＝500万円×法定相続人の数

　法定相続人は、配偶者、長男、二男の3人となる。

　よって生命保険金の非課税限度額＝500万円×3人＝1,500万円

　各人の死亡保険金の課税価格＝500万円−1,500万円×$\dfrac{500万円}{1,500万円}$＝0円

　同様に死亡退職金の非課税限度額＝500万円×3人＝1,500万円

　死亡退職金の課税価格＝2,500万円−1,500万円＝1,000万円

(2) 設例より、各相続人には次のように課税価格が分配される。

	配偶者	長男	二男	設例条件
マンション	2,900万円	−	−	配偶者が相続
現預金	−	1,000万円	1,000万円	長男と二男で1/2ずつ
死亡保険金※	0円	0円	0円	各々1/3ずつ
死亡退職金	1,000万円	−	−	配偶者が受け取る
債務葬式費用	▲300万円	−	−	配偶者が負担
合　　計	3,600万円	1,000万円	1,000万円	

※　非課税控除後は0円となるため、誰の課税価格にも加算されない。

問21 解答：（**ア**）**2／3**　（**イ**）**ゼロ**　（**ウ**）**1／6**

［各人の法定相続分と遺留分］

・被相続人の配偶者の法定相続分は（**ア：2／3**）である。

・被相続人の兄の遺留分は（**イ：ゼロ**）である。

・被相続人の母の遺留分は（**ウ：1／6**）である。

　民法上の法定相続人は、子が放棄しているため、配偶者と母となる。

　相続人が配偶者と第2順位の血族相続人（直系尊属）である場合、配偶者の法定相続分は2／3、血族相続人の法定相続分は1／3となる。

　兄弟姉妹には、遺留分がない。

　総体的遺留分は、直系尊属のみが相続人である場合は1／3、それ以外の場合は1／2となり、相続人各々の法定相続分で分け合うこととなる。本問では、1／2を遺留分権利者（配偶者と母）で分けるため、配偶者の遺留分が2／3（法定相続分）×1／2（総体的遺留分）＝1／3、母の遺留分が1／3（法定相続分）×1／2（総体的遺留分）＝1／6となる。

問22 解答：(ア) ×　(イ) ○　(ウ) ×　(エ) ○

(ア) **不適切**。相続税の申告書の提出先は、被相続人の死亡時における住所が日本国内にある場合は、被相続人の住所地を所轄する税務署である。財産を取得した者の住所地を所轄する税務署ではない。

(イ) **適切**。相続の放棄の申述は、自己のために相続の開始があったことを知った時から3ヵ月以内にしなければならない。

(ウ) **不適切**。遺産分割に法律上の期限は設けられておらず、遺産分割協議書を家庭裁判所に提出する必要もない。

(エ) **適切**。法定相続情報証明制度とは、相続人が法務局（登記所）に必要な書類を提出し、登記官が内容を確認した上で、法定相続人が誰であるかを登記官が証明する制度である。当該制度を利用することで、各種相続手続きの際に、戸籍書類一式の提出を省略することができる。

問23 解答：**533(万円)**

○年後の予想額（将来価値）＝現在の金額×（1＋変動率）^{経過年数}

4年後の給与収入　512万円×（1＋0.01）⁴＝532.7…→ **533万円**（万円未満四捨五入）

問24 解答：**1,034(万円)**

貯蓄残高＝前年の貯蓄残高×（1＋運用利率）±その年の年間収支

2026年の金融資産残高＝1,028万円×（1＋0.01）－4万円※
　　　　　　　　　　＝1,034.28 → **1,034万円**（万円未満四捨五入）
※　年間収支＝収入合計－支出合計＝692万円－696万円＝－4万円

問25 解答：**4**

1．**不適切**。日本学生支援機構の貸与型奨学金には、利息が付かない「第一種」と利息が付く「第二種」がある。

2．**不適切**。日本学生支援機構の貸与型奨学金は、進学後に申し込む（在学採用）こともできる。

3．**不適切**。日本学生支援機構の貸与型奨学金は、学生・生徒本人名義の口座に振り込まれる。

4．**適切**。日本学生支援機構の給付型奨学金は、世帯の所得金額に基づく区分に応じて、学校の設置者（国公立・私立）および通学形態（自宅通学・自宅外通学）により定められた金額が、原則として毎月振り込まれる。

【第8問】
問26 解答：**4,972,500(円)**

現在の金額から将来の元利合計額を求めるには「将来の目標額×終価係数」で計算する。
4,500,000円×1.105（年利1.0%、10年の終価係数）＝4,972,500円

問27 解答：**855,000(円)**

現在の額を複利運用しながら、毎年の受取額を求めるには、「現在の額×資本回収係数」で計算する。
19,000,000円×0.045（年利1.0%、25年の資本回収係数）＝855,000円

問28 解答：**3,219,400(円)**

毎年の積立額から将来の合計額を求めるには「毎年の積立額×年金終価係数」で計算する。

200,000円×16.097（年利1.0%、15年の年金終価係数）＝3,219,400円

【第9問】

問29 解答：**2,300(万円)**

> 土地価格＝販売価格−（建物本体価格＋建物消費税額）

マンション販売価格のうち消費税がかかるのは建物のみ（土地は非課税）であるため、消費税額200万円を10%で除すことで、建物本体価格が求められる。200万円÷10%＝2,000万円

よって、土地の価格＝4,500万円−（2,000万円＋200万円）＝2,300万円

問30 解答：**3**

和彦さんが2025年2月1日に死亡した場合、2044年2月1日までの19年間（2044年−2025年）、遺族が年金を受け取ることができる。また、〈設例〉より年金月額は15万円であるとわかる。

15万円×12ヵ月×19年＝3,420万円

問31 解答：**（ア）○ （イ）× （ウ）× （エ）×**

（ア）**適切**。生命保険料控除は、所得控除として所得金額から差し引くことができる。

（イ）**不適切**。住宅ローン控除は、税額控除として所得税額から差し引くことができる。

（ウ）**不適切**。雑損控除は、所得控除として所得金額から差し引くことができる。

（エ）**不適切**。寄附金控除は、所得控除として所得金額から差し引くことができる。

問32 解答：**（ア）3 （イ）5 （ウ）8**

> ・和彦さんへの傷病手当金は、（ア：12月14日）より支給が開始される。
> ・和彦さんへ支給される1日当たりの傷病手当金の額は、次の算式で計算される。
> 　[支給開始日の以前12ヵ月間の各標準報酬月額を平均した額]÷30日×（イ：2/3）
> ・傷病手当金が支給される期間は、支給を開始した日から通算して、最長で（ウ：1年6ヵ月）である。

〈解説〉

（ア）傷病手当金は、連続して3日以上休んだ場合、4日目より支給される。

問33 解答：**（ア）1 （イ）4 （ウ）8**

> ・基本手当を受給できる期間は、原則として離職の日の翌日から（ア：1年間）である。
> ・輝義さんの場合、基本手当の所定給付日数は（イ：90日）である。
> ・輝義さんの場合、基本手当は、受給資格決定日以後、7日間の待期期間および（ウ：2ヵ月）の給付制限期間を経て支給が開始される。

〈解説〉

イ：自己都合退職は、〈資料〉一般の受給資格者に該当する。雇用期間は9年間（33歳−24歳）であるため、1年以上10年未満の90日となる。

問34 解答：（ア）〇　（イ）×　（ウ）×　（エ）〇

（ア）**適切**。企業型確定拠出年金も他の企業年金も実施していない企業に勤務している者が、個人型確定拠出年金に加入する場合、掛金の拠出限度額は月額23,000円（年額276,000円）である。

（イ）**不適切**。加入者が拠出した掛金は、<u>小規模企業共済等掛金控除</u>として、所得控除の対象となる。

（ウ）**不適切**。60歳（加入者資格喪失後）から<u>75歳に達するまで</u>の間で受給開始時期を選択することができる。

（エ）**適切**。なお、一時金として受け取った場合、退職所得となり、退職所得控除額の適用を受けることができる。

【第10問】

問35 解答：**10,540（万円）**

〈田中家（仁志さんと佳織さん）のバランスシート〉　　　　　　　　　　　　　　　（単位：万円）

［資　産］		［負　債］	
金融資産		住宅ローン	200
現金・預貯金	3,130	自動車ローン	30
株式・投資信託	1,850	負債合計	230
生命保険（解約返戻金相当額）	870		
不動産			
土地（自宅の敷地）	4,200	［純資産］	（ア：10,540）
建物（自宅の家屋）	580		
その他（動産等）	140		
資産合計	10,770	負債・純資産合計	10,770

バランスシートの作成の手順は次のとおり。

① 田中家（仁志さんと佳織さん）の財産の状況から、田中家の資産合計と負債合計を求める。なお、生命保険は解約返戻金相当額で評価する。

　　資産合計は10,770万円、負債合計は230万円となる。

② 「資産合計＝負債・純資産合計」であるため、負債・純資産合計も10,770万円となる。

③ 純資産を求める。

　　純資産＝負債・純資産合計−負債合計＝10,770万円−230万円＝<u>10,540万円</u>

問36 解答：**3**

仁志さん（58歳）の自己負担割合は3割である。窓口で支払った医療費が27万円（入院費22万円＋通院費5万円　※食事代と差額ベッド代は対象外）であるので、総医療費は27万円÷0.3＝90万円となる。

また、仁志さんは標準報酬月額が47万円であるため、〈資料〉標準報酬月額28万～50万円に該当し、自己負担限度額は以下の通りとなる。

　80,100円＋（900,000円−267,000円）×1％＝86,430円…自己負担限度額

・高額療養費＝窓口での自己負担分−自己負担限度額＝270,000円−86,430円＝<u>183,570円</u>

問37 解答：**3**

譲渡所得の取得費の計算の基礎となる1万口当たりの基準価格（平均取得単価）は、売却までに買い付けたKファンドの購入額合計と、譲渡費用である手数料等を加算し、購入口数で除して求める。

2022年11月　10,000円／1万口×200万口＋40,000円＝2,040,000円

2023年9月　14,000円／1万口×100万口＋28,000円＝1,428,000円

2024年1月　13,000円／1万口×100万口＋26,000円＝1,326,000円

平均取得単価：(2,040,000円＋1,428,000円＋1,326,000円)÷(200万口＋100万口＋100万口)

= 11,985円／1万口

譲渡所得＝(売却単価－平均取得単価)×売却口数

= (12,500円－11,985円)／1万口×200万口＝103,000円

問38 解答：**30,000(円)**

償還差益＝500万円×(100円－97.00円)／100円＝150,000円

税額＝150,000円×(所得税率15%＋住民税率5%)＝30,000円

問39 解答：**1**

「協会けんぽの被保険者が定年などによって会社を退職し、すぐに再就職しない場合は、協会けんぽの任意継続被保険者になるか、住所地の市区町村の国民健康保険に加入して一般被保険者となるかなどの選択肢が考えられます。

協会けんぽの任意継続被保険者になるには、退職日の翌日から（**ア：20日**）以内に、住所地の協会けんぽ都道府県支部において加入手続きをしなければなりません。任意継続被保険者の保険料は、退職前の被保険者資格を喪失した際の標準報酬月額、または協会けんぽの全被保険者の標準報酬月額の平均額に基づく標準報酬月額のいずれか低い額に、都道府県支部ごとに定められた保険料率を乗じて算出し、その（**イ：全額**）を任意継続被保険者本人が負担します。なお、任意継続被保険者となれる期間は、最長2年間です。

一方、国民健康保険の被保険者になるには、原則として退職日の翌日から（**ウ：14日**）以内に、住所地の市区町村において加入手続きを行います。国民健康保険の保険料（保険税）は、市区町村ごとに算出方法が異なりますが、一つの世帯に被保険者が複数いる場合は、（**エ：世帯主**）が保険料を徴収されます。」

問40 解答：**4**

1．**不適切**。1961年4月2日以後生まれの男性および<u>1966年4月2日以後生まれの女性は、特別支給の老齢厚生年金を受け取ることができない</u>。したがって、1966年7月29日生まれの仁志さんと1969年11月15日生まれの佳織さんは、いずれも特別支給の老齢厚生年金を受け取ることができない。

2．**不適切**。減額率は、「0.4%×繰上げ請求月から65歳に達する日の前月までの月数」となる。63歳0ヵ月で繰上げ支給の請求をした場合、0.4%×24月＝<u>9.6%</u>が減額率となる。

3．**不適切**。支給繰上げの請求は、老齢基礎年金と老齢厚生年金について<u>同時に行わなければならない</u>。なお、支給繰下げの申し出は、老齢基礎年金と老齢厚生年金について別々に行うことができる。

4．**適切**。増額率は、「0.7%×65歳に達した月から繰下げ申出月の前月までの月数」となる。71歳0ヵ月で繰下げ支給の申出をした場合、0.7%×72月＝50.4%が増額率となる。

2025年本試験をあてる
TAC直前予想模試　FP技能士2級・AFP

2024年10月17日　初　版　第1刷発行

編 著 者　　Ｔ Ａ Ｃ 株 式 会 社
　　　　　　　　　　　（FP講座）
発 行 者　　多　　田　　敏　　男
発 行 所　　TAC株式会社　出版事業部
　　　　　　　　　　　（TAC出版）

　〒101-8383
　東京都千代田区神田三崎町3-2-18
　電 話 03 (5276) 9492 (営業)
　FAX 03 (5276) 9674
　https://shuppan.tac-school.co.jp

組　　版　　株 式 会 社 グ ラ フ ト
印　　刷　　株 式 会 社 ワ コ ー
製　　本　　東 京 美 術 紙 工 協 業 組 合

© TAC 2024　　Printed in Japan　　ISBN 978-4-300-11389-9
　　　　　　　　　　　　　　　　　　N.D.C. 338

FP（ファイナンシャル・プランナー）対策書籍のご案内

TAC出版のFP（ファイナンシャル・プランニング）技能士対策書籍は金財、日本FP協会それぞれに対応したインプット用テキスト、アウトプット用テキスト、インプット＋アウトプット一体型教材、直前予想問題集の各ラインナップで、受検生の多様なニーズに応えていきます。

みんなが欲しかった！シリーズ

『みんなが欲しかった！ FPの教科書』
- ●1級 学科基礎・応用対策 ●2級・AFP ●3級
- 1級：滝澤ななみ 監修・TAC FP講座 編著・A5判・2色刷
- 2・3級：滝澤ななみ 編著・A5判・4色オールカラー

■ イメージがわきやすい図解と、シンプルでわかりやすい解説で、短期間の学習で確実に理解できる！動画やスマホ学習に対応しているのもポイント。

『みんなが欲しかった！ FPの問題集』
- ●1級 学科基礎・応用対策 ●2級・AFP ●3級
- 1級：TAC FP講座 編著・A5判・2色刷
- 2・3級：滝澤ななみ 編著・A5判・2色刷

■ 無駄をはぶいた解説と、重要ポイントのまとめによる「アウトプット→インプット」学習で、知識を完全に定着。

『みんなが欲しかった！ FPの予想模試』
- ●3級 TAC出版編集部 編著
- 滝澤ななみ 監修・A5判・2色刷

■ 出題が予想される厳選模試を学科3回分、実技2回分掲載。さらに新しい出題テーマにも対応しているので、本番前の最終確認に最適。

『みんなが欲しかった！ FP合格へのはじめの一歩』
- 滝澤ななみ 編著・A5判・4色オールカラー

■ FP3級に合格できて、自分のお金ライフもわかっちゃう。本気でやさしいお金の入門書。自分のお金を見える化できる別冊お金ノートつきです。

わかって合格るシリーズ

『わかって合格る FPのテキスト』
- ●3級 TAC出版編集部 編著
- A5判・4色オールカラー

■ 圧倒的なカバー率とわかりやすさを追求したテキスト!さらに人気YouTuberが監修してポイント解説をしてくれます。

『わかって合格る FPの問題集』
- ●3級 TAC出版編集部 編著
- A5判・2色刷

■ 過去問題を徹底的に分析し、豊富な問題数で合格をサポート!さらに人気YouTuberが監修しているので、わかりやすさも抜群。

スッキリシリーズ

『スッキリわかる FP技能士』
- ●1級 学科基礎・応用対策 ●2級・AFP ●3級
- 白鳥光良 編著・A5判・2色刷

■ テキストと問題集をコンパクトにまとめたシリーズ。繰り返し学習を行い、過去問の理解を中心とした学習を行えば、合格ラインを超える力が身につきます！

『スッキリとける 過去＋予想問題 FP技能士』
- ●1級 学科基礎・応用対策 ●2級・AFP ●3級
- TAC FP講座 編著・A5判・2色刷

■ 過去問の中から繰り返し出題される良問で基礎力を養成し、学科・実技問題の重要項目をマスターできる予想問題で解答力を高める問題集。

直前予想模試　問題

・この色紙を残したまま、問題冊子をゆっくり引いて取り外してください（下の図を参照）。抜き取りの際の損傷についてのお取替えはご遠慮願います。

・答案用紙は冊子の最終ページにございます。ハサミやカッターで切り取ってご使用ください。

・答案用紙はダウンロードでもご利用いただけます。
TAC出版書籍サイト・サイバーブックストアにアクセスしてください。
https://bookstore.tac-school.co.jp/

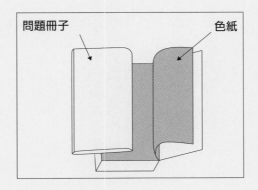

TAC出版
TAC PUBLISHING Group

直前予想模試　問題

　学科は、出題可能性順に第１・２・３予想として掲載しています。３回分すべてに取り組んでください。実技は、ご自身が受検する実技科目の模試に取り組んでください。

2025年　1月・5月
ファイナンシャル・プランニング技能検定対策

第1予想

2級　学科

- -
試験時間 ◆ 120分
- -

― ★ 注　意 ★ ―

1. 本試験の出題形式は、四答択一式 60問です。

2. 筆記用具、計算機（プログラム電卓等を除く）の持込みが認められています。

3. 試験問題については、特に指示のない限り、2024年10月1日現在施行の法令等に基づいて解答してください。なお、東日本大震災の被災者等に対する各種特例については考慮しないものとします。

TAC出版
TAC PUBLISHING Group

問題1

　ファイナンシャル・プランナー（以下「FP」という）の顧客に対する行為に関する次の記述のうち、職業倫理や関連法規に照らし、最も不適切なものはどれか。

1．生命保険募集人の登録を受けていないFPのAさんは、結婚を機に生命保険に加入したいと相談に来た顧客に対し、家計の状況を聞きながら必要保障額の計算を無償で行った。

2．社会保険労務士の登録を受けていないFPのBさんは、顧客から公的年金の老齢給付の繰下げ受給について相談を受け、顧客の「ねんきん定期便」の年金受取見込額を基に、繰り下げた場合の年金受給額を無償で試算した。

3．税理士の登録を受けていないFPのCさんは、所得税の確定申告について相談に来た顧客に対し、顧客の要望に応じて有償で確定申告書の作成を代行した。

4．社会福祉士の登録を受けていないFPのDさんは、顧客から将来判断能力が不十分になった場合の財産の管理を依頼され、有償で当該顧客の任意後見受任者となった。

問題2

　ライフステージ別資金運用の一般的なアドバイスに関する次の記述のうち、最も不適切なものはどれか。

1．子の将来のため、教育資金の準備を考えているAさん（30歳）に、学資（こども）保険の情報提供を行った。

2．住宅ローンの借換えを検討しているBさん（40歳）に、借換えに伴う金利低下のメリットと借換えに伴う諸費用のデメリットを説明した。

3．Cさん（57歳）に、将来の生活資金確保のため、ハイリターンを追求した運用が必要であることを説明した。

4．定年退職後無職であるDさん（65歳）に、老後資金はリスクを避け安全性を重視した運用が必要であることを説明した。

問題3

　公的医療保険に関する次の記述のうち、最も不適切なものはどれか。

1．健康保険の被保険者資格を喪失する日の前日までに引き続き2ヵ月以上被保険者であった者は、原則として、被保険者資格を喪失した日から20日以内に申請することにより、最長で2年間、健康保険の任意継続被保険者となることができる。

2．全国健康保険協会管掌健康保険（協会けんぽ）の場合、一般保険料率は都道府県ごとに定められており、都道府県によって保険料率が異なるのに対し、介護保険料率は全国一律である。

3．国民健康保険の被保険者が75歳に達すると、原則として、その被保険者資格を喪失し、後期高齢者医療制度の被保険者となる。

4．健康保険の被保険者の姪が被扶養者として認定されるには、被保険者の収入により生計を維持されていることは必要であるが、同居している必要はない。

問題4

　雇用保険に関する次の記述のうち、最も適切なものはどれか。

1．正当な理由がなく自己都合により退職し、初めて基本手当の受給を申請した場合、7日間の待期期間経過後、3ヵ月間は給付制限期間として基本手当を受給することができない。

2．被保険者が、一定の状態にある家族を介護するための休業をした場合、同一の対象家族につい

て、通算4回かつ93日の介護休業を限度として、介護休業給付金が支給される。

3. 複数の被保険者が、同一の対象家族について同時に介護休業を取得した場合、それぞれの被保険者に介護休業給付金が支給される。

4. 育児休業給付金は、原則1歳に達する日前までの子を養育するための育児休業を取得した場合に支給されるが、子が1歳に達した日後の期間について休業することが特に必要と認められる場合、最長で子が1歳2ヵ月に達する日の前日まで支給される。

問題5

公的年金に関する次の記述のうち、最も不適切なものはどれか。

1. 老齢厚生年金の額に加給年金額が加算されるためには、原則として、厚生年金保険の被保険者期間が20年以上あり、かつ、その受給権者によって生計を維持されている一定の要件を満たす配偶者または子がいなければならない。

2. 学生を除く20歳から50歳未満の者で、本人と配偶者の前年（1月から6月までに申請する場合は前々年）の所得が一定額以下の場合には、申請により国民年金保険料の納付が猶予される。

3. 日本国籍を有するが日本国内に住所を有しない者は、国民年金の第2号被保険者および第3号被保険者に該当しない場合、原則として、20歳から60歳になるまでの期間に限り国民年金の任意加入被保険者となることができる。

4. 産前産後休業を取得している厚生年金保険の被保険者の厚生年金保険料は、所定の手続きにより、被保険者負担分と事業主負担分がいずれも免除される。

問題6

公的年金の老齢給付に関する次の記述のうち、最も適切なものはどれか。

1. 老齢厚生年金の受給権者が老齢厚生年金の繰下げ支給の申出をする場合、老齢基礎年金の繰下げ支給の申出と同時に行わなければならない。

2. 国民年金の保険料の納付猶予制度において、納付猶予の承認を受けた期間は、後から追納した場合に限り老齢基礎年金の受給資格期間（10年）に算入される。

3. 65歳以上の厚生年金保険の被保険者に支給される老齢厚生年金は、在職老齢年金の仕組みにより、当該被保険者の総報酬月額相当額と基本月額の合計額が50万円（2024年度価額）を超える場合、経過的加算部分等を除いた年金額の全部または一部が支給停止となる。

4. 老齢厚生年金の加給年金額対象者である配偶者が、厚生年金保険の被保険者期間が10年以上である特別支給の老齢厚生年金の受給権を取得したときは、当該配偶者に係る加給年金額は支給停止となる。

問題7

中小企業退職金共済、国民年金基金および小規模企業共済に関する次の記述のうち、最も適切なものはどれか。

1. 中小企業退職金共済の掛金月額は、被共済者1人当たり7万円が上限となっている。

2. 中小企業退職金共済の被共済者が退職後3年以内に、中小企業退職金共済の退職金を請求せずに再就職して再び被共済者となった場合、所定の要件を満たせば、前の企業での掛金納付月数を再就職した企業での掛金納付月数と通算することができる。

3. 国民年金基金の給付には、老齢年金、障害年金、遺族年金がある。

4. 小規模企業共済の加入者が事業を廃止した際に受け取る共済金は、一括受取りを選択した場

合、一時所得として所得税の課税対象となる。

問題8

　住宅金融支援機構と金融機関が提携した住宅ローンであるフラット35（買取型）に関する次の記述のうち、最も不適切なものはどれか。
1．フラット35の利用者向けインターネットサービスである「住・My Note」を利用して繰上げ返済する場合、一部繰上げ返済の最低返済額は10万円である。
2．店舗付き住宅などの併用住宅を建築する場合、住宅部分・非住宅部分の床面積の割合に関係なく、フラット35を利用することができる。
3．住宅金融支援機構は、融資を実行する金融機関から住宅ローン債権を買い取り、対象となる住宅の第1順位の抵当権者となる。
4．フラット35Sは、省エネルギー性、耐震性など一定の技術基準を満たした住宅を取得する場合に、借入金利を一定期間引き下げる制度である。

問題9

　確定拠出年金の個人型年金に関する次の記述のうち、最も不適切なものはどれか。
1．1952年4月2日以降に生まれた者は、個人型年金の老齢給付金において、60歳（加入者資格喪失後）から75歳に達するまでの間で受給開始時期を選択することができる。
2．国民年金の第1号被保険者は、現時点で国民年金の保険料を納付していれば、過去に国民年金の保険料未納期間があっても、個人型年金に加入することができる。
3．国民年金の任意加入被保険者である海外居住者は、個人型年金に加入することができない。
4．個人型年金の老齢給付金を年金として受け取った場合、雑所得として課税の対象となり、公的年金等控除が適用される。

問題10

　決算書に基づく経営分析指標に関する次の記述のうち、最も適切なものはどれか。
1．ROEは、当期純利益に対する自己資本の割合を示したものであり、一般に、この数値が高い方が経営の効率性が高いと判断される。
2．固定長期適合率は、自己資本に対する固定資産の割合を示したものであり、一般に、この数値が低い方が財務の健全性が高いと判断される。
3．当座比率は、流動負債に対する当座資産の割合を示したものであり、一般に、この数値が高い方が財務の健全性が高いと判断される。
4．自己資本比率は、総資本に対する自己資本の割合を示したものであり、一般に、この数値が低い方が財務の健全性が高いと判断される。

問題11

　少額短期保険に関する次の記述のうち、最も不適切なものはどれか。
1．少額短期保険業者が取り扱う保険契約は、生命保険契約者保護機構または損害保険契約者保護機構の保護の対象とならない。
2．少額短期保険の保険料は、保障内容に応じて、所得税の生命保険料控除または地震保険料控除の対象とならない。
3．少額短期保険業者と締結した保険契約は、保険法の適用対象となる。

4．少額短期保険の保険期間は、生命保険では１年、損害保険および傷害疾病保険では２年が上限
　　である。

問題12

　生命保険の一般的な商品性に関する次の記述のうち、最も不適切なものはどれか。なお、記載の
ない特約については考慮しないものとする。

1．定期保険特約付終身保険（更新型）では、定期保険特約を同額の保険金額で更新すると、更新
　　後の保険料は、通常、更新前よりも高くなる。

2．逓減定期保険は、保険期間の経過に伴い所定の割合で保険金額が逓減するが、保険料は一定で
　　ある。

3．変額保険（終身型）では、契約時に定めた保険金額（基本保険金額）が保証されておらず、運
　　用実績によっては、死亡保険金の額が基本保険金額を下回ることがある。

4．低解約返戻金型終身保険は、他の契約条件が同じで低解約返戻型ではない終身保険と比較し
　　て、保険料払込期間中の解約返戻金が低く抑えられており、割安な保険料が設定されている。

問題13

　個人年金保険の税金に関する次の記述のうち、最も適切なものはどれか。なお、いずれも契約者
（＝保険料負担者）および年金受取人は同一人であり、個人であるものとする。

1．個人年金保険（10年確定年金）において、年金受取人が年金受取開始日後に将来の年金給付の
　　総額に代えて受け取った一時金は、一時所得として所得税の課税対象となる。

2．個人年金保険の年金に係る雑所得の金額は、その年金額から、その年金額に対応する払込保険
　　料および公的年金等控除額を差し引いて算出する。

3．個人年金保険の年金に係る雑所得の金額が25万円以上である場合、その年金の支払時に当該金
　　額の20.315％相当額が源泉徴収等される。

4．個人年金保険（保証期間付終身年金）において、保証期間中に年金受取人が死亡して遺族が取
　　得した残りの保証期間の年金受給権は、雑所得として所得税の課税対象となる。

問題14

　契約者（＝保険料負担者）を法人、被保険者を役員とする生命保険契約の経理処理に関する次の
記述のうち、最も適切なものはどれか。なお、いずれの保険契約も保険料は年払いかつ全期払い
で、2024年４月に締結したものとする。

1．死亡保険金受取人が法人である終身保険の支払保険料は、その全額を損金の額に算入すること
　　ができる。

2．死亡保険金受取人および満期保険金受取人が法人である養老保険の支払保険料は、その２分の
　　１相当額を資産に計上し、残額を損金の額に算入することができる。

3．死亡保険金受取人が法人で、最高解約返戻率が60％である定期保険（保険契約20年、年払保険
　　料100万円）の支払保険料は、保険期間の前半４割相当期間においては、その40％相当額を資
　　産に計上し、残額を損金の額に算入することができる。

4．保険金受取人が法人である解約返戻金のない終身払いの医療保険（保険期間：終身、年払保険
　　料60万円）の支払保険料は、保険期間満了年齢を116歳とした保険期間の前半５割相当期間に
　　おいては、その２分の１相当額を資産に計上し、残額を損金の額に算入することができる。

問題15
　住宅用建物およびそれに収容している家財を保険の対象とする火災保険の一般的な商品性に関する次の記述のうち、最も不適切なものはどれか。なお、特約は付帯していないものとする。
1. 台風で破損した屋根から雨水が漏れ、自宅建物に収容されている電化製品が故障した場合は、補償の対象となる。
2. 隣家の火事が延焼したことにより自宅建物が損傷した場合は、補償の対象となる。
3. 隣家の火災による消防活動で自宅建物が損傷した場合は、補償の対象となる。
4. 自宅建物の火災により寝室に保管していた現金が焼失した場合は、補償の対象となる。

問題16
　地震保険の一般的な商品性に関する次の記述のうち、最も不適切なものはどれか。
1. 地震保険は、火災保険を主契約として、それに付帯して契約しなければならないが、火災保険の保険期間中に中途で付帯することもできる。
2. 地震保険の保険料には、「建築年割引」「耐震等級割引」「免震建築物割引」「耐震診断割引」の4種類の割引制度があり、建物が複数の条件に該当した場合は、重複適用される。
3. 地震保険では、地震が原因で発生した損害の程度を、「全損」「大半損」「小半損」「一部損」の4区分としている。
4. 地震保険では、補償対象となる家財は生活用動産に限られている。

問題17
　任意加入の自動車保険（保険期間1年）のノンフリート等級別料率制度に関する次の記述のうち、最も不適切なものはどれか。
1. 自動車同士の衝突によって対人賠償保険および対物賠償保険の保険金が支払われる場合は、1等級ダウン事故となる。
2. 個人賠償責任（補償）特約の保険金のみが支払われる場合は、ノーカウント事故となる。
3. 窓ガラスの破損により車両保険の保険金のみが支払われる場合は、1等級ダウン事故となる。
4. 人身傷害（補償）保険の保険金のみが支払われる場合は、ノーカウント事故となる。

問題18
　個人を契約者（＝保険料負担者）および被保険者とする損害保険の税金に関する次の記述のうち、最も適切なものはどれか。
1. 自宅の建物と家財を対象とした火災保険に地震保険を付帯して加入した場合、火災保険と地震保険の保険料の合計額が地震保険料控除の対象となる。
2. 契約者である被保険者が不慮の事故で死亡し、その配偶者が受け取った傷害保険の死亡保険金は、非課税となる。
3. 自損事故で被保険自動車である自家用車を損壊して受け取った自動車保険の車両保険金は、当該車両の修理をしなくとも、非課税となる。
4. 2024年1月に加入した所得補償保険の保険料は、介護医療保険料控除の対象とならない。

問題19
　医療保険等の一般的な商品性に関する次の記述のうち、最も適切なものはどれか。
1. 先進医療特約で先進医療給付金の支払い対象とされている先進医療は、契約時点において厚生

労働大臣によって定められたものである。

2. 医療保険では、治療を目的としない人間ドックや健康診断で入院をし、異常が発見されなかった場合であっても、入院給付金を受け取ることができる。

3. がん保険では、180日間または6ヵ月間の免責期間が設けられており、その期間中に被保険者ががんと診断確定された場合であっても、がん診断給付金は支払われない。

4. 限定告知型の医療保険は、他の契約条件は同一で、限定告知型ではない一般の医療保険と比較した場合、保険料は割高となる。

問題20

　生命保険料控除に関する次の記述のうち、**最も適切なもの**はどれか。なお、**各選択肢において、ほかに必要とされる要件等はすべて満たしているものとする。**

1. 住宅ローンの借入れの際に加入した団体信用生命保険の保険料は、一般の生命保険料控除の対象となる。

2. 2012年1月1日以後に締結した生命保険契約に付加された傷害特約の保険料は、生命保険料控除の対象となる。

3. 2012年1月1日以後に締結した生命保険契約の保険料は、一般の生命保険料または個人年金保険料のうち、いずれか1つに区分される。

4. 終身保険の月払保険料のうち、2025年1月に払い込まれた2024年12月分の保険料は、2025年分の生命保険料控除の対象となる。

問題21

　景気動向指数に関する次の記述のうち、**最も不適切なもの**はどれか。

1. 景気動向指数は、景気の現状把握および将来予測に資するために作成された指標であり、コンポジット・インデックス（CI）とディフュージョン・インデックス（DI）があるが、現在はCI中心の公表形態となっている。

2. 景気動向指数に採用されている指標は、先行指数が11系列、一致指数が10系列、遅行指数が9系列の合計30系列となっている。

3. ディフュージョン・インデックス（DI）は、各系列の指標のうち3ヵ月前と比較して上昇した指標の割合を示すものであり、景気拡張の動きの各経済部門への波及度合いの測定を主な目的としている。

4. 景気転換点の判定には、一致指数を構成する個別指標ごとに統計的手法を用いて山と谷を設定し、谷から山に向かう局面にある指標の割合を算出したコンポジット・インデックス（CI）が用いられている。

問題22

　市場金利の変動と固定利付債券の利回り（単利・年率）および価格との関係に関する次の記述の空欄（ア）～（ウ）にあてはまる語句の組み合わせとして、**最も適切なもの**はどれか。なお、**手数料、経過利子、税金等については考慮しないものとし、計算結果は表示単位の小数点以下第3位を四捨五入するものとする。**

表面利率が0.30％、償還年限が10年の固定利付債券が額面100円当たり100円で新規に発行された。5年後、市場金利が当該債券の発行時に比べて上昇した結果、債券の価格は（　ア　）して、（　イ　）となり、当該債券の現時点（発行から5年後）における最終利回りは0.50％（単利・年率）となった。また、当該債券を発行時に購入し、発行から5年後に（　イ　）で売却した場合の所有期間利回りは（　ウ　）となる。

1．（ア）下落　　（イ）　99.02円　　（ウ）0.10％
2．（ア）下落　　（イ）　99.02円　　（ウ）0.34％
3．（ア）上昇　　（イ）100.20円　　（ウ）0.34％
4．（ア）上昇　　（イ）100.20円　　（ウ）0.10％

問題23

　わが国の投資信託に係るディスクロージャーと費用等に関する次の記述のうち、最も不適切なものはどれか。
1．投資家が負担する販売手数料は、同一の投資信託を同一口数購入する場合であっても、販売会社によって異なる場合がある。
2．投資家が負担する運用管理費用（信託報酬）は、運用成績に関係なく毎日計算され、年率で表示されるが、信託財産から日々控除されるため、基準価額はその分下がることになる。
3．投資信託の説明書である目論見書のうち、交付目論見書は、投資信託の販売後遅滞なく投資家に交付することが義務付けられている。
4．販売会社を通じて投資家に交付される交付運用報告書は、委託者（投資信託委託会社）が作成しており、その内容には、ファンドの運用実績や組入資産の明細等のほか、今後の運用方針も含まれている。

問題24

　上場投資信託（ＥＴＦ）の一般的な特徴に関する次の記述のうち、最も適切なものはどれか。
1．インバース型ＥＴＦは、日経平均株価などの指標の日々の変動率に一定の正の倍数を乗じて算出される指数に連動した運用成果を目指して運用されるＥＴＦである。
2．レバレッジ型ＥＴＦは、日経平均株価などの指標の日々の変動率に一定の負の倍数を乗じて算出される指数に連動した運用成果を目指して運用されるＥＴＦである。
3．リンク債型ＥＴＦは、所定の指標に連動した投資成果を目的とする債券（リンク債）に投資することにより、ＥＴＦの一口当たり純資産額を当該債券（リンク債）の償還価額に一致させる運用手法を採用するＥＴＦである。
4．ＥＴＦの分配金には、税法上課税対象となる普通分配金のみで、元本払戻金（特別分配金）は発生しない。

問題25

　東京証券取引所の市場区分等に関する次の記述のうち、最も不適切なものはどれか。
1．プライム市場のコンセプトは、「多くの機関投資家の投資対象になりうる規模の時価総額（流動性）を持ち、より高いガバナンス水準を備え、投資者との建設的な対話を中心に据えて持続的な成長と中長期的な企業価値の向上にコミットする企業向けの市場」である。

2．日経平均株価は、プライム市場に上場している銘柄のうち、市場を代表する225銘柄を対象として算出される株価指標である。

3．東証株価指数（ＴＯＰＩＸ）は、プライム市場に上場している銘柄のみを対象として算出されている。

4．スタンダード市場のコンセプトは、「公開された市場における投資対象として一定の時価総額（流動性）を持ち、上場企業としての基本的なガバナンス水準を備えつつ、持続的な成長と中長期的な企業価値の向上にコミットする企業向けの市場」である。

問題26

下記〈Ｘ社のデータ〉に基づき算出される投資指標等に関する次の記述のうち、最も適切なものはどれか。

〈Ｘ社のデータ〉

株価	4,000円
発行済株式数	3億株
時価総額	12,000億円
自己資本（＝純資産）	3,000億円
配当金総額	90億円
株価収益率（ＰＥＲ）	25倍

1．1株当たり当期純利益は、1,600円である。

2．配当利回りは、18.75％である。

3．ＰＢＲ（株価純資産倍率）は、3倍である。

4．ＲＯＥ（自己資本当期純利益率）は、16.0％である。

問題27

個人（居住者）が国内の金融機関を通じて行う外貨建て金融商品の取引等に関する次の記述のうち、最も不適切なものはどれか。

1．外貨預金の払出時に外貨を円貨に換える際の為替レートは、一般に、ＴＴＢ（対顧客電信買相場）が適用される。

2．米ドル建て債券を保有している場合、米ドルと円の為替レートが円高に変動することは、当該債券に係る円換算の投資利回りの低下要因となる。

3．国内の証券取引所に上場している外国株式を国内委託取引により売買した場合の受渡日は、国内株式と同様のルールとなっている。

4．外貨建てＭＭＦの換金による為替差損は、上場株式等の譲渡所得と損益通算することができない。

問題28

金融派生商品に関する次の記述のうち、最も不適切なものはどれか。

1．先物の将来の価格を予想してポジションを取り、予想どおりの方向に変動したときに、反対売買を行って利益を確定することを狙う取引を、スペキュレーション取引という。

2．現物と反対のポジションの先物を保有することによって、現物の価格変動リスク等を回避また

は軽減することを狙う取引を、ヘッジ取引という。

3．現物価格と当該現物を原資産とする先物価格の間で価格差が生じた場合、割安な方を売り、割高な方を買うポジションを組み、その価格差を利益として得ることを狙う取引を、裁定取引という。

4．オプション取引において、コール・オプションは「原資産を買う権利」であり、プット・オプションは「原資産を売る権利」である。

問題29

上場株式の譲渡および配当（一定の大口株主等が受けるものを除く）に係る税金に関する次の記述のうち、最も不適切なものはどれか。

1．上場株式の配当について、総合課税を選択して確定申告をした場合、税額控除として配当控除の適用を受けられる。

2．損益通算してもなお控除しきれない上場株式の譲渡損失の金額は、確定申告をすることにより、翌年以後3年間にわたって繰り越すことができる。

3．上場株式の配当は、その金額にかかわらず確定申告を不要とすることができる。

4．上場株式の譲渡損失の金額は、特定公社債等の利子等に係る利子所得と損益通算することができない。

問題30

ＮＩＳＡ（少額投資非課税制度）に関する次の記述のうち、最も適切なものはどれか。なお、本問においては、特定非課税累積投資契約による非課税口座のうち、特定非課税管理勘定を「成長投資枠」といい、特定累積投資勘定を「つみたて投資枠」という。又、2023年以前の一般ＮＩＳＡ（非課税上場株式等管理契約に係る少額投資非課税制度）により投資収益が非課税となる勘定を一般ＮＩＳＡ勘定という。

1．2023年末までに一般ＮＩＳＡ勘定で受け入れていた金融商品を、非課税期間が終了した後において「成長投資枠」に移すことができる。

2．特定口座で保有する上場株式を「成長投資枠」に移管することにより、移管後に生じた当該上場株式の譲渡益は生涯を通じて非課税となる。

3．「つみたて投資枠」に受け入れている金融商品を売却することで生じた譲渡損失は、確定申告を行うことにより、同一年中に特定口座や一般口座で保有する金融商品を売却することで生じた譲渡益と通算することができる。

4．2024年中に「つみたて投資枠」を通じて購入することができる限度額（非課税枠）のうち、未使用分については、2025年に繰り越すことができない。

問題31

わが国の税制に関する次の記述のうち、最も適切なものはどれか。

1．固定資産税では、地方公共団体が納付すべき税額を決定し、納税者に通知する賦課課税方式を採用している。

2．税金には国税と地方税があるが、不動産取得税は国税に該当し、個人事業税は地方税に該当する。

3．税金を負担する者と税金を納める者が異なる税金を間接税といい、相続税は間接税に該当する。

4．所得税では、課税対象となる所得を15種類に区分し、それぞれの所得の種類ごとに定められた計算方法により所得の金額を計算する。

問題32

　所得税における各種所得に関する次の記述のうち、最も適切なものはどれか。

1．収入のない専業主婦（夫）が金地金を売却したことによる所得は、雑所得となる。

2．賃貸の用に供している土地の所有者が、当該土地を取得した際に支出した仲介手数料は、当該土地の取得価額に算入することはできないが、その支払った年分の不動産所得の金額の計算上、必要経費に算入することができる。

3．借家人が賃貸借の目的とされている居宅の立退きに際し受ける立退き料（借家権の消滅の対価の額に相当する部分の金額を除く）は、原則として一時所得に該当する。

4．個人による不動産の貸付けが事業的規模である場合、その賃貸収入による所得は、事業所得に該当する。

問題33

　所得税の申告に関する次の記述のうち、最も適切なものはどれか。

1．青色申告者は、仕訳帳、総勘定元帳その他一定の帳簿を原則として10年間保存しなければならない。

2．青色申告者が申告期限後に確定申告書を提出した場合、適用を受けることができる青色申告特別控除額は最大55万円となる。

3．青色申告者の配偶者で青色事業専従者として給与の支払いを受ける者は、その者の合計所得金額の多寡にかかわらず、控除対象配偶者には該当しない。

4．その年の1月16日以後新たに業務を開始した者が、その年分から青色申告の適用を受けようとする場合、その業務を開始した日の属する月の翌月までに、「所得税の青色申告承認申請書」を納税地の所轄税務署長に提出しなければならない。

問題34

　Aさんの2024年分の所得の金額が下記のとおりであった場合の総所得金額として、最も適切なものはどれか。なお、記載のない事項については考慮しないものとする。

給与所得の金額	500万円
不動産所得の金額	▲120万円（不動産所得を生ずべき土地の取得に要した負債の利子70万円を含む金額）
譲渡所得の金額	▲ 30万円（ゴルフ会員権を譲渡したことによるもの）
一時所得の金額	60万円
退職所得の金額	100万円

1．410万円

2．480万円

3．510万円

4．580万円

問題35

　所得税における所得控除に関する次の記述のうち、最も不適切なものはどれか。

1．納税者の合計所得金額が1,000万円を超える場合、配偶者の合計所得金額が48万円以下であっても、配偶者控除の適用を受けることはできない。

2．納税者の合計所得金額が1,000万円を超える場合、控除扶養親族の合計所得金額が48万円以下であっても、扶養控除の適用を受けることはできない。

3．納税者が生計を一にする配偶者の社会保険料を支払った場合には、支払った社会保険料の金額の多寡にかかわらず、その年中に支払った金額の全額を、社会保険料控除として控除することができる。

4．納税者が生計を一にする配偶者のために支払った医療費の金額は、当該納税者の医療費控除の対象となる。

問題36

　所得税における住宅借入金等特別控除（以下「住宅ローン控除」という）に関する次の記述のうち、最も適切なものはどれか。

1．床面積が50㎡以上の住宅を取得し、住宅ローン控除の適用を受けるためには、納税者のその年分の合計所得金額が2,000万円以下でなければならない。

2．住宅ローン控除の対象となる家屋については、床面積が50㎡以上であり、その3分の1以上に相当する部分が専ら自己の居住の用に供されるものでなければならない。

3．住宅ローン控除の適用を受けていた者が、転勤等のやむを得ない事由により転居し、取得した住宅を居住の用に供しなくなった場合、翌年以降に再び当該住宅を居住の用に供したとしても、それ以降は住宅ローン控除の適用を受けることができない。

4．住宅ローン控除は、納税者が給与所得者である場合、所定の書類を勤務先に提出することにより、住宅を取得し、居住の用に供した年分から年末調整により適用を受けることができる。

問題37

　個人事業税の仕組みに関する次の記述のうち、最も適切なものはどれか。

1．個人事業税には、青色申告者であっても青色申告特別控除の適用はない。

2．個人事業税の課税標準の計算上、事業主控除として年間で最高390万円を控除することができる。

3．個人事業税の標準税率は、一律10％である。

4．個人で事業を営んでいる者は、所得税の確定申告や住民税の申告に併せて個人事業税の申告もしなければならない。

問題38

　法人税の仕組みに関する次の記述のうち、最も適切なものはどれか。

1．法人税の納税地は、「その法人の本店または主たる事務所の所在地」か、「その法人の代表者の住所または居所の所在地」のいずれかを選択することができる。

2．期末資本金の額等が1億円以下の一定の中小法人に対する法人税の税率は、所得金額のうち年1,000万円以下の部分について軽減税率が適用される。

3．法人は、法人税の納税地に異動があった場合、原則として、異動後の納税地の所轄税務署長にその旨を届け出なければならない。

4．法人税の確定申告書は、原則として、各事業年度終了の日の翌日から2ヵ月以内に、納税地の所轄税務署長に提出しなければならない。

問題39

法人税の損金に関する次の記述のうち、最も適切なものはどれか。

1．法人が納付した法人税の本税、法人住民税の本税および法人事業税は、その全額を損金の額に算入することができない。
2．役員退職給与を損金の額に算入するためには、所定の時期に確定額を支給する旨の定めの内容に関する届出書をあらかじめ税務署長に提出しなければならない。
3．2016年4月1日以後に取得した建物附属設備の減価償却方法は、法定償却の定率法である。
4．2024年4月1日以後に得意先への接待のために支出した飲食費で、参加者1人当たりの支出額が10,000円以下であるものについては、一定の書類を保存している場合、その全額を損金の額に算入することができる。

問題40

決算書の分析に関する次の記述のうち、最も不適切なものはどれか。

1．損益分岐点売上高は、「（変動費＋固定費）÷限界利益率」の算式によって求めることができる。
2．総資本経常利益率は、「売上高経常利益率×総資本回転率」の算式で表すことができる。
3．自己資本比率（株主資本比率）は、総資産に対する自己資本（株主資本）の割合を示したものであり、一般に、この数値が高いほど財務の健全性が高いと判断される。
4．固定比率は、設備投資等の固定資産への投資が、自己資本によってどの程度賄われているかを判断するための指標であり、一般に、この数値が低いほど財務の健全性が高いと判断される。

問題41

不動産の登記に関する次の記述のうち、最も不適切なものはどれか。

1．登記情報提供サービスでは、登記所が保有する登記情報を、インターネットを使用してパソコン等で確認することができるが、取得した登記情報に係る電子データには登記官の認証文は付されない。
2．不動産の登記記録において、土地の所有者とその土地上の建物の所有者が異なる場合、その土地の登記記録に借地権の登記がなくても、借地権が設定されていることがある。
3．抵当権の設定を目的とする登記では、債権額や抵当権者の氏名または名称は、不動産の登記記録の権利部乙区に記載される。
4．区分建物を除く建物に係る登記記録において、床面積は、壁その他の区画の内側線で囲まれた部分の水平投影面積（内法面積）により記録される。

問題42

不動産鑑定評価基準における不動産の価格を求める鑑定評価の手法に関する次の記述のうち、最も不適切なものはどれか。

1．不動産の価格を求める鑑定評価の基本的な手法は、原価法、取引事例比較法および収益還元法に大別され、原則として、鑑定評価に当たっては、対象不動産に係る市場の特性等を適切に反映した複数の鑑定評価の手法を適用すべきである。
2．原価法は、価格時点における対象不動産の再調達原価を求め、この再調達原価について減価修

正を行って対象不動産の価格を求める手法である。
3．収益還元法は、対象不動産が賃貸用不動産である場合の価格を求めるときに適用されるものであり、自用の不動産の価格を求める場合には適用すべきでない。
4．収益還元法のうち直接還元法は、対象不動産の一期間の純収益を還元利回りで還元して対象不動産の価格を求める手法である。

問題43

　宅地建物取引業法に関する次の記述のうち、最も適切なものはどれか。なお、買主は宅地建物取引業者ではないものとする。
1．専属専任媒介契約の有効期間は、3ヵ月を超えることができず、これより長い期間を定めたときは、その契約は無効とされる。
2．宅地建物取引業者は、専任媒介契約を締結したときは、契約の相手方を探索するために、所定の期間内に当該専任媒介契約の目的物である宅地または建物に関する一定の事項を指定流通機構に登録しなければならない。
3．宅地建物取引業者は、自ら売主となる宅地・建物の売買契約を締結したときは、当該買主に、遅滞なく、宅地建物取引士をして、宅地建物取引業法第35条に規定する重要事項を書面を交付または買主の承諾を得て、電磁的方法によって提供して説明させなければならない。
4．宅地建物取引業者が、宅地・建物の貸借の媒介を行う場合に、貸主・借主の双方から受け取ることができる報酬の合計額の上限は、賃料の2ヵ月分に相当する額である。

問題44

　不動産の売買契約に係る民法の規定に関する次の記述のうち、最も適切なものはどれか。なお、特約については考慮しないものとする。
1．不動産の売買契約は、契約書を作成しなければその効力が生じない。
2．買主が売主に解約手付を交付した場合、買主がすでに契約の履行に着手した後であっても、売主が契約の履行に着手するまでであれば、買主は手付を放棄して契約を解除することができる。
3．売買の目的物である建物が、売買契約締結後から引渡しまでの間に落雷によって滅失した場合、買主は売買代金の支払いを拒むことができない。
4．未成年者が法定代理人の同意を得ずに不動産の売買契約を締結した場合、原則として、その法定代理人のみ当該売買契約を取り消すことができる。

問題45

　借地借家法に関する次の記述のうち、最も適切なものはどれか。なお、本問においては、同法第22条の借地権を一般定期借地権といい、同法第22条から第24条の定期借地権等以外の借地権を普通借地権という。
1．普通借地権の設定契約において、期間の定めがない場合には、存続期間は50年となる。
2．普通借地権の当初の存続期間が満了して更新する場合、当事者間で更新後の最初の存続期間を更新の日から10年と定めたときであっても、更新後の最初の存続期間は更新の日から20年とされる。
3．事業用定期借地権等の設定を目的とする契約は、書面によってしなければならないが、その書面が公正証書である必要はない。

4．普通借地権の存続期間満了前に、借地権者の債務不履行により普通借地権の設定契約が解除された場合であっても、借地権者は借地権設定者に対し、建物その他借地権者が権原により土地に附属させた物を時価で買い取るべきことを請求することができる。

問題46

都市計画区域および準都市計画区域内における建築基準法の規定に関する次の記述のうち、最も適切なものはどれか。

1．建築基準法第42条第2項により道路境界線とみなされる線と道路との間の敷地の部分（セットバック部分）は、建築物を建築することができないが、建蔽率および容積率を算定する際の敷地面積に算入することができる。
2．建築物の敷地が接する前面道路の幅員が12m未満である場合、当該建築物の容積率は、「都市計画で定められた容積率」と「前面道路の幅員に一定の数値を乗じて得たもの」のいずれか高い方の数値以下でなければならない。
3．建築物の高さに係る隣地斜線制限は、第一種低層住居専用地域、第二種低層住居専用地域および田園住居地域には適用されない。
4．準工業地域、工業地域および工業専用地域においては、地方公共団体の条例で日影規制（日影による中高層の建築物の高さの制限）の対象区域として指定することができない。

問題47

建物の区分所有等に関する法律に関する次の記述のうち、最も不適切なものはどれか。

1．区分所有建物のうち、構造上の独立性と利用上の独立性を備えた建物の部分は、区分所有権の目的となる専有部分であり、規約によって共用部分とすることはできない。
2．共用部分に対する区分所有者の共有持分は、規約に別段の定めがない限り、各共有者が有する専有部分の床面積の割合による。
3．区分所有建物ならびにその敷地および附属施設の管理を行うための区分所有者の団体（管理組合）は、区分所有者全員で構成される。
4．規約を変更するためには、区分所有者および議決権の各4分の3以上の多数による集会の決議が必要となる。

問題48

不動産に係る固定資産税および都市計画税に関する次の記述のうち、最も適切なものはどれか。

1．固定資産税の納税義務者は、年の中途にその対象となる土地または家屋を売却した場合であっても、その年度分の固定資産税の全額を納付する義務がある。
2．住宅用地に係る固定資産税の課税標準については、住宅1戸当たり200㎡以下の部分について課税標準となるべき価格の3分の1相当額とする特例がある。
3．都市計画税は、都市計画区域のうち、原則として市街化調整区域内に所在する土地または家屋の所有者に対して課される。
4．都市計画税の税率は各地方自治体の条例で、100分の0.3を超えて定めることができる。

問題49

居住用財産を譲渡した場合の3,000万円の特別控除（以下「3,000万円特別控除」という）および居住用財産を譲渡した場合の長期譲渡所得の課税の特例（以下「軽減税率の特例」という）に関す

る次の記述のうち、最も適切なものはどれか。

1．3,000万円特別控除は、譲渡した居住用財産の所有期間が、譲渡した日の属する年の1月1日において10年を超えていなければ、適用を受けることができない。
2．3,000万円特別控除は、居住用財産を居住の用に供さなくなった日から3年を経過する日の属する年の12月31日までに譲渡しなければ、適用を受けることはできない。
3．軽減税率の特例では、課税長期譲渡所得金額のうち8,000万円以下の部分の金額について、所得税（復興特別所得税を含む）10.21％、住民税4％の軽減税率が適用される。
4．3,000万円特別控除と軽減税率の特例は、重複して適用を受けることができない。

問題50
　Sさんは、商業用店舗の建設等を通じた所有土地の有効活用について検討している。土地の有効活用の手法の一般的な特徴についてまとめた下表のうち、各項目に記載された内容が最も適切なものはどれか。

有効活用の手法	土地の所有名義（有効活用後）	建物の所有名義	Sさんの建設資金の負担の要否
建設協力金方式	Sさん	デベロッパー	不要（全部または一部）
等価交換方式	Sさんとデベロッパー	Sさんとデベロッパー	必要
事業受託方式	Sさんとデベロッパー	Sさん	必要
定期借地権方式	Sさん	借地権者	不要

1．建設協力金方式
2．等価交換方式
3．事業受託方式
4．定期借地権方式

問題51
　民法上の遺言に関する次の記述のうち、最も適切なものはどれか。
1．被相続人は、遺言で、相続開始の時から3年間に限り、遺産の分割を禁ずることができる。
2．遺言者が自筆証書遺言に添付する財産目録をパソコンで作成する場合でも、当該目録への署名および押印は必要である。
3．遺言者が法務局における自筆証書遺言書保管制度を利用した場合でも、その自筆証書遺言について、相続開始後の家庭裁判所の検認手続きは必要である。
4．遺言による相続分の指定または遺贈によって、相続人の遺留分が侵害された場合、その遺言は無効となる。

問題52
　民法上の贈与に関する次の記述のうち、最も適切なものはどれか。
1．書面によらない贈与は、その履行の終わった部分についても、各当事者が解除をすることができる。
2．負担付贈与とは、贈与者が受贈者に対して一定の債務を負担させることを条件とする贈与をいい、その受贈者の負担により利益を受ける者は贈与者に限られない。

3．死因贈与とは、贈与者の死亡によって効力が生じる贈与をいい、贈与者のみの意思表示により成立する。

4．定期贈与とは、贈与者が受贈者に対して定期的に財産を給付することを目的とする贈与をいい、贈与者または受贈者のいずれか一方が生存している限り、その効力を失うことはない。

問題53

贈与税の非課税財産等に関する次の記述のうち、最も不適切なものはどれか。

1．個人から受ける社交上必要と認められる香典や見舞金等の金品で、贈与者と受贈者との関係等に照らして社会通念上相当と認められるものは、贈与税の課税対象とならない。

2．母が所有する土地の名義を無償で子の名義に変更した場合、その土地は、原則として、贈与税の課税対象とならない。

3．相続または遺贈により財産を取得した者が、相続開始の年において被相続人から贈与により取得した財産は、原則として、相続税の課税価格に算入されるため、贈与税の課税対象とならない。

4．法人から財産を贈与により個人が取得した場合、その取得した財産は、贈与税の課税対象とならない。

問題54

民法上の相続人等に関する次の記述のうち、最も適切なものはどれか。

1．被相続人の子が相続開始以前に廃除により相続権を失った場合、その者に子がいるときは、その子（被相続人の孫）は代襲相続人となる。

2．20歳に達した者は、尊属または年長者以外の者を養子とすることができるが、養子には人数制限があり、実子のいる者は1人まで、実子がいない者は2人までである。

3．被相続人の配偶者は、常に相続人となり、被相続人に子がいる場合、子が第2順位の相続人となる。

4．相続開始時において胎児は、まだ出生していないため相続権を有さない。

問題55

民法に規定する相続に関する次の記述のうち、最も適切なものはどれか。

1．相続人が自己のために相続の開始があったことを知った日から6ヵ月以内に限定承認または放棄をしなかったとき、相続人は単純承認をしたものとみなされる。

2．相続の放棄は、相続人が複数いる場合、相続の放棄を行おうとする者全員で行わなければならない。

3．相続人が不存在である場合は、被相続人の相続財産は法人となり、特別縁故者が相続財産の分与を希望したとしても、相続財産が特別縁故者に分与されることは認められない。

4．限定承認とは、相続によって得た財産の限度においてのみ被相続人の債務等を弁済することを条件として相続を承認することであり、被相続人が債務超過であった場合でも、相続人はその債務超過部分を自己の固有財産から債権者へ弁済する必要はない。

問題56

相続税の課税財産等に関する次の記述のうち、最も不適切なものはどれか。

1．契約者および被保険者を相続人とする生命保険契約の保険料を被相続人が負担していた場合、

被相続人が負担していた保険料に対応する生命保険契約に関する権利は、契約者である相続人が相続または遺贈により取得したものとみなされ、相続税の課税対象となる。

2．相続開始日が2024年中である場合において、被相続人から相続開始前3年以内に暦年課税による贈与により取得した上場株式は、その者が相続または遺贈により財産を取得していない場合、相続税の課税対象とならない。

3．老齢基礎年金の受給権者が死亡し、その者に支給すべき年金給付で、死亡後に支給期の到来する年金を、生計を同じくしていた受給権者の子が受け取った場合、当該年金は相続税の課税対象となる。

4．2023年10月1日に被相続人から相続時精算課税制度による贈与により取得した現金は、その者が相続や遺贈により財産を取得したかどうかにかかわらず、相続税の課税対象となる。

問題57

相続税の延納および物納に関する次の記述のうち、最も適切なものはどれか。

1．相続税の延納については、原則として、担保を提供しなければならないが、延納税額が100万円以下であり、かつ、延納期間が3年以下である場合には、担保の提供は不要である。

2．相続税の延納については、納付すべき相続税額が5万円を超え、その納期限までに金銭で納付することが困難である場合には、その納付を困難とする金額を限度として、延納が認められる。

3．相続開始日が2024年中である場合において、物納に充てることができる財産には、相続開始前3年以内の生前贈与加算の適用を受けた財産および相続時精算課税制度の適用を受けた財産が含まれる。

4．小規模宅地等の特例の適用を受けた宅地を物納した場合の収納価額は、特例適用前の価額とされる。

問題58

各種金融資産等の相続税評価に関する次の記述のうち、最も適切なものはどれか。

1．ゴルフ会員権のうち、株式の所有を必要とせず、かつ、譲渡できない会員権で、返還を受けることができる預託金等がなく、ゴルフ場施設を利用して単にプレーができるだけのものについては評価しない。

2．相続開始時において、保険事故が発生していない生命保険契約に関する権利の価額は、原則として、既払込保険料相当額によって評価する。

3．金融商品取引所に上場されている利付公社債の価額は、発行価額と源泉所得税相当額控除後の既経過利息の額との合計額によって評価する。

4．外貨預金の邦貨換算については、原則として、取引金融機関が公表する課税時期における最終の対顧客直物電信売相場（ＴＴＳ）またはこれに準ずる相場による。

問題59

小規模宅地等についての相続税の課税価格の計算の特例（以下「本特例」という）に関する次の記述のうち、最も不適切なものはどれか。なお、記載のない事項については、本特例の適用要件を満たしているものとする。

1．被相続人の配偶者が、被相続人が居住の用に供していた宅地を相続により取得した場合、相続税の申告期限までにその宅地を賃貸していたとしても、本特例の適用を受けることができる。

2．相続人以外の親族が、被相続人が事業の用に供していた宅地を遺贈により取得した場合であっても、本特例の適用を受けることができる。

3．被相続人の子が相続により取得した宅地が、本特例における貸付事業用宅地等に該当する場合、その宅地のうち400㎡までを限度面積として、評価額の80％相当額を減額した金額を、相続税の課税価格に算入すべき価額とすることができる。

4．被相続人の子が相続により取得した宅地が、特定居住用宅地等と特定事業用宅地等の２つの宅地を取得した場合、適用対象面積の調整はせず、それぞれの適用対象面積の限度まで本特例の適用を受けることができる。

問題60

　相続対策における生命保険の活用に関する次の記述の空欄（ア）、（イ）にあてはまる語句の組み合わせとして、最も適切なものはどれか。

　非上場会社のオーナー社長であるＡさんの推定相続人は、妻Ｂさん、子Ｃさんおよび子Ｄさんの３人であり、Ａさんの自社株以外の主な財産は、現預金だけである。

　将来、自己に相続が開始したときにおいて、自己の保有するすべての自社株を後継者である子Ｄさんに相続させるとともに、子Ｄさんは、他の相続人に対して代償財産を交付するという代償分割を実施することを検討している。この場合、交付する代償財産の財源として、契約者（＝保険料負担者）および被保険者を（　ア　）、死亡保険金受取人を（　イ　）とする終身保険に加入することは効果的である。

1．（ア）Ａさん　　（イ）子Ｄさん

2．（ア）子Ｄさん　（イ）子Ｄさん

3．（ア）子Ｄさん　（イ）妻Ｂさんと子Ｃさん

4．（ア）Ａさん　　（イ）妻Ｂさんと子Ｃさん

2025年　1月・5月
ファイナンシャル・プランニング技能検定対策

第2予想

2級　学　科

試験時間 ◆ 120分

★　注　意　★

1．本試験の出題形式は、四答択一式 60問です。

2．筆記用具、計算機（プログラム電卓等を除く）の持込みが認められています。

3．試験問題については、特に指示のない限り、2024年10月1日現在施行の法令等に基づいて解答してください。なお、東日本大震災の被災者等に対する各種特例については考慮しないものとします。

TAC出版
TAC PUBLISHING Group

問題1
　ファイナンシャル・プランナー（以下「FP」という）の顧客に対する行為に関する次の記述のうち、関連法規に照らし、最も不適切なものはどれか。
1. 生命保険募集人の登録を受けていないFPのAさんは、ライフプランの相談に来た顧客に対して、個人年金保険の一般的な商品内容や活用方法を有償で説明した。
2. 弁護士の登録を受けていないFPのBさんは、顧客から自筆証書遺言書保管制度について相談を受け、関連法令の条文を示しながら、制度の概要を無償で説明した。
3. 金融商品取引業の登録を受けていないFPのCさんは、投資一任契約に基づき、顧客から株式投資に関する必要な権限を有償で委任され、当該顧客の資金を預かり、株価の値上がりと高配当が期待できる株式の個別銘柄への投資を行った。
4. 税理士の登録を受けていないFPのDさんは、顧客から「直系尊属から住宅取得等資金の贈与を受けた場合の贈与税の非課税」について相談を受け、関連法令の条文を示しながら、制度の概要を無償で説明した。

問題2
　在職老齢年金に関する次の記述のうち、最も適切なものはどれか。
1. 在職老齢年金の仕組みにより老齢厚生年金の全部が支給停止される場合、老齢基礎年金の支給も停止される。
2. 65歳以上70歳未満の厚生年金保険の被保険者が受給している老齢厚生年金の年金額は、毎年10月1日を基準日として再計算され、その翌月から改定される。
3. 在職老齢年金の仕組みにおいて、支給停止調整額は、受給権者が65歳未満の場合と65歳以上の場合とでは異なっている。
4. 厚生年金保険の被保険者が、70歳で被保険者資格を喪失した後も引き続き厚生年金保険の適用事業所に在職する場合、総報酬月額相当額および基本月額の合計額にかかわらず、在職老齢年金の仕組みにより老齢厚生年金が支給停止となることがある。

問題3
　公的介護保険に関する次の記述のうち、最も適切なものはどれか。
1. 要介護認定を受けた被保険者の介護サービス計画（ケアプラン）は、被保険者本人が自ら作成することはできない。
2. 健康保険に加入している第2号被保険者が負担する公的介護保険の保険料は、健康保険の保険料と一体的に徴収され、原則として、労使折半で負担する。
3. 公的介護保険の保険給付は、保険者から要介護状態または要支援状態にある旨の認定を受けた被保険者に対して行われるが、第2号被保険者については、要介護状態または要支援状態となった原因は問われない。
4. 公的介護保険の第2号被保険者のうち、前年の合計所得金額が220万円以上の者が介護サービスを利用した場合の自己負担割合は、原則として3割である。

問題4
　雇用保険に関する次の記述のうち、最も適切なものはどれか。
1. 特定受給資格者等を除く一般の受給資格者に支給される基本手当の所定給付日数は、算定基礎期間が20年以上の場合、120日である。

2．高年齢雇用継続基本給付金の額は、1支給対象月に支払われた賃金の額が、みなし賃金日額に30を乗じて得た額の61％未満である場合、原則として、当該支給対象月に支払われた賃金の額の6％相当額である。

3．育児休業給付金に係る支給単位期間において、一般被保険者や高年齢被保険者に対して支払われた賃金額が、休業開始時賃金日額に支給日数を乗じて得た額の80％相当額以上である場合、当該支給単位期間について育児休業給付金は支給されない。

4．育児休業給付金の支給額は、1支給単位期間について、休業開始日から休業日数が通算して180日に達するまでの間は、原則として、休業開始時賃金日額に支給日数を乗じて得た額の50％相当額である。

問題5

国民年金に関する次の記述のうち、最も不適切なものはどれか。

1．学生納付特例期間は、その期間に係る保険料の追納がない場合、老齢基礎年金の受給資格期間に算入されるが、老齢基礎年金の年金額には反映されない。

2．生活保護法による生活扶助を受けることによる保険料免除期間は、その期間に係る保険料の追納がない場合、老齢基礎年金の受給資格期間に算入されず、老齢基礎年金の年金額にも反映されない。

3．保険料免除期間に係る保険料のうち、追納することができる保険料は、追納に係る厚生労働大臣の承認を受けた日の属する月前10年以内の期間に係るものに限られる。

4．産前産後期間の保険料免除制度により保険料の納付が免除された期間は、保険料納付済期間として老齢基礎年金の年金額に反映される。

問題6

公的年金に関する次の記述のうち、最も不適切なものはどれか。

1．健康保険の傷病手当金の支給を受けるべき者が、同一の疾病または負傷およびこれにより発した疾病について障害厚生年金の支給を受けることができるとき、原則として傷病手当金は支給されない。

2．国民年金の保険料納付済期間が10年以上あり、厚生年金保険の被保険者期間を有する者は、原則として、65歳から老齢基礎年金および老齢厚生年金を受給することができる。

3．加給年金額が加算される老齢厚生年金について繰下げ支給の申出をする場合、加給年金額については繰下げ支給による増額の対象にはならない。

4．老齢厚生年金の繰下げ支給を請求する場合、老齢基礎年金の繰下げ支給の請求も同時に行わなければならない。

問題7

公的年金の障害給付に関する次の記述のうち、最も適切なものはどれか。

1．国民年金の被保険者ではない20歳未満の期間に初診日および障害認定日があり、20歳に達した日において障害等級1級または2級に該当する程度の障害の状態にある者には、障害基礎年金は支給されるが、所得による支給制限がある。

2．障害等級1級に該当する程度の障害の状態にある者に支給される障害基礎年金の額は、障害等級2級に該当する程度の障害の状態にある者に支給される障害基礎年金の額の100分の150に相当する額である。

3．障害等級3級に該当する程度の障害の状態にある者に支給される障害厚生年金の額について
は、障害等級2級に該当する程度の障害の状態にある者に支給される障害基礎年金の額の3分
の2相当額が最低保障される。

4．障害等級2級に該当する程度の障害の状態にある障害厚生年金の受給権者が、所定の要件を満
たす子を有する場合、その受給権者に支給される障害厚生年金には加給年金額が加算される。

問題8

公的年金の併給調整等に関する次の記述のうち、最も不適切なものはどれか。

1．障害基礎年金と遺族厚生年金の受給権を有している者は、65歳以降、障害基礎年金と遺族厚生
年金を同時に受給することができる。

2．障害基礎年金と老齢厚生年金の受給権を有している者は、65歳以降、障害基礎年金と老齢厚生
年金を同時に受給することができる。

3．遺族厚生年金と老齢厚生年金の受給権を有している者は、65歳以降、遺族厚生年金の支給が優
先され、受給権者の老齢厚生年金より遺族厚生年金のほうが高い場合は、老齢厚生年金が全額
支給停止となる。

4．同一の事由により、障害厚生年金と労働者災害補償保険法に基づく障害補償年金が支給される
場合、障害厚生年金は全額支給され、障害補償年金は所定の調整率により減額される。

問題9

奨学金および教育ローンに関する次の記述のうち、最も不適切なものはどれか。

1．日本学生支援機構の貸与奨学金のうち、第一種奨学金の返還方式には、貸与総額に応じて月々
の返還額が算出され、返還完了まで定額で返還する「定額返還方式」と、前年の所得に応じて
その年の毎月の返還額が決まり、返還期間が変動する「所得連動返還方式」がある。

2．日本学生支援機構の給付奨学金を申し込む者は、一定の基準を満たせば、併せて貸与型の第一
種奨学金および第二種奨学金を申し込むこともできる。

3．日本政策金融公庫の教育一般貸付（国の教育ローン）の資金使途には、入学金・授業料等の学
校納付金や教材費だけではなく、自宅外から通学する学生の住居費用等も含まれる。

4．日本政策金融公庫の教育一般貸付（国の教育ローン）の申込人は、学生等の保護者に限られ
る。

問題10

クレジットカード会社（貸金業者）が発行するクレジットカードの一般的な利用に関する次の記
述のうち、最も不適切なものはどれか。

1．クレジットカードで無担保借入（キャッシング）をする行為や商品を購入（ショッピング）す
る行為は、貸金業法上、総量規制の対象とならない。

2．クレジットカードで商品を購入（ショッピング）した場合の返済方法の一つである分割払い
は、カード利用時に代金の支払回数を決め、利用代金をその回数で分割して支払う方法であ
る。

3．ICチップを埋め込んだクレジットカードを専用の端末機のある加盟店で利用する場合、署名
に代えて暗証番号を入力する方法によって決済することができる。

4．クレジットカードは、約款上、クレジットカード会社が所有権を有しており、クレジットカー
ド券面上に印字された会員本人以外が使用することはできないとされている。

問題11

わが国の保険制度に関する次の記述のうち、**最も適切なもの**はどれか。

1. 保険業法は、保険会社と締結した保険契約だけでなく、少額短期保険業者と締結した保険契約も適用対象となる。
2. 日本国内で事業を行う生命保険会社が破綻した場合、生命保険契約者保護機構による補償の対象となる保険契約については、高予定利率契約を除き、原則として、破綻時点の保険金や年金等の90％まで補償される。
3. 保険業法上、保険期間が1年以内の保険契約の申込みをした者は、契約の申込日から8日以内であれば、書面により申込みの撤回等をすることができる。
4. 保険業法で定められた保険会社の健全性を示すソルベンシー・マージン比率が300％を下回った場合、監督当局による業務改善命令などの早期是正措置の対象となる。

問題12

個人年金保険の一般的な商品性に関する次の記述のうち、**最も適切なもの**はどれか。なお、いずれも契約者（＝保険料負担者）、被保険者および年金受取人は同一人とする。

1. 生存保障重視型の個人年金保険（いわゆるトンチン年金保険）は、年金受取開始前の死亡給付金や解約返戻金の金額を低く設定し、年金の受取金額を多く設定する保険である。
2. 確定年金は、10年、15年などの契約時に定めた年金支払期間中に被保険者が死亡した場合、その時点で契約が消滅して年金支払いは終了する。
3. 10年保証期間付終身年金において、被保険者の性別以外の契約条件が同一である場合、保険料は男性の方が女性よりも高くなる。
4. 変額個人年金保険では、特別勘定における運用実績によって、将来受け取る年金額が変動するが、年金受取開始前に被保険者が死亡した場合に支払われる死亡給付金については、基本保険金額（契約時に定めた保険金額）が定額で支払われる。

問題13

団体生命保険等の一般的な商品性に関する次の記述のうち、**最も不適切なもの**はどれか。

1. 団体定期保険（Bグループ保険）は、従業員等が任意に加入する1年更新の保険であり、毎年、保険金額を所定の範囲内で見直すことができる。
2. 総合福祉団体定期保険では、契約者（＝保険料負担者）は法人であるため、ヒューマン・ヴァリュー特約を付加する場合、被保険者の同意は不要である。
3. 勤労者財産形成貯蓄積立保険（一般財形）は、給与から天引きされる積立貯蓄型の保険であり、中途で自由に引き出すことは可能だが、利子差益には原則として一律20.315％の源泉分離課税が適用される。
4. 住宅ローンの利用に伴い加入する団体信用生命保険では、被保険者が住宅ローン利用者（債務者）、死亡保険金受取人が金融機関等（債権者）となる。

問題14

生命保険の課税関係に関する次の記述のうち、**最も適切なもの**はどれか。なお、いずれも契約者（＝保険料負担者）および保険金・給付金等の受取人は個人であるものとする。

1. 契約者と被保険者が同一である医療保険において、被保険者が疾病の治療のために入院したことにより受け取る入院給付金は、一時所得として所得税の課税対象となる。

2．契約者および保険金受取人が夫、被保険者が妻である終身保険において、妻が死亡して夫が受け取る死亡保険金は、相続税の課税対象となる。

3．一時払終身保険を保険期間の初日から4年9ヵ月で解約して契約者が受け取った解約返戻金は、一時所得として所得税の課税対象となる。

4．契約者と被保険者が同一である養老保険において、被保険者の相続人ではない者が受け取る死亡保険金は、贈与税の課税対象となる。

問題15

住宅用建物および家財を保険の対象とする火災保険の一般的な商品性に関する次の記述のうち、最も適切なものはどれか。なお、特約については考慮しないものとする。

1．家財を保険の対象として契約した場合、同一敷地内の車庫にある自動車が火災により被った損害は補償の対象となる。

2．家財を保険の対象として契約した場合、自宅で飼っている犬や猫などのペットも補償の対象となる。

3．住宅用建物を保険の対象として契約した場合、急激な気象変化により生じた竜巻による損害は補償の対象となる。

4．住宅用建物を保険の対象として契約した場合、時間の経過によりその建物の壁に発生したカビによる損害は補償の対象となる。

問題16

傷害保険の一般的な商品性に関する次の記述のうち、最も不適切なものはどれか。なお、特約については考慮しないものとする。

1．交通事故傷害保険では、交通乗用具に搭乗中の交通事故や交通乗用具の火災事故によるケガが補償の対象となり、交通乗用具には、エレベーターやエスカレーターも含まれる。

2．家族傷害保険では、保険期間中に記名被保険者に子が生まれた場合、その子を被保険者に加えるための追加保険料を支払う必要がない。

3．海外旅行傷害保険では、海外旅行中に罹患したウイルス性食中毒は補償の対象とならない。

4．国内旅行傷害保険では、旅行先の地震により発生した津波でのケガは補償の対象とならない。

問題17

契約者（＝保険料負担者）を法人とする損害保険契約の経理処理に関する次の記述のうち、最も不適切なものはどれか。

1．法人が所有する建物を対象とする長期の火災保険に加入し、保険料を一括で支払った場合、支払った保険料のうち当該事業年度に係る部分を損金の額に算入することができる。

2．積立傷害保険が満期を迎え、法人が満期返戻金と契約者配当金を受け取った場合、その全額を益金の額に算入し、それまで資産に計上していた積立保険料の累計額を損金の額に算入することができる。

3．法人が所有する業務用自動車が交通事故で損壊し、法人が受け取った自動車保険の車両保険の保険金で修理をした場合、当該保険金を益金の額に算入し、当該修理費を損金の額に算入することができる。

4．工場建物が全焼し、同一事業年度中に受け取った火災保険金で、当該工場建物が減失等をしたときにおいて現に建設中であった他の工場建物を完成させた場合、完成後の工場建物は圧縮記

帳の対象となる。

問題18

第三分野の保険の一般的な商品性に関する次の記述のうち、最も不適切なものはどれか。

1. 1泊2日の入院検査（人間ドック検診）で異常が認められ、治療を目的とした入院を医師から指示された場合、その追加の入院については医療保険の入院給付金の支払対象となる。
2. がん保険では、通常、90日間または3ヵ月間の免責期間が設けられており、その期間中に被保険者ががんと診断確定された場合であっても、がん診断給付金は支払われない。
3. 先進医療特約で先進医療給付金の支払対象とされている先進医療は、契約時点において厚生労働大臣によって定められているものである。
4. 特定（三大）疾病保障定期保険では、被保険者が特定疾病に罹患し、特定疾病保険金を受け取った場合、その後被保険者が死亡しても死亡保険金は支払われない。

問題19

生命保険を利用した家庭のリスク管理に係る一般的な説明に関する次の記述のうち、最も不適切なものはどれか。

1. 自己の相続における相続税の納税資金を準備したいAさん（65歳）に対し、「契約者（＝保険料負担者）および被保険者をAさん、死亡保険金受取人をAさんの推定相続人とする終身保険に加入することで、相続税の納税資金を準備することができます」と説明した。
2. 医療保障を目的とする保険商品への加入を検討しているBさん（45歳）に対し、「Bさんが加入されている終身保険に医療特約を中途付加することで、医療保障を準備することができます。なお、中途付加した医療特約は、主契約が消滅すると医療特約も消滅します」と説明した。
3. 死亡保障を目的とする生命保険への加入を検討しているCさん（35歳）に対し、「必要保障額を計算して過不足のない適正額の死亡保障を準備することをお勧めします。必要保障額は、通常、末子が誕生したときに最大になります」と説明した。
4. 自分が死亡した後の子どもが社会人になるまでの生活費を準備したいDさん（55歳）に対し、「被保険者が死亡した場合に、保険金を年金形式または一時金で受け取ることができる収入保障保険への加入をお勧めします。ただし、年金形式で受け取る場合、一時金での受取総額よりも少なくなります」と説明した。

問題20

損害保険を活用した事業活動のリスク管理に関する次の記述のうち、最も不適切なものはどれか。

1. 清掃業務を請け負っている事業者が、清掃業務中の事故により従業員がケガをして、法律上の損害賠償責任を負担する場合に備えて、請負業者賠償責任保険を契約した。
2. 生活用品を製造する事業者が、製造した製品の欠陥が原因で顧客がケガをして、法律上の損害賠償責任を負担する場合に備えて、生産物賠償責任保険（PL保険）を契約した。
3. 建設業を営む事業者が、従業員が業務中の事故によりケガをする場合に備えて、労働者災害補償保険（政府労災保険）の上乗せとして労働災害総合保険（法定外補償）を契約した。
4. ボウリング場を運営する事業者が、設備の管理不備に起因する事故により顧客がケガをして、法律上の損害賠償責任を負担する場合に備えて、施設所有（管理）者賠償責任保険を契約し

た。

問題21

経済指標に関する次の記述のうち、最も適切なものはどれか。

1. 有効求人倍率（除学卒）は、月間有効求職者数を月間有効求人数で除して求められる指数である。
2. 消費者物価指数は、全国の世帯が購入する家計に係る財およびサービスの価格等を総合した物価の変動を時系列的に測定した指標であり、そのうち生鮮食品を除く総合指数は、景気動向指数の一致系列に採用されている。
3. 消費動向指数は、家計調査の結果を補完し、消費全般の動向を捉える分析用のデータとして作られた指標であり、世帯消費動向指数（ＣＴＩミクロ）と総消費動向指数（ＣＴＩマクロ）の2つの指標体系で構成される。
4. 消費者態度指数は、現在の景気動向に対する消費者の意識を調査して数値化した指標であり、景気動向指数の遅行系列に採用されている。

問題22

銀行等の金融機関で取り扱う預金商品の一般的な商品性等に関する次の記述のうち、最も不適切なものはどれか。

1. 貯蓄預金は、クレジットカード利用代金などの自動振替口座や、給与や年金などの自動受取口座として利用することができない。
2. スーパー定期預金は、預入期間が3年以上の場合、単利型と半年複利型があるが、半年複利型を利用することができるのは個人に限られる。
3. 期日指定定期預金は、据置期間経過後から最長預入期日までの間で、金融機関が指定した日が満期日となる。
4. オプション取引などのデリバティブを組み込んだ期間延長特約付きの仕組預金は、金融機関が預入日以降に満期日を延長することができる権利を有している預金である。

問題23

年1回複利の割引率を年率0.5％とした場合、5年後の100万円の現在価値として、最も適切なものはどれか。なお、計算過程では端数処理を行わず、計算結果は円未満を切り捨てること。

1. 975,000円
2. 975,370円
3. 980,247円
4. 985,148円

問題24

固定利付債券（個人向け国債を除く）の一般的な特徴に関する次の記述のうち、最も適切なものはどれか。

1. 国内景気が好況で国内物価が継続的に上昇傾向にある局面では、債券価格は上昇する傾向がある。
2. 市場金利の上昇は債券価格の上昇要因となり、市場金利の低下は債券価格の下落要因となる。
3. 債券の発行体の財務状況の悪化や経営不振などにより、償還や利払い等が履行されない可能性が高まると、当該債券の市場価格は下落する傾向がある。

4．債券を発行体の信用度で比較した場合、他の条件が同じであれば、発行体の信用度が高い債券の方が債券の価格は低い。

問題25

個人（居住者）が国内の金融機関等を通じて行う外貨建て金融商品の取引等に関する次の記述のうち、**最も適切なもの**はどれか。

1．外貨預金の預入時に円貨を外貨に換える際の為替レートは、一般に、ＴＴＢが適用される。
2．国外の証券取引所に上場している外国株式であっても、国内店頭取引により売買するのであれば、あらかじめ外国証券取引口座を開設する必要はない。
3．外国株式については、一部銘柄を除き、金融商品取引法に基づくディスクロージャー制度の適用を受けず、同法に基づく企業内容等の開示は行われない。
4．米ドル建て債券を保有している場合、為替レートが円安・米ドル高に変動することは、当該債券に係る円換算の投資利回りの下落要因となる。

問題26

債券のイールドカーブ（利回り曲線）の一般的な特徴等に関する次の記述のうち、**最も適切なもの**はどれか。

1．イールドカーブは、縦軸を債券の利回り、横軸を債券価格として、利回りと債券価格の関係を表した曲線である。
2．イールドカーブの形状は、金融引締め時には順イールドを形成する傾向があり、金融緩和時には右下がりの逆イールドを形成する傾向がある。
3．イールドカーブは、好況時に中央銀行が金融引締めを行うとフラット化し、不況時に中央銀行が金融緩和を行うとスティープ化する傾向がある。
4．イールドカーブは、将来の景気拡大が予想されるとフラット化し、将来の景気後退が予想されるとスティープ化する傾向がある。

問題27

ポートフォリオ理論に関する次の記述のうち、**最も不適切なもの**はどれか。

1．ポートフォリオの期待収益率は、組み入れた各資産の期待収益率を組入比率で加重平均した値となる。
2．国内株式のポートフォリオにおいて、組入れ銘柄数を増やしても、システマティック・リスクを低減することはできない。
3．異なる2資産からなるポートフォリオにおいて、2資産間の相関係数が＋1である場合、ポートフォリオを組成することによる分散投資の効果（リスクの低減）は得られない。
4．ポートフォリオのリスクは、組み入れた各資産のリスクを組入比率で加重平均した値よりも大きくなる。

問題28

投資家Ａさんの各資産のポートフォリオの構成比および期待収益率が下表のとおりであった場合、Ａさんの資産のポートフォリオの期待収益率として、**最も適切なもの**はどれか。

資産	ポートフォリオの構成比	期待収益率
預金	55%	0.2%
債券	25%	1.0%
株式	20%	6.0%

1．0.52%
2．1.56%
3．2.40%
4．7.20%

問題29

　わが国における個人による金融商品取引に係るセーフティネットに関する次の記述のうち、最も適切なものはどれか。

1．国内銀行に預けられている外貨預金は、元本1,000万円までとその利息が預金保険制度による保護の対象となる。
2．ゆうちょ銀行に預けられている通常貯金は、元本1,300万円までとその利息が預金保険制度による保護の対象となる。
3．国内銀行に預け入れられている円建ての仕組預金の利息については、預入時における通常の円定期預金（仕組預金と同一の期間および金額）の店頭表示金利までが預金保険制度の保護の対象となる。
4．証券会社が破綻し、分別管理が適切に行われていなかったために、一般顧客の資産の一部または全部が返還されない事態が生じた場合、日本投資者保護基金により、補償対象債権に係る顧客資産について一般顧客一人当たり1,500万円を上限として補償される。

問題30

　金融派生商品に関する次の記述のうち、最も不適切なものはどれか。

1．先物取引を利用したヘッジ取引には、将来の価格上昇リスク等を回避または軽減する買いヘッジと、将来の価格下落リスク等を回避または軽減する売りヘッジがある。
2．先物の将来の価格を予想してポジションを取り、予想どおりの方向に変動したときに反対売買を行って利益を確定することを狙う取引を、裁定取引という。
3．オプションの買い手の損失は限定されるが、オプションの売り手の利益はプレミアム（オプション料）に限定される。
4．コール・オプション、プット・オプションのいずれも、他の条件が同じであれば、満期までの期間が長いほど、プレミアム（オプション料）は高くなる。

問題31

　所得税の基本的な仕組みに関する次の記述のうち、最も適切なものはどれか。

1．所得税は、納税者が申告をした後に、税務署長が所得や納付すべき税額を決定する賦課課税方式を採用している。
2．所得税では、課税対象となる所得を10種類に区分し、それぞれの所得の種類ごとに定められた計算方法により所得の金額を計算する。
3．課税総所得金額に対する所得税額は、課税総所得金額に応じて10段階に区分された税率を用い

て計算される。

4．所得税の納税義務を負うのは居住者のみであり、非居住者が所得税の納税義務を負うことはない。

問題32

所得税の課税所得に関する次の記述のうち、最も適切なものはどれか。

1．所得補償保険の契約者（＝保険料負担者かつ被保険者）である個人が、ケガにより勤務することができなくなった期間の収入の補てんとして受け取った保険金は、給与所得として所得税の課税対象となる。

2．給与所得者が受け取った雇用保険の高年齢雇用継続基本給付金は、給与所得として所得税の課税対象となる。

3．火災保険の契約者（＝保険料負担者かつ家屋の所有者）である個人が、火災により家屋が焼失したことで受け取った保険金は、一時所得として所得税の課税対象となる。

4．個人が法人から贈与された金品（業務に関して受けるもの、継続的に受けるものを除く）は、一時所得として所得税の課税対象となる。

問題33

所得税の各種所得に関する次の記述のうち、最も適切なものはどれか。

1．絵画や骨董品など一般資産の譲渡所得については、その資産の取得日から譲渡年の1月1日までの期間が5年超の場合、総合長期譲渡所得となる。

2．給与所得控除額は、給与等の収入金額に応じて計算されるが、収入金額が162.5万円以下である場合は65万円となり、収入金額が850万円を超える場合は195万円となる。

3．納税者本人の収入が給与のみで収入金額は850万円を超えており、納税者本人が年齢70歳以上の扶養親族を有する場合、所得金額調整控除の適用対象となる。

4．会社員が勤務先から無利息で金銭を借りたことにより生じた経済的利益は、給与所得となる。

問題34

所得税の損益通算に関する次の記述のうち、最も適切なものはどれか。

1．不動産の貸付けが事業的規模でない場合において、その貸付けによる不動産所得の金額の計算上生じた損失の金額は、他の所得の金額と損益通算できる。

2．生命保険を解約して解約返戻金を受け取ったことによる一時所得の金額の計算上生じた損失の金額は、他の所得の金額と損益通算することができる。

3．取得してから5年が経過した山林を伐採して譲渡したことによる山林所得の金額の計算上生じた損失の金額は他の所得の金額と損益通算することができない。

4．金地金を売却したことによる譲渡所得の金額の計算上生じた損失の金額は、他の所得の金額と損益通算することができる。

問題35

所得税における医療費控除に関する次の記述のうち、最も適切なものはどれか。

1．医師等による診療等を受けるために、自家用車で通院した際に支払ったガソリン代や駐車場の料金は、医療費控除の対象となる。

2．給与所得者は、年末調整により医療費控除の適用を受けることができる。

3．健康保険組合や共済組合などから出産育児一時金や家族出産育児一時金が支給された場合、その金額は、医療費控除の額を計算する際に、医療費から差し引かなければならない。

4．その年の総所得金額等が600万円の納税者が医師の診療に係る医療費を支払った場合、200万円を限度として、その全額を医療費控除として総所得金額等から控除することができる。

問題36
　所得税における住宅借入金等特別控除（以下「住宅ローン控除」という）に関する次の記述のうち、最も不適切なものはどれか。なお、記載されたもの以外の要件はすべて満たしているものとする。

1．住宅ローン控除の適用を受けるためには、原則として、住宅を取得した日から6ヵ月以内に自己の居住の用に供し、適用を受ける年分の12月31日まで引き続き居住していなければならない。

2．住宅ローン控除の適用を受けていた者が、転勤等のやむを得ない事由により転居したため、取得した住宅を居住の用に供しなくなった場合、翌年以降に再び当該住宅をその者の居住の用に供したとしても、再入居した年以降、住宅ローン控除の適用を受けることはできない。

3．住宅ローン控除の適用を受ける最初の年分は、必要事項を記載した確定申告書に一定の書類を添付し、納税地の所轄税務署長に提出しなければならない。

4．新たに取得した住宅を居住の用に供した年に、これまで居住していた居住用財産を譲渡して「居住用財産を譲渡した場合の3,000万円の特別控除」の適用を受けた場合、住宅ローン控除の適用を受けることはできない。

問題37
　個人住民税の原則的な仕組みに関する次の記述のうち、最も不適切なものはどれか。

1．個人住民税の課税は、その年の1月1日において都道府県内または市町村（特別区を含む）内に住所を有する者に対して行われる。

2．個人住民税の所得割額は、所得税の所得金額の計算に準じて計算した前年中の所得金額から所得控除額を控除し、その金額に税率を乗じて得た額から税額控除額を差し引くことにより算出される。

3．所得税の納税義務がある自営業者が所得税の確定申告をした場合、原則として、住民税の申告書も提出したものとみなされる。

4．納税者が死亡した時点で未納付の個人住民税があった場合、相続の放棄をした者でも、その未納付分を納税する義務を負う。

問題38
　消費税に関する次の記述のうち、最も不適切なものはどれか。

1．課税事業者が行う金融商品取引法に規定する有価証券の譲渡は、課税取引に該当する。

2．消費税の課税事業者である法人事業者は、原則として、消費税の確定申告書を課税期間の末日の翌日から2ヵ月以内に納税地の所轄税務署長に提出しなければならない。

3．その事業年度の基準期間がなく、その事業年度開始の日における資本金の額が1,000万円以上である新設法人は、消費税の免税事業者となることができない。

4．特定期間（原則として前事業年度の前半6ヵ月間）の給与等支払額の合計額および課税売上高がいずれも1,000万円を超える法人は、消費税の免税事業者となることができない。

問題39

　会社と役員間の取引に係る所得税・法人税に関する次の記述のうち、最も不適切なものはどれか。

1．会社が役員に支給した退職金は、不相当に高額な部分の金額など一定のものを除き、その会社の所得金額の計算上、損金の額に算入される。

2．役員が会社の所有する社宅に無償で居住している場合、原則として、通常の賃貸料相当額が、役員の給与所得の収入金額に算入される。

3．役員が会社に無利息で金銭の貸付けを行った場合、原則として、役員に対して所得税の課税はされない。

4．会社が役員の所有する土地を適正な時価よりも低い価額で取得した場合、その適正な時価が、その会社の所得金額の計算上、益金の額に算入される。

問題40

　企業の決算書および法人税の申告書に関する次の記述のうち、最も不適切なものはどれか。

1．貸借対照表において、純資産の部の合計額はマイナスになることがある。

2．損益計算書における税引前当期純利益の額は、営業利益の額から特別損益の額を加算・減算した額である。

3．法人税法上の所得金額は、確定した決算に基づく企業会計上の当期純利益または当期純損失を基に申告調整を行い、計算される。

4．キャッシュフロー計算書は、一会計期間における企業の資金の増減を示したものである。

問題41

　土地の価格に関する次の記述のうち、最も不適切なものはどれか。

1．評価替えの基準年度における宅地の固定資産税評価額は、前年の地価公示法による公示価格等の70％を目途として評定されている。

2．都道府県地価調査の基準地の標準価格は、毎年7月1日を価格判定の基準日としている。

3．公示価格は、全国で選定された標準地について、不動産鑑定士等の鑑定評価を基に土地鑑定委員会が正常な価格を判定し公示する価格であるが、当該標準地は、都市計画区域に限定されている。

4．市町村役場で「固定資産課税台帳」を閲覧することにより固定資産税評価額を確認できるが、閲覧できるのは、納税義務者、借地人および借家人等に限られており、誰でも閲覧できるわけではない。

問題42

　不動産の売買契約に係る民法の規定に関する次の記述のうち、最も不適切なものはどれか。なお、特約については考慮しないものとする。

1．売買契約締結後、買主の責めに帰することができない事由により、当該契約の目的物の引渡債務の全部が履行不能となった場合、買主は履行の催告をすることなく、直ちに契約の解除をすることができる。

2．買主が売主に解約手付を交付した後、売買代金の一部を支払った場合、売主は、受領した代金を返還し、かつ、手付金の倍額を現実に提供しても、契約を解除することができない。

3．不動産が共有されている場合に、各共有者が、自己が有している持分を第三者に譲渡するとき

は、他の共有者の同意を得る必要はない。

4．売主が種類または品質に関して契約の内容に適合しないことを過失なく知らないまま、売買契約の目的物を買主に引き渡した場合、買主は、その契約締結時から1年以内にその旨を売主に通知しないときは、その不適合を理由として契約の解除をすることができない。

問題43

借地借家法に関する次の記述のうち、最も適切なものはどれか。なお、本問においては、同法第22条から第24条の定期借地権等以外の借地権を普通借地権という。

1．一般定期借地権の設定を目的とする契約は、公正証書によってしなければならない。

2．事業用定期借地権等においては、一部を居住の用に供する建物の所有を目的とするときは、その存続期間を30年以上50年未満として設定することができる。

3．建物の譲渡により建物譲渡特約付借地権が消滅した場合において、当該建物の使用を継続する賃借人が借地権設定者に対して請求をしたときには、賃借人と借地権設定者との間で存続期間を2年とする建物の賃貸借がされたものとみなされる。

4．借地権者が借地上の建物を第三者に売却した場合において、借地権設定者が賃借権の譲渡を承認しないときは、建物を取得した第三者は、借地権設定者に対して、当該建物の買取りを請求することができる。

問題44

借地借家法に関する次の記述のうち、最も不適切なものはどれか。なお、本問においては、同法38条による定期建物賃貸借契約を定期借家契約といい、それ以外の建物賃貸借契約を普通借家契約という。

1．建物の賃貸人と賃借人の合意に基づき、賃貸借期間を1年未満として普通借家契約を締結した場合、当該契約は期間の定めのない建物賃貸借契約とみなされる。

2．定期借家契約は、契約当事者間の合意があれば、存続期間を1年未満とすることができる。

3．賃貸人は、定期借家契約締結後、速やかに、建物の賃借人に対して契約の更新がなく、期間の満了により当該建物の賃貸借が終了する旨を記載した書面を交付しなければならない。

4．定期借家契約において、その賃料が、近傍同種の建物の賃料に比較して不相当となっても、賃貸借期間中は増減額させないこととする特約をした場合、その特約は有効である。

問題45

都市計画法に関する次の記述のうち、最も不適切なものはどれか。

1．開発許可を受けた開発区域内の土地においては、開発行為に関する工事完了の公告があるまでの間は、原則として、建築物を建築することができない。

2．農業を営む者の居住の用に供する建築物の建築を目的として市街化調整区域内で行う開発行為は、開発許可を受ける必要はない。

3．土地の区画形質の変更が、建築物の建築や特定工作物の建設の用に供することを目的としていない場合、開発行為に該当しない。

4．都道府県は、すべての都市計画区域において、市街化区域と市街化調整区域との区分（区域区分）を定めなければならない。

問題46

都市計画区域および準都市計画区域内における建築基準法の規定に関する次の記述のうち、最も不適切なものはどれか。

1. 建築物の敷地が2つの異なる用途地域にわたる場合、その敷地の全部について、敷地の過半の属する用途地域の建築物の用途に関する規定が適用される。
2. 第二種低層住居専用地域において、高さが13mの建築物を建築することはできる。
3. 準工業地域においては、地方公共団体の条例で日影規制（日影による中高層の建築物の高さの制限）の対象区域として指定することができる。
4. 近隣商業地域内の建築物には、北側斜線制限（北側高さ制限）は適用されない。

問題47

農地法に関する次の記述のうち、最も不適切なものはどれか。

1. 市街化区域内の農地を宅地に転用する場合には、あらかじめ農業委員会へ届け出れば、都道府県知事等の許可は不要である。
2. 市街化区域内の農地に耕作のための賃借権を設定する場合には、原則として、農業委員会の許可が必要である。
3. 市街化区域内の農地を宅地への転用目的で売買する場合には、あらかじめ農業委員会に届け出たとしても、原則として、都道府県知事等の許可が必要である。
4. 市街化区域内の農地を農地として売買する場合には、原則として、農業委員会の許可が必要である。

問題48

建物の区分所有等に関する法律に関する次の記述のうち、最も適切なものはどれか。

1. 形状または効用の著しい変更を伴わない共用部分の変更を行うためには、区分所有者および議決権の各3分の2以上の多数による集会の決議が必要である。
2. 大規模滅失（建物の価格の2分の1超滅失）の復旧を行うためには、区分所有者および議決権の各4分の3以上の多数による集会の決議が必要である。
3. 通常の集会の招集の通知は、原則として、開催日の少なくとも14日前までに、会議の目的たる事項を示して、各区分所有者に発しなければならない。
4. 区分所有者は、敷地利用権が数人で有する所有権である場合、規約に別段の定めがなくとも、その有する専有部分とその専有部分に係る敷地利用権とを分離して処分することができる。

問題49

不動産の取得に係る税金に関する次の記述のうち、最も不適切なものはどれか。

1. 不動産取得税は、贈与により不動産を取得した場合であっても、その不動産の取得者に課される。
2. 一定の要件を満たす戸建て住宅（認定長期優良住宅を除く）を新築した場合、不動産取得税の課税標準の算定に当たっては、1戸につき最高1,200万円を価格から控除することができる。
3. 登録免許税は、建物を新築した場合の建物表題登記であっても課される。
4. 所有権移転登記に係る登録免許税の税率は、登記原因が贈与による場合の方が相続による場合に比べて高くなる。

問題50

土地の有効活用の手法等の一般的な特徴に関する次の記述のうち、最も適切なものはどれか。

1. 事業受託方式では、土地所有者が建設資金を負担することなく、土地有効活用の企画、建設会社の選定、土地上に建設した建物の管理・運営等をデベロッパーに任せることができる。
2. 建設協力金方式では、土地所有者が土地の上に建物を建てる際に、建物を借り受けるテナント等が建設資金を提供するため、当該建物の所有名義は建物を借り受けるテナント等となる。
3. 等価交換方式における部分譲渡方式は、土地所有者がいったん土地の全部をデベロッパーに譲渡し、その対価としてその土地上にデベロッパーが建設した建物およびその土地の一部を譲り受ける方式である。
4. 定期借地権方式では、土地所有者は土地を一定期間貸し付けることによって地代収入を得ることができ、当該土地上に建設される建物の建設資金を負担する必要がない。

問題51

親族等に係る民法の規定に関する次の記述のうち、最も不適切なものはどれか。

1. 本人からみて、配偶者の姪は、親族に該当しない。
2. 特別養子縁組の成立には、原則として、養子となる者の父母の同意がなければならない。
3. 半血兄弟姉妹の法定相続分は、父母の双方を同じくする兄弟姉妹の法定相続分の2分の1である。
4. 相続人が被相続人の子である場合、養子と実子の法定相続分は同じであり、また、嫡出でない子と嫡出子の法定相続分も同じである。

問題52

相続人が次の（ア）～（ウ）である場合、民法上、それぞれの場合における被相続人の配偶者の法定相続分の組み合わせとして、最も適切なものはどれか。

（ア）被相続人の配偶者および子2人の合計3人
（イ）被相続人の配偶者および父母の合計3人
（ウ）被相続人の配偶者および兄姉2人の合計3人

1. （ア）1/2　（イ）1/3　（ウ）1/4
2. （ア）1/2　（イ）2/3　（ウ）3/4
3. （ア）1/4　（イ）1/4　（ウ）1/4
4. （ア）1/3　（イ）2/3　（ウ）3/4

問題53

贈与に関する次の記述のうち、最も不適切なものはどれか。

1. 負担付贈与契約の受贈者がその負担である義務を履行しない場合、贈与者は、相当の期間を定めてその履行の催告をしてもその期間内に履行がないときは、その贈与契約の解除をすることができる。
2. 負担付贈与により取得した財産は、贈与財産の価額から負担額を控除した価額が贈与税の課税対象となる。
3. 死因贈与によって取得した財産は、相続税の課税対象となる。

4．書面によらない贈与においては、その履行がなされていない場合であっても、各当事者は契約
の解除をすることができない。

問題54
贈与税の課税財産に関する次の記述のうち、最も不適切なものはどれか。
1．契約者（＝保険料負担者）が父、被保険者が母、死亡保険金受取人が子である生命保険契約を
締結していた場合において、母の死亡により子が受け取った死亡保険金は、贈与税の課税対象
となる。
2．子が父から著しく低い価額の対価で土地の譲渡を受けた場合、原則として、その相続税評価額
と支払った対価の額との差額を限度に、子が父から贈与により取得したものとみなされ、その
差額相当分は、贈与税の課税対象となる。
3．個人の債務者が資力を喪失して債務を弁済することが困難になり、個人の債権者から当該債務
の免除を受けた場合、当該免除を受けた金額のうちその債務を弁済することが困難である部分
の金額は、贈与税の課税対象とならない。
4．離婚による財産分与によって取得した財産については、その価額が婚姻中の夫婦の協力によっ
て得た財産の額その他一切の事情を考慮しても過当でなく、贈与税や相続税のほ脱を図ったも
のでもない場合には、贈与税の課税対象とならない。

問題55
遺産分割に関する次の記述のうち、最も適切なものはどれか。
1．適法に成立した遺産分割協議については、共同相続人全員の合意があったとしても、解除する
ことは認められない。
2．遺産分割協議書は、相続人が相続の開始があったことを知った日の翌日から10ヵ月以内に作成
し、家庭裁判所に提出しなければならない。
3．換価分割は、共同相続人が相続により取得した財産の全部または一部を金銭に換価し、その換
価代金を共同相続人の間で分割する方法である。
4．相続人が代償分割により他の相続人から交付を受けた代償財産は、贈与税の課税対象となる。

問題56
相続税の非課税財産に関する次の記述のうち、最も適切なものはどれか。
1．被相続人の死亡によって相続人に支給される弔慰金は、被相続人の死亡が業務上以外の死亡で
ある場合、被相続人の死亡当時における普通給与の半年分に相当する金額まで相続税の課税対
象とならない。
2．死亡保険金の非課税金額の規定による非課税限度額は、「600万円×法定相続人の数」の算式に
より計算した金額である。
3．被相続人の死亡によって被相続人に支給されるべきであった死亡退職金を相続人が取得した場
合は、支給が確定した時期にかかわらず、死亡退職金の非課税金額の規定の適用を受けること
ができる。
4．相続人以外の者が受け取った死亡保険金は、遺贈によるものであれば、死亡保険金の非課税の
規定の適用を受けることができる。

問題57

　相続税の計算における税額控除等に関する次の記述のうち、最も不適切なものはどれか。なお、各選択肢において、ほかに必要とされる要件等は満たしているものとする。

1. 相続開始年分の被相続人からの贈与財産について、生前贈与加算により相続税の課税価格に加算された場合には、贈与税額控除の適用を受けることはできない。

2. 被相続人の孫は、2親等の血族であるため、被相続人と養子縁組をして1親等の血族に該当しない限り、相続税額の2割加算の対象者となる。

3. 相続人が配偶者のみで相続の放棄をした者がおらず、配偶者が遺産（みなし相続財産を含む）のすべてを相続により取得した場合、配偶者の税額軽減の適用を受けると、配偶者の納付すべき相続税額はゼロとなる。

4. 被相続人の子A（正式に相続の放棄をしている）が受取人として生命保険金を取得し、遺贈により取得したものとみなされている場合において、その子Aが未成年者であるときは、未成年者控除の適用を受けることができる。

問題58

　Aさんの相続が開始した場合の相続税額の計算における土地の評価に関する次の記述のうち、最も不適切なものはどれか。なお、評価の対象となる宅地は、借地権（建物等の所有を目的とする地上権または賃借権）の設定に際し、その設定の対価として通常権利金その他の一時金を支払う「借地権の取引慣行のある地域」にあるものとする。また、宅地の上に存する権利は、定期借地権および一時使用目的の借地権等を除くものとする。

1. Aさんが、所有する宅地を車庫などの施設がない青空駐車場（月極駐車場）の用に供していた場合において、Aさんの相続が開始したときには、相続税額の計算上、その宅地の価額は、自用地として評価する。

2. Aさんが、所有する宅地に建物の所有を目的とする賃借権を設定し、借地人がこの宅地の上に自宅を建築して居住していた場合、この宅地は貸宅地として評価する。

3. Aさんが、所有する宅地を子に権利金や地代の授受なく無償で貸し付け、Aさんの子がアパートを建築して賃貸の用に供していた場合において、Aさんの相続が開始したときには、相続税額の計算上、そのアパートの敷地の用に供されている宅地の価額は、貸家建付地として評価する。

4. Aさんが、借地権の設定に際して通常の権利金を支払って賃借した宅地の上にAさん名義のアパートを建築して賃貸の用に供していた場合において、Aさんの相続が開始したときには、相続税額の計算上、その宅地の上に存するAさんの権利の価額は、貸家建付借地権として評価する。

問題59

相続税および贈与税の納付に関する次の記述のうち、最も適切なものはどれか。

1. 相続税は金銭による一括納付が原則であるが、一括納付が困難な場合には、納税義務者は、任意に延納または物納を選択することができる。

2. 延納の許可を受けた相続税額について、一定の要件を満たせば、延納から物納へ変更することができる。

3. 贈与税の延納の担保として提供できる財産は、贈与により取得した財産に限る。

4. 贈与税の延納について認められる延納期間は、最長で10年間である。

問題60

　会社法に関する次の記述のうち、最も適切なものはどれか。

1．公開会社とは、定款上、その発行する全部または一部の株式に譲渡制限のない株式会社のことであり、金融商品取引所に上場することが義務付けられているわけではない。

2．株式会社が取締役会を設置する場合、2人以上の取締役を置かなければならない。

3．株式会社は、設立時に最低資本金額として10万円が必要である。

4．株式会社が特定の株主から自己株式を有償で取得する場合、株主総会の普通決議、特別決議および特殊決議の必要はない。

2025年　1月・5月
ファイナンシャル・プランニング技能検定対策

第3予想

2級　学　科

試験時間 ◆ 120分

★　注　意　★

1．本試験の出題形式は、四答択一式 60問です。

2．筆記用具、計算機（プログラム電卓等を除く）の持込みが認められています。

3．試験問題については、特に指示のない限り、2024年10月1日現在施行の法令等に基づいて解答してください。なお、東日本大震災の被災者等に対する各種特例については考慮しないものとします。

TAC出版

TAC PUBLISHING Group

問題1

　ファイナンシャル・プランナーがライフプランニングに当たって作成する各種の表の一般的な作成方法に関する次の記述のうち、最も不適切なものはどれか。

1．キャッシュフロー表の作成において、可処分所得は、「実収入－非消費支出（直接税、社会保険料等）」の算式で計算された金額を計上する。

2．キャッシュフロー表の作成において、住宅ローン返済額は、金融機関から交付された毎月の返済額が記載された返済予定表に基づき計上する。

3．個人の資産や負債の状況を表すバランスシートの作成において、株式等の金融資産や不動産の価額は、作成時点の時価ではなく、取得時点の価額で計上する。

4．ライフイベントごとの予算額は現在価値で見積もり、キャッシュフロー表の作成においてはその価額を将来価値で計上する。

問題2

　ライフプランの作成の際に活用される下記〈資料〉の各種係数に関する次の記述のうち、最も不適切なものはどれか。

〈資料〉年率2％、期間10年の各種係数

終価係数	1.2190
現価係数	0.8203
年金終価係数	10.9497
減債基金係数	0.0913
年金現価係数	8.9826
資本回収係数	0.1113

1．年率2％で複利運用しながら10年後に100万円を得るために必要な元本は、「100万円×0.8203」で求められる。

2．10年間にわたり、年率2％で複利運用しながら、毎年100万円を得るために必要な元本は、「100万円×8.9826」で求められる。

3．元本100万円を10年間にわたり、年率2％で複利運用した場合の元利合計額は、「100万円×1.2190」で求められる。

4．年率2％で複利運用しながら10年後に100万円を得るために必要な毎年の積立額は、「100万円×0.1113」で求められる。

問題3

　全国健康保険協会管掌健康保険（協会けんぽ）の保険給付に関する次の記述のうち、最も適切なものはどれか。

1．被保険者が産科医療補償制度に加入する医療機関において出産した場合、所定の手続きにより、出産育児一時金として1児につき50万円が支給される。

2．被保険者が業務外の事由で死亡した場合、所定の手続きにより、その者により生計を維持されていた者であって、埋葬を行うものに対し、埋葬料として10万円が支給される。

3．傷病手当金は、同一の疾病または負傷およびこれにより発した疾病に関して、その支給を始めた日から通算して最長2年支給される。

4．被保険者が同一月内に同一の医療機関等で支払った医療費の一部負担金等の額が、その者に係る自己負担限度額を超えた場合、所定の手続きにより、支払った一部負担金等の全額が高額療養費として支給される。

問題4

労働者災害補償保険（以下「労災保険」という）に関する次の記述のうち、最も適切なものはどれか。

1．労災保険の適用を受ける労働者には、雇用形態がアルバイトやパートタイマーである者は含まれるが、日雇労働者や外国人労働者は含まれない。

2．労災保険の保険料を計算する際に用いる保険料率は、適用事業所の事業の種類による差異はない。

3．労働者が業務上の負傷または疾病による療養のため労働することができず、賃金を受けられない場合、賃金を受けない日の第3日目から休業補償給付が支給される。

4．労働者が業務上の負傷または疾病が治癒したときに一定の障害が残り、その障害の程度が所定の障害等級に該当するときは、傷害の等級に応じて障害補償年金または障害補償一時金を受給することができる。

問題5

公的年金に関する次の記述のうち、最も不適切なものはどれか。

1．老齢厚生年金や遺族厚生年金等の年金給付を受ける権利（基本権）は、原則として、その支給すべき事由が生じた日から5年を経過したときに時効により消滅する。

2．同一の事由により、障害厚生年金と労働者災害補償保険法に基づく障害補償年金が支給される場合、障害厚生年金は所定の調整率により減額され、障害補償年金は全額支給される。

3．65歳以上で老齢厚生年金と遺族厚生年金を受ける権利がある者は、老齢厚生年金が支給されることとなり、遺族厚生年金は、老齢厚生年金より年金額が高い場合に、その差額が支給される。

4．特別支給の老齢厚生年金を受給している厚生年金保険の被保険者の総報酬月額相当額と基本月額の合計額が50万円を超えなければ、当該被保険者の年金額が支給停止されることはない。

問題6

公的年金の遺族給付に関する次の記述のうち、最も適切なものはどれか。

1．遺族基礎年金を受給できる遺族とは、国民年金の被保険者または被保険者であった者の死亡の当時、その者によって生計を維持されていた親族のうち、配偶者、子、父母、孫、祖父母をいう。

2．配偶者が死亡したことにより遺族厚生年金の受給権を取得した65歳以上の受給権者について、その受給権者が受給することができる老齢厚生年金の額が当該遺族厚生年金の額を上回る場合、当該遺族厚生年金の全部が支給停止される。

3．遺族厚生年金の額（中高齢寡婦加算額および経過的寡婦加算額を除く）は、原則として、死亡した者の厚生年金保険の被保険者記録を基に計算された老齢厚生年金の報酬比例部分の3分の2相当額である。

4．厚生年金保険の被保険者が死亡したことにより支給される遺族厚生年金の額は、死亡した者の厚生年金保険の被保険者期間が240月未満の場合、240月とみなして計算する。

問題7

　確定拠出年金に関する次の記述のうち、最も不適切なものはどれか。なお、「加入者掛金」とは、マッチング拠出により企業型年金加入者が拠出する掛金をいう。

1．75歳までに老齢給付金の支給を請求しなかった場合、年金として受け取る権利がなくなり、個人別管理資産は、一時金として支給される。
2．企業型年金の加入者は、規約の定めや事業主掛金の上限の引き下げがなくても、原則として個人型年金に加入することができるが、企業型年金の加入者掛金を拠出している場合は、個人型年金に加入することができない。
3．60歳に達した日の前日が属する月以前の期間のうち、企業型年金の加入者期間が4年、個人型年金の運用指図者期間が6年である場合、老齢給付金を受給できるのは、60歳からである。
4．企業型年金における加入者掛金は、事業主掛金の額との合計額が拠出限度額を超えなければ、事業主掛金を上回ることが認められている。

問題8

　A銀行の住宅ローン（変動金利型）を返済中であるBさんの、別の金融機関の住宅ローンへの借換えに関する次の記述のうち、最も不適切なものはどれか。

1．Bさんが全期間固定金利型の住宅ローンに借り換えた場合、借換後の返済期間中に市中金利が上昇すると、金利の上昇分に相当する額の返済負担は増加する。
2．住宅ローンの借換えに際して、A銀行の抵当権を抹消し、借換先の金融機関の抵当権を新たに設定する場合、登録免許税等の諸費用が必要となる。
3．A銀行の住宅ローンの借入時と比較してBさんの収入が減少し、年収に占める住宅ローンの返済額の割合が上昇している場合、住宅ローンの借換えができない場合がある。
4．「フラット35」や「フラット50」などの住宅金融支援機構と民間金融機関が提携して提供する住宅ローンは、住宅ローンの借換先としても利用できる。

問題9

　下記〈資料〉に基づき算出される中小企業のＸ社の財務分析に関する次の記述のうち、最も不適切なものはどれか。なお、変動費は売上原価に等しく、固定費は販売費及び一般管理費に等しいものとする。また、問題の性質上、明らかにできない部分は「□□□」で示してある。

〈資料〉Ｘ社の損益計算書　　　　　（単位：百万円）

売上高	500
売上原価	300
□□□	200
販売費及び一般管理費	80
□□□	120
営業外収益	30
営業外費用	50
□□□	100
特別利益	20
特別損失	10
税引前当期純利益	110
法人税・住民税及び事業税	40
当期純利益	70

1．Ｘ社の売上高営業利益率は、24％である。

2．Ｘ社の売上高経常利益率は、20％である。

3．Ｘ社の限界利益率は、40％である。

4．Ｘ社の損益分岐点売上高は、300百万円である。

問題10

中小企業による金融機関からの資金調達に関する次の記述のうち、最も不適切なものはどれか。

1．信用保証協会保証付融資（マル保融資）の対象となる企業には、業種に応じた資本金または常時使用する従業員数の要件がある。

2．ＡＢＬ（動産・債権担保融資）は、企業が保有する土地や建物等の固定資産を譲渡して、金融機関から融資を受ける資金調達方法である。

3．インパクトローンは、米ドル等の外貨によって資金を調達する方法であり、その資金使途は限定されていない。

4．手形貸付は、融資金額と同額の約束手形を振り出して融資を受ける資金調達方法である。

問題11

生命保険の保険料等の一般的な仕組みに関する次の記述のうち、最も不適切なものはどれか。

1．保険料は、大数の法則および収支相等の原則に基づき、予定死亡率、予定利率および予定事業費率の３つの予定基礎率を用いて算定される。

2．保険料は、将来の保険金等の支払いの財源となる純保険料と、保険会社が保険契約を維持・管理していくために必要な経費等の財源となる付加保険料で構成されている。

3．終身保険について、保険料の算定に用いられる予定利率が引き下げられた場合、新規契約の保

険料は高くなる。

4．保険会社が実際に要した事業費が、保険料を算定する際に見込んでいた事業費よりも多かった場合、費差益が生じる。

問題12

死亡保障を目的とする生命保険の一般的な商品性に関する次の記述のうち、**最も不適切なもの**はどれか。なお、**記載のない特約については考慮しないものとする。**

1．終身保険では、保険料払込期間が有期払いの場合と終身払いの場合を比較すると、他の契約条件が同一であれば、年払いの1回当たりの払込保険料は有期払いの方が安い。

2．変額保険（終身型）では、契約時に定めた保険金額（基本保険金額）が保証されており、運用実績にかかわらず、死亡保険金の額は基本保険金額を下回らない。

3．定期保険特約付終身保険において、定期保険特約の保険金額を同額で更新した場合、更新後の保険料は更新前の保険料に比べて高くなる。

4．特定（三大）疾病保障定期保険では、がん、急性心筋梗塞、脳卒中以外で被保険者が死亡した場合も死亡保険金が支払われる。

問題13

個人年金保険の一般的な商品性に関する次の記述のうち、**最も適切なもの**はどれか。なお、いずれも契約者（＝保険料負担者）、被保険者および年金受取人は同一人とする。

1．確定年金では、年金受取期間中に被保険者が死亡した場合、死亡保険金受取人が既払込保険料相当額の死亡保険金を受け取ることができる。

2．外貨建て個人年金保険は、契約時に円換算支払特約を付加することで、為替変動があっても、円貨で受け取る年金受取総額が既払込保険料総額を下回ることはない。

3．終身年金では、他の契約条件が同一の場合、保険料は、被保険者が男性であるよりも女性である方が高くなる。

4．変額個人年金保険は、特別勘定による運用実績によって、解約返戻金額や死亡給付金額は変動するが、将来受け取る年金額は、契約締結時に定めた予定利率によって運用されるため定額である。

問題14

2012年1月1日以後に締結された生命保険契約の保険料に係る生命保険料控除に関する次の記述のうち、**最も不適切なもの**はどれか。なお、**各選択肢において、ほかに必要とされる要件等はすべて満たしているものとする。**

1．終身保険の月払保険料について、保険料の支払いがなかったため、自動振替貸付により保険料の払込みに充当された金額は、生命保険料控除の対象となる。

2．養老保険の月払保険料のうち、2025年1月に払い込まれた2024年12月分の保険料は、2025年分の生命保険料控除の対象となる。

3．終身保険に付加された傷害特約の保険料は、生命保険料控除の対象とならない。

4．少額短期保険の保険料は、保障内容に応じて、所得税の生命保険料控除または地震保険料控除の対象となる。

問題15

損害保険による損害賠償等に関する次の記述のうち、最も不適切なものはどれか。

1. 失火の責任に関する法律によれば、失火により他人に損害を与えた場合、その失火者に重大な過失がなかったときは、民法709条（不法行為による損害賠償）の規定が適用される。
2. 生産物賠償責任保険（ＰＬ保険）では、被保険者が製造した商品の欠陥が原因で、商品を使用した者がケガをしたことにより法律上の損害賠償責任を負った場合、補償の対象となる。
3. 個人賠償責任保険では、被保険者が通学のために自転車を走行しているときに、歩行者に衝突してケガを負わせたことについて、法律上の損害賠償責任を負った場合、補償の対象となる。
4. 政府の自動車損害賠償保障事業による損害の塡補は、自動車損害賠償責任保険と同様に、人身事故による損害が対象となり、物損事故による損害は対象とならない。

問題16

傷害保険の一般的な商品性に関する次の記述のうち、最も適切なものはどれか。なお、特約については考慮しないものとする。

1. 海外旅行傷害保険では、日本を出国してから帰国するまでの間の事故によって被った損害を補償の対象としており、国内移動中の事故によって被った損害は補償の対象とならない。
2. 国内旅行傷害保険では、国内旅行中の飲食による細菌性食中毒は補償の対象とならない。
3. 交通事故傷害保険では、海外旅行中の交通事故によるケガは補償の対象となる。
4. 家族傷害保険では、記名被保険者またはその配偶者と生計を共にする同居の親族が被保険者となり、生計を共にしているとしても別居の未婚の子は被保険者とはならない。

問題17

任意加入の自動車保険の一般的な商品性に関する次の記述のうち、最も不適切なものはどれか。なお、記載のない特約については考慮しないものとする。

1. 被保険者が被保険自動車を運転中に、対人事故を起こして法律上の損害賠償責任を負った場合、自動車損害賠償責任保険等によって補償される部分を除いた額が、対人賠償保険の補償の対象となる。
2. 被保険自動車の運転中に、誤って兄の所有する自宅の車庫に衝突して損壊させ、法律上の損害賠償責任を負った場合、その損害は対物賠償保険の補償の対象となる。
3. 被保険自動車を運転しているときに脇見をしたため前車に追突し、被保険者がケガを負った場合、被保険者の過失割合が100％であったときは、人身傷害（補償）保険の補償の対象とならない。
4. 一般条件の車両保険では、被保険自動車が洪水で水没した場合、補償の対象となる。

問題18

法人を契約者（＝保険料負担者）とする生命保険に係る保険料の経理処理に関する次の記述のうち、最も不適切なものはどれか。なお、いずれの保険契約も保険料は年払いかつ全期払いで、2023年4月に締結したものとする。

1. 被保険者が役員、死亡保険金受取人が法人で、最高解約返戻率が75％である定期保険（保険期間20年、年払保険料120万円）の支払保険料は、保険期間の前半4割相当期間においては、その60％相当額を資産に計上し、残額を損金の額に算入することができる。
2. 被保険者が役員、給付金受取人が法人である解約返戻金のない医療保険の支払保険料は、その

全額を損金の額に算入することができる。
3. 被保険者が役員、死亡保険金受取人が法人である終身保険の支払保険料は、その全額を資産に計上する。
4. 被保険者が役員、死亡保険金受取人および満期保険金受取人が法人である養老保険の支払保険料は、その2分の1相当額を資産に計上し、残額を損金の額に算入することができる。

問題19

損害保険を活用した家庭のリスク管理に関する次の記述のうち、**最も不適切なものはどれか**。なお、記載のない特約については考慮しないものとする。
1. 地震や噴火などが原因で自宅が損害を被るリスクに備えて、住宅用建物と家財を対象とした火災保険に地震保険を付帯して契約した。
2. 生計を一にする子が自転車で通学中に転倒してケガを負った場合に備えて、家族傷害保険を契約した。
3. 友人から預かったカメラを誤って壊した場合に備えて、個人賠償責任保険を契約した。
4. テニスの練習中のケガによる通院や入院の治療費に備えて、普通傷害保険を契約した。

問題20

生命保険等を活用した法人の福利厚生に係るアドバイスに関する次の記述のうち、**最も不適切なものはどれか**。
1. 「休業補償規程に基づいて従業員に支給する休業の補償に係る給付の原資を準備したい」という顧客に対して、団体就業不能保障保険の活用をアドバイスした。
2. 「従業員の定年退職時に支給する退職金の原資を準備したい」という顧客に対して、団体定期保険（Bグループ保険）の活用をアドバイスした。
3. 「従業員の自助努力による資産形成を支援したい」という顧客に対して、勤労者財産形成貯蓄積立保険（一般財形）の活用をアドバイスした。
4. 「従業員の死亡時に支給する弔慰金や死亡退職金、定年退職時に支給する生存退職金の原資を準備したい」という顧客に対して、養老保険の活用をアドバイスした。

問題21

物価等に関する次の記述の空欄（ア）～（ウ）に当てはまる語句の組み合わせとして、**最も適切なものはどれか**。

・財やサービスの価格（物価）が継続的に上昇する状態をインフレーション（インフレ）という。インフレには、その発生原因に着目した分類として、好景気等を背景とした需要の増大が原因となる（　ア　）型や、賃金や材料費の上昇等が原因となる（　イ　）型などがある。
・消費者物価指数（ＣＰＩ）と（　ウ　）は、いずれも物価変動に係る代表的な指標であるが、消費者物価指数（ＣＰＩ）がその対象に輸入品の価格を含む一方、（　ウ　）は、国内生産品の価格のみを対象とする点などで違いがある。なお、（　ウ　）は、国内要因による物価動向を反映することから、ホームメイド・インフレを示す指標と呼ばれる。

1. （ア）ディマンドプル　　（イ）コストプッシュ　　（ウ）企業物価指数
2. （ア）コストプッシュ　　（イ）ディマンドプル　　（ウ）企業物価指数

3．（ア）ディマンドプル　　　（イ）コストプッシュ　　　（ウ）ＧＤＰデフレーター

4．（ア）コストプッシュ　　　（イ）ディマンドプル　　　（ウ）ＧＤＰデフレーター

問題22

各種債券の一般的な商品性に関する次の記述のうち、最も不適切なものはどれか。

1．早期償還条項が付いている株価指数連動債は、参照する株価指数の変動によって償還金額など
が変動し、満期償還日よりも前に償還されたり償還金額が額面金額を下回ったりする可能性が
ある債券である。

2．デュアルカレンシー債は、購入代金の払込みおよび償還される通貨と、利払いの通貨が異なる
債券である。

3．ゼロ・クーポン債は、利子（クーポン）の支払いがなく、額面金額よりも低い価格で発行さ
れ、額面金額で償還される債券である。

4．転換社債型新株予約権付社債は、発行時に決められた転換価額で株式に転換することができる
権利が付いた債券である。

問題23

債券の利回り（単利）計算に関する次の記述の空欄（ア）～（エ）にあてはまる計算式として、正しいものはどれか。

> 表面利率0.3％、期間10年の長期国債が100.50円で発行された。この債券の直接利回りは（　ア　）、応募者利回りは（　イ　）となる。また、この債券を発行から2年後に101.50円で購入し、発行から6年後に102円で売却した場合の所有期間利回りは（　ウ　）となる。一方、この債券を発行から7年後に100.20円で購入した場合の最終利回りは（　エ　）となる。

1．（ア）$\dfrac{0.3}{100} \times 100$

2．（イ）$\dfrac{0.3 + \dfrac{100.50 - 100}{10}}{100.50} \times 100$

3．（ウ）$\dfrac{0.3 + \dfrac{102 - 101.50}{6}}{101.50} \times 100$

4．（エ）$\dfrac{0.3 + \dfrac{100 - 100.20}{3}}{100.20} \times 100$

問題24

債券のデュレーションに関する次の記述の空欄（ア）、（イ）にあてはまる語句の組み合わせとして、最も適切なものはどれか。

> デュレーションは、債券への投資資金の平均回収期間を表すとともに、債券投資における金利変動リスクの度合い（金利変動に対する債券価格の感応度）を表す指標としても用いられる。他の条件が同じであれば、債券の表面利率が低いほど、また残存期間が長いほど、デュレーションは（　ア　）。なお、割引債券のデュレーションは、残存期間（　イ　）。

1．（ア）短くなる　　（イ）よりも短くなる
2．（ア）短くなる　　（イ）と等しくなる
3．（ア）長くなる　　（イ）よりも短くなる
4．（ア）長くなる　　（イ）と等しくなる

問題25

　株式で運用する投資信託の一般的な運用手法等に関する次の記述のうち、最も適切なものはどれか。

1．割高な銘柄を買い持ち（ロング）にする一方、割安な銘柄を売り持ち（ショート）にすることで、市場全体の動きに左右されない収益を求める投資手法を、ロング・ショート戦略という。
2．ベンチマークを上回る運用収益率を得ることを目指す運用手法をアクティブ運用といい、代表的なものにインデックス・ファンドがある。
3．マクロ的な環境要因等を基に国別組入比率や業種別組入比率などを決定し、その比率に応じて、個別銘柄を組み入れてポートフォリオを構築する手法を、ボトムアップ・アプローチという。
4．企業の将来の売上高や利益の成長性が市場平均よりも高いと見込まれる銘柄を組み入れて運用するグロース運用は、ＰＥＲが高い銘柄中心のポートフォリオとなる傾向がある。

問題26

　株式の信用取引の一般的な仕組みに関する次の記述のうち、最も不適切なものはどれか。

1．信用取引では、現物株式を所有していなくても、その株式の「売り」から取引を開始することができる。
2．一般信用取引の建株を制度信用取引の建株に変更することも、制度信用取引の建株を一般信用取引の建株に変更することもできない。
3．信用取引では、売買が成立した後に相場が変動し、その日の終値を基に計算される委託保証金率が、証券会社が定める最低委託保証金維持率を下回った場合、追加保証金を差し入れるなどの方法により、委託保証金の不足を解消しなくてはならない。
4．金融商品取引法では、株式の信用取引を行う際の委託保証金の額は20万円以上で、かつ、当該取引に係る株式の時価に100分の20を乗じた金額以上でなければならないとされている。

問題27

　わが国における個人によるデリバティブ取引等に関する次の記述のうち、最も不適切なものはどれか。

1．大阪取引所で行われている長期国債先物取引は、国債の利率や償還期限等を標準化して設定された「長期国債標準物」を取引の対象としている。
2．コール・オプション、プット・オプションいずれの場合でも、オプションの売り手の損失はプレミアム（オプション料）に限定される。
3．金利スワップとは、同一通貨で異なる種類の金利の支払いや受取りを交換する取引のことであり、元本部分の交換は行わずに金利部分のみを交換する。
4．外国為替証拠金取引では、証拠金にあらかじめ決められた倍率を乗じた金額まで売買できるが、倍率の上限は法令によって定められている。

問題28

　ＮＩＳＡ制度（少額投資非課税制度）に関する次の記述のうち、最も不適切なものはどれか。

1．年間投資上限額は、つみたて投資枠120万円、成長投資枠240万円である。

2．非課税保有限度額は1,800万円で、このうち成長投資枠での保有は1,200万円が上限となる。

3．2023年末までに一般ＮＩＳＡにおいて投資した商品は、非課税保有期間満了後、新ＮＩＳＡへロールオーバーすることができる。

4．配当金を非課税とするには、受取方法を株式数比例配分方式とする必要がある。

問題29

　下表〈資料〉のファンドＡおよびファンドＢの過去４年間の運用パフォーマンスの比較評価に関する次の記述の空欄（ア）～（ウ）にあてはまる語句または数値の組み合わせとして、最も適切なものはどれか。

〈資料〉ファンドＡおよびファンドＢの過去４年間の運用パフォーマンスに関する情報

ファンド名	実績収益率の平均値	実績収益率の標準偏差
ファンドＡ	9.5%	12.0%
ファンドＢ	4.7%	5.0%

　無リスク金利を0.5%として、〈資料〉の数値によりファンドＡのシャープレシオの値を算出すると（　ア　）となり、同様に算出したファンドＢのシャープレシオの値は（　イ　）となる。両ファンドの運用パフォーマンスを比較すると、過去４年間は（　ウ　）の方が効率的な運用であったと判断される。

1．（ア）0.75　　（イ）0.84　　（ウ）ファンドＡ
2．（ア）0.75　　（イ）0.84　　（ウ）ファンドＢ
3．（ア）0.79　　（イ）0.94　　（ウ）ファンドＡ
4．（ア）0.79　　（イ）0.94　　（ウ）ファンドＢ

問題30

　金融商品の取引等に係る各種法令に関する次の記述のうち、最も不適切なものはどれか。なお、本問においては、「金融サービスの提供に関する法律」を金融サービス提供法、「犯罪による収益の移転防止に関する法律」を犯罪収益移転防止法という。

1．金融サービス提供法において、金融サービス仲介業の登録を受けた事業者は、銀行業・金融商品取引業・保険業・貸金業に係る金融サービスのうち、顧客に対し高度に専門的な説明を必要とする金融サービスを仲介することは認められていない。

2．消費者契約法において、消費者が事業者の一定の行為により誤認または困惑し、それによって消費者契約の申込みまたは承諾の意思表示をしたときは、消費者はこれを取り消すことができるとされている。

3．金融商品取引法では、金融商品取引契約を締結しようとする金融商品取引業者等は、あらかじめ顧客（特定投資家を除く）に契約締結前交付書面を交付しなければならないとされているため、顧客から交付を要しない旨の意思表示があった場合でも、その交付義務が免除されること

はない。

4．犯罪収益移転防止法では、金融機関等の特定事業者が顧客と特定業務に係る取引を行った場合、特定事業者は、原則として、直ちに当該取引に関する記録を作成し、当該取引の行われた日から10年間保存しなければならないとされている。

問題31

所得税の納税義務者に関する次の記述のうち、最も不適切なものはどれか。

1．非居住者は、国外源泉所得以外の所得および国外源泉所得で日本国内において支払われ、または国外から送金されたものに、所得税の納税義務がある。

2．非永住者とは、居住者のうち日本国籍がなく、かつ、過去10年以内の間に日本国内に住所または居所を有していた期間の合計が5年以下である個人をいう。

3．居住者とは、日本国内に住所があるか、または日本国内に現在まで引き続き1年以上居所を有する個人をいう。

4．非永住者以外の居住者は、所得が生じた場所が国内や国外かを問わず、そのすべての所得に対して、所得税の納税義務がある。

問題32

所得税における不動産所得の金額の計算上の必要経費の取扱いに関する次の記述のうち、最も適切なものはどれか。

1．貸室を改装するために賃借人に支払った立退き料は、必要経費に算入できない。

2．貸付けの用に供している建物に係る地震保険料は、地震保険料控除の対象となるため、必要経費に算入できない。

3．不動産貸付業に係る住民税は、必要経費に算入できる。

4．青色事業専従者である配偶者に支払った賞与の額は、必要経費に算入できる。

問題33

一時所得に関する次の記述のうち、最も不適切なものはどれか。

1．個人年金保険の契約者（＝保険料負担者）である個人が、その保険契約に基づき、年金受給開始後に将来の年金給付の総額に代えて受け取った一時金に係る所得は、一時所得となる。

2．自己が月払保険料を負担した変額個人年金保険の解約返戻金を受け取ったことによる所得は、一時所得になる。

3．一時所得の金額は、「総収入金額－支出した金額－特別控除額」で計算される。

4．一時払い養老保険（保険期間10年）を4年6ヵ月で解約した場合の解約返戻金は一時所得として総合課税の対象となる。

問題34

退職所得に関する次の記述のうち、最も適切なものはどれか。なお、これまでに他の退職金等の支払いは受けておらず、障害者になったことに直接基因した退職ではないものとする。また、「退職所得の受給に関する申告書」を退職金の支払者に提出しているものとする。

1．退職所得の金額の計算上、収入金額からその収入金額に応じて計算される退職所得控除額が控除される。

2．退職金が2,000万円で退職所得控除額が1,500万円の場合における退職所得の金額は、500万円

である。

3．「退職所得の受給に関する申告書」を提出した者は、退職金等の多寡にかかわらず、原則として、当該退職所得に係る所得税の確定申告は不要である。

4．会社役員が役員退職金を受け取ったことによる所得は、退職所得ではなく給与所得となる。

問題35

　所得税の申告に関する次の記述のうち、最も適切なものはどれか。

1．年間の給与収入の金額が2,000万円以上の給与所得者は、年末調整の対象とならない。

2．その年中の公的年金等の収入金額の合計が400万円であり、それ以外の所得が執筆に係る雑所得の金額20万円のみである者は、確定申告を行う必要はない。

3．年の中途で死亡した者のその年分の所得税について確定申告を要する場合、原則として、その相続人は、相続の開始があったことを知った日の翌日から10ヵ月以内に、死亡した者に代わって確定申告をしなければならない。

4．前年からすでに業務を行っている者が、本年分から新たに青色申告の適用を受けようとする場合、その承認を受けようとする年の3月31日までに「所得税の青色申告承認申請書」を納税地の所轄税務署長に提出しなければならない。

問題36

　所得税の課税所得に関する次の記述のうち、最も適切なものはどれか。

1．個人が券面額を下回る価額で購入した利付国債の償還差益は、一時所得として所得税の課税対象となる。

2．給与所得者が受け取った雇用保険の高年齢雇用継続基本給付金は、給与所得として所得税の課税対象となる。

3．年金受給者が受け取った老齢基礎年金は、雑所得として所得税の課税対象となる。

4．火災保険の契約者（＝保険料負担者かつ家屋の所有者）である個人が、火災により家屋が焼失したことで受け取った保険金は、一時所得として所得税の課税対象となる。

問題37

　法人成りした場合に関する次の記述のうち、最も適切なものはどれか。

1．会社が役員に無利息で金銭を貸し付けた場合、適正利率で計算した金額は、経済的利益の供与として給与課税される。

2．減価償却は、所得税は任意償却であるが、法人税は強制償却である。

3．所得税の純損失の繰越控除は3年間であるが、法人税の欠損金の繰越控除は6年間である。

4．所得税の税率は原則として比例税率であるが、法人税の税率は原則として超過累進税率である。

問題38

　次のうち、法人税の計算上、法人（保険会社等を除く）の当期利益の額から申告調整時に益金不算入として、減算することができるものはどれか。

1．内国法人から受け取る非支配目的株式等の配当等の全額

2．欠損金の繰戻しにより受け取る法人税額の還付金

3．内国法人から受け取る完全子法人株式等、関連法人株式等および非支配目的株式等のいずれに

も該当しない株式等の配当等の全額

4．法人税の確定額よりも中間納付額が多い場合に受け取る法人税額の還付加算金（所定の日数に
応じて法人税額の還付金の額に一定の割合を乗じて加算されるもの）

問題39
会社と役員間の取引に係る所得税・法人税に関する次の記述のうち、最も不適切なものはどれ
か。

1．会社が役員に無利息で金銭の貸付けを行った場合、原則として、その会社の所得の金額の計算
上、適正な利率により計算した利息相当額が益金の額に算入される。

2．会社が所有する建物を適正な時価よりも高い価額で役員に譲渡した場合、その会社の所得の金
額の計算上、適正な時価と譲渡対価の差額は、益金の額に算入される。

3．役員が所有する土地を会社に譲渡した場合、その譲渡価額が適正な時価の2分の1未満である
ときは、適切な時価により譲渡所得の金額が計算される。

4．役員が会社に無利息で金銭の貸付けを行った場合、原則として、通常収受すべき利息に相当す
る金額が、その役員の雑所得の収入金額に算入される。

問題40
消費税に関する次の記述のうち、最も適切なものはどれか。

1．消費税の課税事業者が行う居住の用に供する家屋の貸付けは、その貸付期間が1ヵ月以上であ
れば、消費税の課税取引に該当する。

2．「消費税課税事業者選択届出書」を提出して消費税の課税事業者となった法人は、事業を廃止
した場合を除き、原則として2年間は消費税の免税事業者となることができない。

3．簡易課税制度を選択することができるのは、基準期間における課税売上高が1億円以下の事業
者である。

4．課税事業者である法人事業者は、原則として、消費税の確定申告書をその年の翌年3月31日ま
でに納税地の所轄税務署長に提出しなければならない。

問題41
土地の価格に関する次の記述のうち、最も適切なものはどれか。

1．地価公示の公示価格は、毎年7月1日を価格判定の基準日としている。

2．都道府県地価調査の基準地は、地価公示の標準地と同じ地点に設定されることはない。

3．相続税路線価は、地価公示の公示価格の70％を価格水準の目安として評価される。

4．固定資産税評価額は、原則として、3年ごとの基準年度において評価替えが行われる。

問題42
不動産の登記や調査に関する次の記述のうち、最も不適切なものはどれか。

1．不動産登記には公信力がないため、登記記録を確認し、その登記記録の内容が真実であると信
じて取引しても、その登記記録の内容が真実と異なっていた場合、法的に保護されないことが
ある。

2．不動産の登記記録において、土地の所有者とその土地上の建物の所有者が異なる場合、その土
地の登記記録に借地権の登記がなければ、借地権は存在していない。

3．同一の不動産について二重に売買契約が締結された場合、譲受人相互間においては、売買契約

の締結の先後にかかわらず、原則として、所有権移転登記を先にした者が当該不動産の所有権の取得を対抗することができる。

4．公図（旧土地台帳附属地図）は、登記所に備え付けられており、対象となる土地の位置関係を確認する資料として有用である。

問題43

宅地建物取引業法に関する次の記述のうち、**最も適切なもの**はどれか。なお、買主は宅地建物取引業者ではないものとする。

1．売買契約の成立後、売主・買主間で売買代金全額の授受および物件の引渡しが完了する前に、宅地建物取引業者が売主から媒介報酬の一部を受領することは、宅地建物取引業法により禁止されている。

2．宅地建物取引業者は、自ら売主となる宅地・建物の売買契約の締結に際して、売買代金の2割を超える額の手付を受領することができない。

3．宅地建物取引業者が、売主との間で専任媒介契約を締結した場合、売主からの申出があったときは、指定流通機構に所定の事項を登録しない旨の特約を定めることができる。

4．専任媒介契約では、依頼者に対し、当該専任媒介契約に係る業務の処理状況を1週間に1回以上報告しなければならない。

問題44

借地借家法に関する次の記述のうち、**最も適切なもの**はどれか。なお、本問においては、同法第22条から第24条の定期借地権等以外の借地権を普通借地権という。

1．普通借地権の設定契約は、公正証書による等書面によってしなければならない。

2．借地権者の債務不履行により普通借地権の設定契約が解除された場合、借地権者は借地権設定者に対し、借地上の建物を時価で買い取るべきことを請求することができる。

3．普通借地権の設定契約において、居住以外の用に供する建物の所有を目的とする場合、原則として、存続期間は30年となるため、契約で期間を40年と定めたとしても、当初の設定の存続期間は30年となる。

4．借地権者は、普通借地権について登記がされていない場合において、当該土地上に借地権者の名義で登記がされている建物が滅失したときは、滅失後に借地借家法に規定する一定の事項を当該土地上の見やすい場所に掲示すれば、滅失日から2年間は当該借地権を第三者に対抗することができる。

問題45

借地借家法に関する次の記述のうち、**最も不適切なもの**はどれか。なお、本問においては、同法38条による定期建物賃貸借契約を定期借家契約といい、それ以外の建物賃貸借契約を普通借家契約という。

1．定期借家契約では、公正証書等の書面で締結しなければならず、電磁的記録による契約は認められない。

2．定期借家契約において、賃借人は、その建物の賃借権の登記がなくても、引渡しを受けていれば、その後その建物について物権を取得した者に建物の賃借権を対抗することができる。

3．普通借家契約において、賃貸借の存続期間を6ヵ月と定めた場合、期間の定めがない建物の賃貸借とみなされる。

4．定期借家契約において、その賃料が、近傍同種の建物の賃料に比較して不相当となっても、賃貸借期間中は増減額させないこととする特約をした場合、その特約は有効である。

問題46
　都市計画法に関する次の記述のうち、最も適切なものはどれか。
1．すべての都市計画区域において、都市計画に市街化区域と市街化調整区域の区分（区域区分）を定めなければならない。
2．農業を営む者の居住の用に供する建築物の建築を目的として市街化調整区域内で行う開発行為は、都道府県知事等による開発許可を受ける必要がある。
3．土地区画整理事業の施行として行う開発行為は、都道府県知事等による開発許可を受ける必要はない。
4．開発許可を受けた開発区域内の土地について、開発行為に関する工事完了の公告があるまでの間は、当該土地を譲渡することができない。

問題47
　建築基準法に基づいて下記の土地に耐火建築物である住宅を建築する場合の建築面積の限度として、正しいものはどれか。なお、前面道路は、同法第42条第2項により特定行政庁の指定を受けた道路であり、その中心線からの水平距離2mの線が道路の境界線とみなされるものとする。また、記載のない条件については、考慮しないものとする。

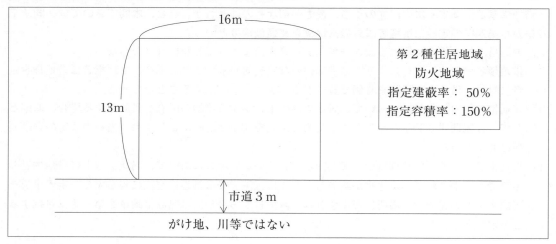

1．100㎡
2．120㎡
3．300㎡
4．312㎡

問題48
　個人が土地を譲渡した場合の譲渡所得に関する次の記述のうち、最も不適切なものはどれか。
1．土地の譲渡に係る所得については、その土地を譲渡した日の属する年の1月1日における所有期間が10年以下の場合には短期譲渡所得に区分され、10年超の場合には長期譲渡所得に区分される。

2．譲渡所得の金額の計算上、譲渡した土地の取得費が不明な場合には、譲渡収入金額の５％相当額を取得費とすることができる。

3．相続（限定承認に係るものを除く）により取得した土地を譲渡した場合、その土地の所有期間を判定する際の取得の時期は、被相続人の取得の時期が引き継がれる。

4．土地を譲渡する際に支出した仲介手数料は、譲渡所得の金額の計算上、譲渡費用に含まれる。

問題49

　不動産の譲渡に係る各種特例に関する次の記述のうち、最も適切なものはどれか。なお、記載されたもの以外の要件はすべて満たしているものとする。

1．自宅を譲渡して「居住用財産を譲渡した場合の3,000万円の特別控除」の適用を受ける場合、当該自宅の所有期間は、譲渡した日の属する年の１月１日において10年を超えていなければならない。

2．自宅を譲渡して「居住用財産を譲渡した場合の長期譲渡所得の課税の特例」（軽減税率の特例）の適用を受ける場合、同年に取得して入居した家屋について住宅借入金等特別控除の適用を受けることはできない。

3．相続により取得した土地について、「相続財産に係る譲渡所得の課税の特例」（相続税の取得費加算の特例）の適用を受けるためには、当該土地を、当該相続の開始があった日の翌日から相続税の申告期限の翌日以後１年を経過する日までの間に譲渡しなければならない。

4．「居住用財産を譲渡した場合の3,000万円の特別控除」と「居住用財産を譲渡した場合の長期譲渡所得の課税の特例」（軽減税率の特例）は、重複して適用を受けることができない。

問題50

　不動産の投資判断の手法等に関する次の記述のうち、最も不適切なものはどれか。

1．借入金併用型の不動産投資において、レバレッジ効果が働いて自己資金に対する収益率の向上が期待できるのは、借入金の金利が総投下資本に対する収益率を上回っている場合である。

2．ＮＯＩ利回り（純利回り）は、対象不動産から得られる年間の純収益を総投資額で除して算出される利回りであり、不動産の収益性を測る指標である。

3．ＮＰＶ法（正味現在価値法）による投資判断においては、対象不動産から得られる収益の現在価値の合計額が投資額の現在価値の合計額を上回っている場合、その投資は投資適格であると判断する。

4．ＩＲＲ法（内部収益率法）における内部収益率とは、投資対象不動産から得られる収益の現在価値と総投資額を等しくする割引率である。

問題51

　民法に関する次の記述のうち、最も不適切なものはどれか。

1．遺言者が自筆証書遺言を作成する場合において、自筆証書に財産目録を添付するときは、その目録は自書でなくてもよい。

2．配偶者居住権とは、被相続人の配偶者が相続開始時に居住していた被相続人所有の建物について、配偶者が終身の間、無償で使用、収益することができる権利をいい、その期間について別段の定めをすることもできる。

3．遺留分侵害額請求権とは、遺留分権利者およびその承継人が遺留分侵害額に相当する金銭の支払いを請求することができる権利をいい、請求先は受遺者に限られる。

4．被相続人に対して無償で療養看護等の労務の提供をしたことにより被相続人の財産の維持等について特別の寄与をした特別寄与者は、相続の開始後、相続人に対し、その寄与に応じた額の金銭（特別寄与料）の支払いを請求することができる。

問題52

贈与税に関する次の記述のうち、最も適切なものはどれか。

1．保険契約者（＝保険料負担者）が母、被保険者が父、保険金受取人が子である生命保険契約に基づき、父の死亡により子が受け取った死亡保険金は、子が母から贈与により取得したものとして贈与税の課税対象となる。
2．子が母から著しく低い価額の対価で土地の譲渡を受けた場合、原則として、その相続税評価額と支払った対価の額との差額を限度に、子が母から贈与により取得したものとみなされ、その差額相当分は、贈与税の課税対象となる。
3．相続または遺贈により財産を取得した者が、相続開始の年において被相続人から贈与により取得した財産は、贈与税の課税対象となる。
4．離婚による財産分与により財産を取得した場合には、その価額が婚姻中の夫婦の協力によって得た財産の額等の事情を考慮して社会通念上相当な範囲内であったとしても、その取得した財産は、原則として贈与により取得したものとみなされ、贈与税の課税対象となる。

問題53

贈与税の申告と納付に関する次の記述のうち、最も不適切なものはどれか。

1．贈与税の配偶者控除の適用を受けることにより納付すべき贈与税額が算出されない場合であっても、当該控除の適用を受けるためには、贈与税の申告書を提出する必要がある。
2．贈与税を延納する場合、延納税額が300万円以下で、かつ、延納期間が3年以下であるときは、延納の許可を受けるに当たって担保を提供する必要はない。
3．暦年課税を適用する場合、1年間の贈与財産の価額の合計額が基礎控除額を超えるときには、贈与税の申告をしなければならない。
4．贈与税の納付は、所定の要件を満たした場合は延納が認められているが、物納は認められていない。

問題54

相続税の計算に関する次の記述のうち、最も不適切なものはどれか。

1．遺産に係る基礎控除額の計算上、法定相続人の数は、相続人が相続の放棄をした場合には、その放棄がなかったものとした場合における相続人の数である。
2．遺産に係る基礎控除額の計算上、法定相続人の数に含めることができる養子（実子とみなされる者を除く）の数は、実子がいる場合、2人に制限される。
3．すでに死亡している被相続人の子を代襲して相続人となった被相続人の孫は、相続税額の2割加算の対象とならない。
4．相続人が被相続人の配偶者のみである場合、「配偶者に対する相続税額の軽減」の適用を受けた配偶者については、相続により取得した遺産額の多寡にかかわらず、納付すべき相続税額が生じない。

問題55

　次の費用等のうち、相続税の課税価格の計算上、相続財産の価額から債務控除することができるものはどれか。なお、相続人は債務控除の適用要件を満たしているものとする。
1．遺言執行者である弁護士に支払った被相続人の相続に係る遺言執行費用
2．被相続人が生前購入した墓碑の購入代金で、相続開始時点で未払いのもの
3．被相続人の葬式に参列した者に対する香典返しの費用のうち、社会通念上相当と認められるもの
4．特別寄与者に支払った特別寄与料で、特別寄与者に係る相続税の課税価格に算入されるもの

問題56

　普通住宅地区に所在している下記〈資料〉の宅地の相続税評価額（自用地評価額）として、最も適切なものはどれか。なお、記載のない事項については考慮しないものとする。

〈資料〉

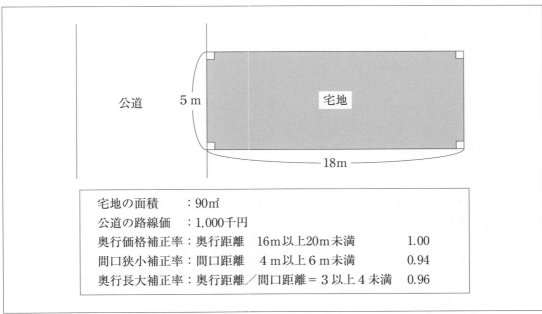

宅地の面積	：90㎡
公道の路線価	：1,000千円
奥行価格補正率	：奥行距離　16m以上20m未満　　　　1.00
間口狭小補正率	：間口距離　　4m以上6m未満　　　　0.94
奥行長大補正率	：奥行距離／間口距離＝3以上4未満　0.96

1．90,000千円
2．86,400千円
3．84,600千円
4．81,216千円

問題57

　相続税における家屋等の評価に関する次の記述のうち、最も不適切なものはどれか。
1．建築中の家屋の価額は、「その家屋の費用現価×70％」の算式により計算した金額によって評価する。
2．貸家の価額は、「自用家屋としての価額×借家権割合×賃貸割合」の算式により計算した金額によって評価する。

3. 構築物の価額は、原則として、「(その構築物の再建築価額－建築の時から課税時期までの期間に応ずる償却費の額の合計額または減価の額)×70%」の算式により計算した金額によって評価する。

4. 自用家屋の価額は、原則として「その家屋の固定資産税評価額×倍率」の算式により計算した金額によって評価するが、この場合の倍率は常に1.0である。

問題58

2024年12月13日（金）に死亡した被相続人が保有していた上場株式の1株当たりの相続税評価額として、最も適切なものはどれか。なお、記載のない事項については考慮しないものとする。

〈上場株式1株当たりの最終価格等〉

2024年12月12日（木）の最終価格	2,240円
2024年12月13日（金）の最終価格	2,270円
2024年12月16日（月）の最終価格	2,100円
2024年12月の最終価格の月平均額	2,290円
2024年11月の最終価格の月平均額	2,150円
2024年10月の最終価格の月平均額	2,120円

1. 2,100円
2. 2,120円
3. 2,270円
4. 2,290円

問題59

相続税における取引相場のない株式の評価に関する次の記述のうち、最も不適切なものはどれか。なお、特定の評価会社の株式には該当しないものとする。

1. 会社規模が大会社である会社の株式の価額は、純資産価額方式、または類似業種比準方式と純資産価額方式の併用方式のいずれかによって評価する。

2. 会社規模が中会社である会社の株式の価額は、純資産価額方式、または類似業種比準方式と純資産価額方式の併用方式のいずれかによって評価する。

3. 会社規模が小会社である会社の株式の価額は、純資産価額方式、または類似業種比準方式と純資産価額方式の併用方式のいずれかによって評価する。

4. 配当還元方式による株式の価額は、その株式の1株当たりの年配当金額を10%の割合で還元した元本の金額によって評価する。

問題60

各種金融資産の相続税評価に関する次の記述のうち、最も不適切なものはどれか。

1. 個人向け国債の価額は、課税時期において中途換金した場合に、取扱金融機関から支払を受けることができる価額により評価する。

2. 相続開始時において、保険事故がまだ発生していない生命保険契約に関する権利の価額は、原則として、相続開始時においてその契約を解約するとした場合に支払われることとなる解約返戻金の額により評価する。

3．普通預金の価額は、既経過利息の額が少額である場合でも、課税時期現在の預入高に源泉所得税相当額控除後の既経過利息を加算した額により評価する。

4．外貨定期預金の価額の円貨換算については、原則として、取引金融機関が公表する課税時期における対顧客直物電信買相場（ＴＴＢ）またはこれに準ずる相場による。

2025年　1月・5月
ファイナンシャル・プランニング技能検定・実技試験対策

2級　金　財
個人資産相談業務

試験時間 ◆ 90分

★　注　意　★

1．本試験の出題形式は、記述式等5題(15問)です。

2．筆記用具、計算機(プログラム電卓等を除く)の持込みが認められています。

3．試験問題については、特に指示のない限り、2024年10月1日現在施行の法令等
　に基づいて解答してください。なお、東日本大震災の被災者等に対する各種特例
　については考慮しないものとします。

TAC出版
TAC PUBLISHING Group

【第1問】 次の設例に基づいて、下記の各問（《問1》～《問3》）に答えなさい。

```
--------------------------------- 《設 例》 ---------------------------------
```

　　Aさん（40歳）は、X株式会社を2020年11月末日に退職後、個人事業主として独立した。事業は順調であり、現在、収入は安定している。

　　Aさんは、最近、公的年金制度について理解したうえで、老後の収入を増やすことのできる各種制度を利用したいと考えている。

　　そこで、Aさんは、ファイナンシャル・プランナーのMさんに相談することにした。

〈Aさんとその家族に関する資料〉

(1)　Aさん（40歳、個人事業主）

・1984年9月12日生まれ

・公的年金加入歴：下図のとおり（60歳までの見込みを含む）

20歳　　　　22歳	36歳	60歳
学生納付 特例期間 （31月）	厚生年金保険 被保険者期間 （164月） 平均標準報酬額：30万円	国民年金 保険料納付済期間 （285月）
2007年4月	2020年12月	

(2)　妻Bさん（42歳、会社員）

・1982年4月20日生まれ

・公的年金加入歴：20歳から22歳の大学生であった期間（36月）は国民年金の第1号被保険者として保険料を納付し、大学卒業後から現在に至るまでの期間は厚生年金保険に加入している。また、60歳になるまでの間、厚生年金保険の被保険者として勤務する見込みである。

・全国健康保険協会管掌健康保険、雇用保険に加入している。

・勤務先は確定拠出年金の企業型年金および他の企業年金を実施していない。

(3)　長女Cさん（14歳、中学生）

・2010年8月10日生まれ

※妻Bさんおよび長女Cさんは、現在および将来においても、Aさんと同居し、Aさんと生計維持関係にあるものとする。

※家族全員、現在および将来においても、公的年金制度における障害等級に該当する障害の状態にないものとする。

※上記以外の条件は考慮せず、各問に従うこと。

《問1》 Aさんが、原則として65歳から受給することができる老齢基礎年金および老齢厚生年金の年金額（2024年度価額）を計算した次の〈計算の手順〉の空欄①～④に入る最も適切な数値を解答用紙に記入しなさい。計算にあたっては、《設例》の〈Aさんとその家族に関する資料〉および下記の〈資料〉に基づくこと。なお、問題の性質上、明らかにできない部分は「□□□」で示してある。

〈計算の手順〉

1．老齢基礎年金の年金額（円未満四捨五入）

  （　①　）円

2．老齢厚生年金の年金額

 (1) 報酬比例部分の額（円未満四捨五入）：（　②　）円

 (2) 経過的加算額（円未満四捨五入）　　：（　③　）円

 (3) 基本年金額（上記「(1)+(2)」の額）　：　　□□□円

 (4) 加給年金額（要件を満たしている場合のみ加算すること）

 (5) 老齢厚生年金の年金額　　　　　　　：（　④　）円

〈資料〉

○老齢基礎年金の計算式（4分の1免除月数、4分の3免除月数は省略）

$$816{,}000円 \times \frac{保険料納付済月数 + 保険料半額免除月数 \times \frac{○}{□} + 保険料全額免除月数 \times \frac{△}{□}}{480}$$

○老齢厚生年金の計算式（本来水準の額）

　i）報酬比例部分の額（円未満四捨五入）＝ⓐ＋ⓑ

　ⓐ 2003年3月以前の期間分

$$平均標準報酬月額 \times \frac{7.125}{1{,}000} \times 2003年3月以前の被保険者期間の月数$$

　ⓑ 2003年4月以後の期間分

$$平均標準報酬額 \times \frac{5.481}{1{,}000} \times 2003年4月以後の被保険者期間の月数$$

　ii）経過的加算額（円未満四捨五入）＝1,701円×被保険者期間の月数

$$-816{,}000円 \times \frac{1961年4月以後で20歳以上60歳未満の厚生年金保険の被保険者期間の月数}{480}$$

　iii）加給年金額

　　配偶者：408,100円（特別加算額を含む）

　　子：234,800円

《問2》 Mさんは、Aさんに対して、確定拠出年金の個人型年金（以下、「個人型年金」という）について説明した。Mさんが説明した以下の文章の空欄①～③に入る最も適切な語句または数値を、下記の〈語句群〉のなかから選び、その記号を解答用紙に記入しなさい。

Ⅰ 「Aさんおよび妻Bさんは、老後の年金収入を増やす方法として、個人型年金に加入することができます。個人型年金は、加入者の指図により掛金を運用し、その運用結果に基づく給付を受け取る制度であり、拠出できる限度額は、Aさんの場合は年額816,000円であり、妻Bさんの場合は年額（　①　）円です。加入者が拠出した掛金は、その全額を所得税の（　②　）として総所得金額等から控除することができます」

Ⅱ 「Aさんおよび妻Bさんが個人型年金の老齢給付金を受給する場合、通算加入者等期間が10年以上あれば、老齢給付金の受給開始時期を、60歳から（　③　）歳になるまでの間で選択することができます」

〈語句群〉

イ．144,000　　ロ．276,000　　ハ．330,000　　ニ．660,000
ホ．生命保険料控除　　ヘ．社会保険料控除　　ト．小規模企業共済等掛金控除
チ．65　　リ．70　　ヌ．75　　ル．80　　ヲ．85

《問3》 Mさんは、Aさんに対して、公的年金制度等の各種取扱いについて説明した。Mさんが説明した次の記述①～③について、適切なものには○印を、不適切なものには×印を解答用紙に記入しなさい。

① 「老齢基礎年金および老齢厚生年金は、繰下げ支給の申出により、繰り下げた月数に応じて増額された年金を受給することができます。Aさんの場合、65歳1ヵ月以降に繰下げ支給の申出をすることができ、その増額率は、繰り下げた月数に応じて最小で0.7％、最大で84.0％となります」

② 「Aさんが確定拠出年金の個人型年金の加入後に死亡した場合において、個人別管理資産があるときは、Aさんの遺族は所定の手続により死亡一時金を受け取ることができます。Aさんの遺族が、Aさんが死亡した年に受け取る死亡一時金は、みなし相続財産として相続税の課税対象となります」

③ 「Aさんは、国民年金の定額保険料に月額400円の付加保険料を上乗せして納付すると、老齢基礎年金に、200円に付加保険料納付月額を乗じた付加年金が上乗せされます。ただし、付加年金は定額であるため、老齢基礎年金を繰下げした場合でも、増額されません」

【第２問】次の設例に基づいて、下記の各問（《問４》〜《問６》）に答えなさい。

――――――――――――――――― 《設 例》 ―――――――――――――――――

　会社員のＡさん（45歳）は、預貯金を1,000万円程度保有しているが、上場株式を購入した経験がない。Ａさんは、証券会社に口座を開設し、Ｘ社株式またはＹ社株式（東京証券取引所上場銘柄）を購入したいと考えている。

　また、2024年から始まった新ＮＩＳＡについて理解しておきたいと考えている。

　そこで、Ａさんは、ファイナンシャル・プランナーのＭさんに相談することにした。

〈Ｘ社およびＹ社の財務データ〉　　　（単位：百万円）

	Ｘ社	Ｙ社
資　　　産	4,000,000	2,000,000
負　　　債	2,500,000	900,000
純　資　産	1,500,000	1,100,000
売　上　高	2,000,000	1,500,000
営　業　利　益	110,000	140,000
経　常　利　益	100,000	150,000
当　期　純　利　益	40,000	60,000
配　　当　　金	4,000	2,400

※純資産の金額と自己資本の金額は同じである。

〈Ｘ社株式およびＹ社株式の情報〉
　Ｘ社：株価20,000円、発行済株式数１億株、１株当たり年間配当金40円
　Ｙ社：株価15,000円、発行済株式数8,000万株、１株当たり年間配当金30円
　※Ｘ社およびＹ社の決算期はともに2025年３月31日（月）である。

※設問において、以下の名称を使用している。
　・2024年から始まった特定非課税累積投資契約に係る少額投資非課税制度：新ＮＩＳＡ
　・新ＮＩＳＡにおける特定累積投資勘定：つみたて投資枠
　・新ＮＩＳＡにおける特定非課税管理勘定：成長投資枠

※上記以外の条件は考慮せず、各問に従うこと。

―――――――――――――――――――――――――――――――――――――

《問４》《設例》のデータに基づいて算出される次の①、②を求めなさい（計算過程の記載は不要）。
　　　〈答〉は表示単位の小数点以下第３位を四捨五入し、小数点以下第２位までを解答すること。

①　Ｘ社株式のＰＢＲ
②　Ｙ社株式のＰＥＲ

《問5》 Mさんは、Aさんに対して、X社株式またはY社株式を購入する際の留意点等について説明した。Mさんが説明した次の記述①～③について、適切なものには○印を、不適切なものには×印を解答用紙に記入しなさい。

① 「一般に、ROEの数値が高いほうが経営の効率性が高いと判断されます。ROEは、Y社のほうがX社よりも高くなっています」
② 「株主への利益還元の大きさに着目した指標として、配当性向があります。配当性向は、X社のほうがY社よりも高くなっています」
③ 「上場株式の配当を受け取るためには、権利確定日に株主として株主名簿に記載される必要があります。AさんがX社株式およびY社株式を2025年3月27日（木）までに普通取引により買い付ければ、配当金を受け取る権利を取得することができます」

《問6》 Mさんは、Aさんに対して、新NISAについて説明した。Mさんが説明した次の記述①～③について、適切なものには○印を、不適切なものには×印を解答用紙に記入しなさい。

① 「2024年から始まった新NISAでは、つみたて投資枠の年間投資上限額が120万円、成長投資枠の年間投資上限額が240万円とされており、非課税保有期間は無制限となります」
② 「新NISAでは、生涯にわたる非課税保有限度額が新設されています。新NISAの非課税保有限度額は1,800万円で、そのうちつみたて投資枠の限度額は1,200万円です」
③ 「つみたて投資枠と成長投資枠は、併用することはできず、いずれか一方を選択することになります」

【第3問】次の設例に基づいて、下記の各問（《問7》～《問9》）に答えなさい。

─────────────── 《設　例》 ───────────────

　　会社員のAさんは、妻Bさん、長男Cさんおよび母Dさんとの4人家族である。Aさんは、2024年中に長男Cさんの入院・手術費用として支払った医療費について、医療費控除の適用を受けたいと考えている。なお、金額の前の「▲」は赤字であることを表している。

〈Aさんとその家族に関する資料〉
　　Aさん　　　　（50歳）：会社員
　　妻Bさん　　　（49歳）：パートタイマー。2024年中に給与収入70万円を得ている。
　　長男Cさん　　（20歳）：大学生。2024年中の収入はない。
　　母Dさん　　　（77歳）：2024年中に、老齢基礎年金72万円を受け取っている。

〈Aさんの2024年分の収入等に関する資料〉
　（1）　給与収入の金額　　　　　　　　　　：　　900万円
　（2）　不動産所得の金額　　　　　　　　　：▲150万円（白色申告）
　　　　※当該不動産所得を生ずべき土地の取得に係る負債の利子30万円を含む。
　（3）　一時払変額個人年金保険（10年確定年金）の解約返戻金
　　　　契約年月　　　　　　　　　　　　　：2016年4月
　　　　契約者（＝保険料負担者）・被保険者：Aさん
　　　　死亡給付金受取人　　　　　　　　　：妻Bさん
　　　　解約返戻金額　　　　　　　　　　　：　　650万円
　　　　正味払込保険料　　　　　　　　　　：　　500万円

※妻Bさん、長男Cさんおよび母Dさんは、Aさんと同居し、生計を一にしている。
※Aさんとその家族は、いずれも障害者および特別障害者には該当しない。
※Aさんとその家族の年齢は、いずれも2024年12月31日現在のものである。

※上記以外の条件は考慮せず、各問に従うこと。

《問7》 所得税における医療費控除に関する以下の文章の空欄①～③に入る最も適切な数値を、下記の〈数値群〉のなかから選び、その記号を解答用紙に記入しなさい。

Ⅰ 「通常の医療費控除は、その年分の総所得金額等の合計額が200万円以上である場合、その年中に自己または自己と生計を一にする配偶者等のために支払った医療費の総額から保険金などで補填される金額を控除した金額が（ ① ）円を超えるときは、その超える部分の金額（最高200万円）を総所得金額等から控除することができます」

Ⅱ 「通常の医療費控除との選択適用となるセルフメディケーション税制（医療費控除の特例）は、定期健康診断や予防接種などの一定の取組みを行っている者が自己または自己と生計を一にする配偶者等のために特定一般用医薬品等購入費を支払った場合、その年中に支払った特定一般用医薬品等購入費の総額から保険金などで補填される金額を控除した金額が（ ② ）円を超えるときは、その超える部分の金額（最高（ ③ ）円）を総所得金額等から控除することができます」

〈数値群〉

イ．10,000   ロ．12,000   ハ．24,000   ニ．68,000   ホ．88,000
ヘ．100,000   ト．120,000   チ．200,000

《問8》 Aさんの2024年分の所得税の課税に関する次の記述①～③について、適切なものには○印を、不適切なものには×印を解答用紙に記入しなさい。

① 「Aさんが、長男Cさんの国民年金保険料を支払った場合、その支払った保険料は、Aさんの社会保険料控除の対象とはなりません」
② 「Aさんが適用を受けることができる扶養控除の控除額は、121万円です」
③ 「Aさんは、不動産所得の金額に損失が生じているため、確定申告をすることによって、純損失の繰越控除の適用を受けることができます」

《問9》 Ａさんの2024年分の所得金額について、次の①、②を求め、解答用紙に記入しなさい（計算過程の記載は不要）。なお、総所得金額の計算上、Ａさんが所得金額調整控除の適用対象者に該当している場合、所得金額調整控除額を控除すること。また、〈答〉は万円単位とすること。

① 総所得金額に算入される給与所得の金額
② 総所得金額

〈資料〉給与所得控除額

給与収入金額		給与所得控除額
万円超	万円以下	
	～ 180	収入金額×40％ － 10万円（55万円に満たない場合は、55万円）
180	～ 360	収入金額×30％ ＋ 8万円
360	～ 660	収入金額×20％ ＋ 44万円
660	～ 850	収入金額×10％ ＋110万円
850	～	195万円

【第4問】次の設例に基づいて、下記の各問（《問10》～《問12》）に答えなさい。

《設例》

Aさん（55歳）は、上場企業に勤務する会社員である。2024年8月、X市内の実家（甲土地および建物）で1人暮らしをしていた母親が死亡した。法定相続人は、長男のAさんのみであり、相続に係る申告・納税等の手続は完了している。

Aさんは、Y市に自宅を保有し、居住しているため、相続後に空き家となっている実家（築50年）の売却を検討してきた。しかし、先日、ハウスメーカーのZ社から、「X市は高齢化が進み、介護施設のニーズが高まっています」との提案があったことで、甲土地の有効活用にも興味を持ち始めている。

〈甲土地の概要〉

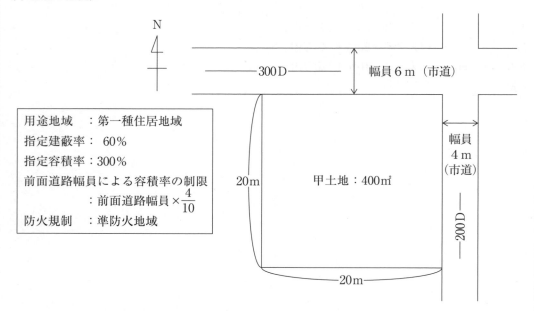

- 甲土地は、建蔽率の緩和について特定行政庁が指定する角地である。
- 指定建蔽率および指定容積率とは、それぞれ都市計画において定められた数値である。
- 特定行政庁が都道府県都市計画審議会の議を経て指定する区域ではない。

※上記以外の条件は考慮せず、各問に従うこと。

《問10》甲土地上に耐火建築物を建築する場合における次の①、②を求めなさい（計算過程の記載は不要）。

① 建蔽率の上限となる建築面積
② 容積率の上限となる延べ面積

《問11》甲土地および建物に関する次の記述①〜③について、適切なものには○印を、不適切なものには×印を解答用紙に記入しなさい。

① 「相続した甲土地および建物を相続の開始があった日の翌日から3年を経過する日の属する年の12月31日までに譲渡した場合、相続財産に係る譲渡所得の課税の特例（相続税の取得費加算の特例）の適用を受けることができます」

② 「建物を取り壊して更地で譲渡する場合、他の所定要件を満たしていても、被相続人の居住用財産（空き家）に係る譲渡所得の特別控除の特例の適用を受けることはできません」

③ 「対象地の面する道路に付された『300D』『200D』の数値は、1㎡当たりの価額を千円単位で表示した相続税路線価です。数値の後に表示されている『D』の記号（アルファベット）は、借地権割合が60％であることを示しています」

《問12》借地借家法の事業用定期借地権等に係る借地契約に関する以下の文章の空欄①〜③に入る最も適切な語句または数値を、下記の〈語句群〉のなかから選び、その記号を解答用紙に記入しなさい。なお、問題の性質上、明らかにできない部分は「□□□」で示してある。

「事業用定期借地権等は、事業用に限定して土地を定期で貸し出す方式です。事業用定期借地権等は、存続期間が（　①　）年以上□□□年未満の事業用借地権と□□□年以上（　②　）年未満の事業用定期借地権に区別されます。事業用定期借地権等の設定契約は、公正証書により作成しなければなりません。

仮に、Z社が、事業用定期借地権等が設定された甲土地にデイサービス（通所介護）の施設を建設した後に、Aさんに相続が開始した場合、相続税額の計算上、甲土地は（　③　）として評価されます」

┌─〈語句群〉─────────────────────────────
│ イ．10　　　ロ．20　　　ハ．25　　　ニ．30　　　ホ．50　　　ヘ．自用地
│ ト．貸宅地　　　チ．借地権　　　リ．貸家建付地
└──────────────────────────────────

【第5問】 次の設例に基づいて、下記の各問 (《問13》～《問15》) に答えなさい。

--- 《設 例》 ---

　非上場会社であるX株式会社 (以下、「X社」という) の代表取締役社長であるAさん (65歳) は、5年後をめどに、X社の専務取締役である長男Cさん (38歳) に事業を承継したいと考えている。Aさんは、長男Cさんに、保有するX社株式のすべてを取得させるとともに、長男Cさん家族と同居している自宅建物 (区分所有建物の登記なし) とその敷地を相続させようと考えているが、長男Cさんと長女Dさん (35歳) が遺産分割でもめてしまうのではないかと心配している。

　また、Aさんは、長女Dさんから、「孫Fさんに教育費がかかるようになったため、資金を援助してほしい」と頼まれており、教育資金の援助をしたいと考えている。

〈Aさんの親族関係図〉

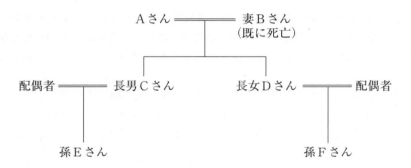

〈Aさんの主な所有財産 (相続税評価額)〉
1. 現預金等　　　　：　　　 1億円
2. X社株式　　　　：1億2,000万円
3. 自宅
　　① 敷地 (400㎡)：　8,000万円
　　② 建物　　　　：　2,000万円
　　合計　　　　　：3億2,000万円

※自宅の土地は「小規模宅地等についての相続税の課税価格の計算の特例」適用前の金額である。

※上記以外の条件は考慮せず、各問に従うこと。

《問13》 Ａさんの相続に関する次の記述①〜④について、適切なものには〇印を、不適切なものには×印を解答用紙に記入しなさい。

① 「遺産分割をめぐる争いを防ぐ手段として、遺言書の作成をお勧めします。公正証書遺言は、遺言書の紛失等を防ぐことができ、相続開始後、家庭裁判所における遺言書の検認が不要です」

② 「仮に、長女Ｄさんがａさんの相続について放棄をした場合、長女Ｄさんの代わりに孫Ｆさんが代襲相続人となります」

③ 「仮に、Ａさんが相続開始前に孫Ｅさんと孫Ｆさんを自分の普通養子としていた場合、Ａさんの相続における相続税額の計算上、遺産に係る基礎控除額は、5,400万円となります」

④ 「仮に、長男Ｃさんが自宅の敷地と建物を相続し、『小規模宅地等についての相続税の課税価格の計算の特例』の適用を受けた場合、自宅の敷地（相続税評価額8,000万円）について、相続税の課税価格に算入すべき価額は1,600万円となります」

《問14》 「直系尊属から教育資金の一括贈与を受けた場合の贈与税の非課税」（以下、「本特例」という）に関する次の記述①〜③について、適切なものには〇印を、不適切なものには×印を解答用紙に記入しなさい。

① 「孫Ｆさんが本特例の適用を受け、孫Ｆさんが30歳に達した日に学校等に在学しておらず、かつ、教育訓練給付金の支給対象となる教育訓練を受けていない場合、管理残額があるときは、その年の贈与税の課税価格に算入されることになります」

② 「孫Ｆさんが2025年１月に教育資金の一括贈与を受けた場合、本特例による非課税限度額は、学校等に支払われる金銭1,500万円と学校等以外の者に支払われる金銭500万円の合計金額となります」

③ 「孫ＦさんがＡさんから2024年以降に贈与を受けた教育資金について本特例の適用を受け、その後、Ａさんの相続が開始した場合、Ａさんの死亡に係る相続税の課税価格の合計額が５億円を超えたときは、Ａさんの死亡日に孫Ｆさんが23歳未満であっても相続開始時における管理残額は、相続税の課税対象となります」

《問15》現時点（2025年１月10日）において、Ａさんに相続が開始した場合における相続税の総額を試算した下記の表の空欄①～③に入る最も適切な数値を求めなさい。なお、相続税の課税価格の合計額は３億2,000万円とし、問題の性質上、明らかにできない部分は「□□□」で示してある。

(a) 相続税の課税価格の合計額	３億2,000万円
(b) 遺産に係る基礎控除額	（　①　）万円
課税遺産総額（(a) − (b)）	□□□万円
相続税の総額の基となる税額	
長男Ｃさん	（　②　）万円
長女Ｄさん	□□□万円
(c) 相続税の総額	（　③　）万円

〈資料〉相続税の速算表（一部抜粋）

法定相続分に応ずる取得金額			税率	控除額
万円超		万円以下		
	～	1,000	10%	—
1,000	～	3,000	15%	50万円
3,000	～	5,000	20%	200万円
5,000	～	10,000	30%	700万円
10,000	～	20,000	40%	1,700万円
20,000	～	30,000	45%	2,700万円

2025年　1月・5月
ファイナンシャル・プランニング技能検定・実技試験対策

2級　金　財
生保顧客資産相談業務

試験時間 ◆ 90分

★ 注 意 ★

1. 本試験の出題形式は、記述式等5題(15問)です。

2. 筆記用具、計算機(プログラム電卓等を除く)の持込みが認められています。

3. 試験問題については、特に指示のない限り、2024年10月1日現在施行の法令等に基づいて解答してください。なお、東日本大震災の被災者等に対する各種特例については考慮しないものとします。

TAC出版
TAC PUBLISHING Group

【第1問】 次の設例に基づいて、下記の各問（《問1》〜《問3》）に答えなさい。

《設 例》

　X株式会社（以下、「X社」という）に勤務するAさん（55歳）は、高校を卒業後、X社に入社し、現在に至るまで同社に勤務している。Aさんは、X社の継続雇用制度を利用して65歳までは働く予定である。Aさんは、今後の資金計画を検討するにあたり、公的年金制度から支給される老齢給付や、雇用保険の高年齢雇用継続基本給付金について理解を深めたいと思っている。

　そこで、Aさんは、ファイナンシャル・プランナーのMさんに相談することにした。

〈X社の継続雇用制度の雇用条件〉
・1年契約の嘱託雇用で、1日8時間（週40時間）勤務
・賃金月額は60歳到達時の60％（月額31万円）で賞与なし
・厚生年金保険、全国健康保険協会管掌健康保険、雇用保険に加入

〈Aさん夫妻に関する資料〉
(1)　Aさん
・1969年7月12日生まれ／55歳／会社員
・公的年金加入歴：下図のとおり（65歳までの見込みを含む）。
・全国健康保険協会管掌健康保険、雇用保険に加入している。

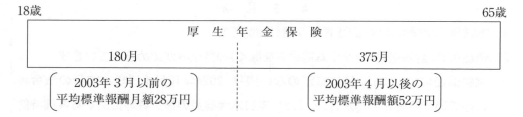

(2)　妻Bさん
・1968年9月5日生まれ／56歳／パート従業員（勤務先は特定適用事業所に該当する）
・公的年金加入歴：18歳からAさんと結婚するまでの6年間（72月）は、厚生年金保険に加入。結婚後は、国民年金に第3号被保険者として加入している。
・全国健康保険協会管掌健康保険の被扶養者である。

※妻Bさんは、現在および将来においても、Aさんと同居し、Aさんと生計維持関係にあるものとする。
※Aさんおよび妻Bさんは、現在および将来においても、公的年金制度における障害等級に該当する障害の状態にないものとする。

※上記以外の条件は考慮せず、各問に従うこと。

《問1》Mさんは、Aさんに対して、Aさんが受給することができる公的年金制度からの老齢給付について説明した。《設例》の〈Aさん夫妻に関する資料〉および下記の〈資料〉に基づき、次の①、②を求め、解答用紙に記入しなさい（計算過程の記載は不要）。なお、年金額は2024年度価額に基づいて計算し、年金額の端数処理は円未満を四捨五入すること。

① 原則として、Aさんが65歳から受給することができる老齢基礎年金の年金額
② 原則として、Aさんが65歳から受給することができる老齢厚生年金の年金額

〈資料〉

○老齢基礎年金の計算式（4分の1免除月数、4分の3免除月数は省略）

$$816,000円 \times \frac{保険料納付済月数 + 保険料半額免除月数 \times \frac{\square}{\square} + 保険料全額免除月数 \times \frac{\square}{\square}}{480}$$

○老齢厚生年金の計算式（本来水準の額）

　ⅰ）報酬比例部分の額（円未満四捨五入）＝ⓐ＋ⓑ

　ⓐ 2003年3月以前の期間分

$$平均標準報酬月額 \times \frac{7.125}{1,000} \times 2003年3月以前の被保険者期間の月数$$

　ⓑ 2003年4月以後の期間分

$$平均標準報酬額 \times \frac{5.481}{1,000} \times 2003年4月以後の被保険者期間の月数$$

　ⅱ）経過的加算額（円未満四捨五入）＝1,701円×被保険者期間の月数

$$-816,000円 \times \frac{1961年4月以後で20歳以上60歳未満の厚生年金保険の被保険者期間の月数}{480}$$

　ⅲ）加給年金額＝408,100円（要件を満たしている場合のみ加算すること）

— 79 —

《問２》 Mさんは、Aさんに対して、Aさん夫妻が受給することができる公的年金制度からの老齢給付について説明した。Mさんが説明した次の記述①〜③について、適切なものには○印を、不適切なものには×印を解答用紙に記入しなさい。

① 「Aさんは特別支給の老齢厚生年金を受給することができませんが、妻Bさんは64歳から報酬比例部分のみの特別支給の老齢厚生年金を受給することができます」
② 「Aさんが希望すれば、65歳1カ月以後、老齢基礎年金および老齢厚生年金の繰下げ支給の申出をすることができます。Aさんの場合、繰下げの上限年齢は75歳です」
③ 「仮に、Aさんが62歳0カ月で老齢基礎年金および老齢厚生年金の繰上げ支給を請求した場合の減額率は14.4％となります。繰上げ支給を請求した場合は、一生涯減額された年金額を受け取ることになります」

《問３》 Mさんは、Aさんに対して、雇用保険の高年齢雇用継続基本給付金について説明した。Mさんが説明した以下の文章の空欄①〜③に入る最も適切な数値を、下記の〈数値群〉のなかから選び、その記号を解答用紙に記入しなさい。

　「AさんがX社の継続雇用制度を利用して、60歳以後も引き続きX社に勤務し、かつ、60歳以後の各月（支給対象月）に支払われた賃金額（みなし賃金を含む）が60歳到達時の賃金月額の（　①　）％未満となる場合、Aさんは所定の手続きにより、原則として、（　②　）歳に達する月まで高年齢雇用継続基本給付金を受給することができます。
　高年齢雇用継続基本給付金の額は、支給対象月ごとに、その月に支払われた賃金額の低下率に応じて、一定の方法により算定されますが、賃金額が60歳到達時の賃金月額の61％未満となる場合、原則として、当該金額は賃金額の15％に相当する額になります。ただし、2025（令和7）年4月1日から新たに60歳となる者への当該給付の最大給付率は15％から（　③　）％に引き下げられます」

┌─〈数値群〉──────────────────────────────
│　イ．3　　　　ロ．5　　　　ハ．10　　　　ニ．12　　　　ホ．65　　　　ヘ．70
│　ト．75　　　チ．80　　　リ．85
└───────────────────────────────────

【第2問】次の設例に基づいて、下記の各問（《問4》～《問6》）に答えなさい。

--- 《設 例》 ---

X社に勤務するAさん（39歳）は、X社の借上社宅で、会社員の妻Bさん（31歳）および長女Cさん（2歳）と3人で暮らしている。Aさん夫妻は、現在、マイホーム（マンション）の購入を検討しており、住宅の購入にあたって、生命保険の見直しが必要であると感じている。

そこで、Aさんは、ファイナンシャル・プランナーのMさんに相談することにした。

〈Aさんの家族構成〉
　Aさん　　　　（39歳）：会社員（厚生年金保険の被保険者）、年収800万円
　妻Bさん　　　（31歳）：会社員（厚生年金保険の被保険者）、年収400万円
　長女Cさん　（2歳）

〈取得予定のマイホーム（マンション）に関する資料〉
　物件概要…………取得価額：5,000万円、専有部分の延床面積：90㎡
　資金調達方法……自己資金：1,500万円
　　　　　　　　　　　銀行からの借入金：3,500万円（Aさんが全額借入予定）
　住宅ローン………返済期間25年、毎年の返済額160万円、元利均等返済方式
　　　　　　　　　　　（団体信用生命保険に加入）

〈Aさんが現在加入している生命保険に関する資料〉
　保険の種類　　　　　　　　　　：定期保険特約付終身保険（70歳満了）
　契約年月日　　　　　　　　　　：2009年9月1日
　月払保険料　　　　　　　　　　：17,000円
　契約者（＝保険料負担者）・被保険者：Aさん
　死亡保険金受取人：妻Bさん

主契約および特約の内容	保障金額	保険期間
終身保険	200万円	終身
定期保険特約	4,000万円	10年
特定疾病保障定期保険特約	300万円	10年
傷害特約	500万円	10年
入院特約	1日目から日額10,000円	10年
リビング・ニーズ特約	―	―

※更新型の特約は、2019年9月1日に同じ保障金額で更新している。

※上記以外の条件は考慮せず、各問に従うこと。

《問4》Mさんは、下記の各ケースにおいて、現時点（2025年1月10日）でAさんが死亡した場合の必要保障額を試算した。下記の〈条件〉を参考に、Aさんの必要保障額を計算した下記の表の空欄①～③に入る金額を求めなさい。なお、問題の性質上、明らかにできない部分は「□□□」で示してある。また、金額がマイナスになる場合は、金額の前に「▲」を記載し、マイナスであることを示すこと。

〈条件〉

i）長女Cさんが独立する年齢は、22歳（大学卒業時）とする。
ii）Aさんの死亡後から長女Cさんが独立するまで（20年間）の生活費の総額は、現在の日常生活費（月額30万円）の70％とし、長女Cさんが独立した後の妻Bさんの生活費の総額は、現在の日常生活費（月額30万円）の50％として計算する。
iii）長女Cさん独立時の妻Bさんの平均余命は、37年とする。
iv）〈ケース1〉および〈ケース2〉の生活費の総額は、「長女Cさんが独立するまでの遺族の生活費＋長女Cさん独立後の妻Bさんの生活費」とする。

	〈ケース1〉 住宅を取得しない場合	〈ケース2〉 住宅を取得した場合
Aさんの年齢	39歳	39歳
妻Bさんの年齢	31歳	31歳
長女Cさんの年齢	2歳	2歳
生活費の総額	（　①　）	（　①　）
住宅ローンの返済額	―	□□□
住宅修繕・リフォーム費用	―	400
租税公課（固定資産税等）	―	400
教育・結婚援助資金	1,300	1,300
その他費用（趣味・娯楽等）	1,200	1,200
死亡整理資金（葬儀費用等）	300	300
(a) 遺族に必要な資金の総額	□□□	（　②　）
遺族厚生年金等	5,000	5,000
妻Bさんの公的年金	3,800	3,800
妻Bさんの勤労収入等	12,000	12,000
死亡退職金等	300	300
金融資産（現金、預金等）	1,800	100
(b) 遺族の収入見込金額	22,900	21,200
必要保障額（a−b）	□□□	（　③　）

※各数値の単位は万円であり、Mさんが収集した情報を基に概算の金額を算出したものである。
※計算にあたって、物価上昇率等は考慮していない。
※記載された条件以外は考慮しないものとする。

《問5》 Mさんは、Aさんに対して、Aさんが死亡した場合の必要保障額の考え方について説明した。Mさんが説明した次の記述①～③について、適切なものには○印を、不適切なものには×印を解答用紙に記入しなさい。

① 「妻Bさんに会社員としての給与収入がありますが、配偶者が専業主婦やパート等の世帯の必要保障額と異なることはありません。ただし、妻Bさんが病気等で働けなくなった場合や離職した場合など、必要保障額の算出結果が変化する可能性があることに留意してください」

② 「Aさんが現時点で死亡した場合、妻Bさんは、遺族厚生年金を受給することができます。遺族厚生年金の額は、原則として、Aさんの厚生年金保険の被保険者記録を基礎として計算した老齢厚生年金の報酬比例部分の額の3分の2相当額になります」

③ 「教育費は長女Cさんの進路希望により大きく変わります。特に、大学進学をする場合、国公立と私立、文系学部と理系学部の違いにより、教育費は大きく異なります。その他の要因で教育費に差異は生じませんので、進路についての詳細な調査が大切です」

《問6》 Mさんは、Aさんに対して、生命保険の見直し等について説明した。Mさんが説明した次の記述①～④について、適切なものには○印を、不適切なものには×印を解答用紙に記入しなさい。

① 「必要保障額は、一般に、子どもの成長とともに逓減していきます。Aさんの今後のライフステージの変化に合わせて、保障内容を定期的に見直すことをお勧めします」

② 「Aさんが現在加入している生命保険には、特定疾病保障定期保険特約や入院特約が付帯されており、あらゆる場面に対応できますので、特約の見直しは不要です」

③ 「妻Bさんが死亡あるいはケガや病気等で働けなくなった場合、世帯収入は減少しますが、社会保険制度を利用することで対応が可能です。Aさんの生命保険の見直しを中心に考えておけばよく、妻Bさんの保障内容を確認することは不要です」

④ 「団体信用生命保険は、死亡・所定の高度障害状態に限り住宅ローン債務が弁済されます。がん・急性心筋梗塞・脳卒中により所定の状態に該当した場合に、住宅ローン債務が弁済されるものはありませんので、別途、生命保険会社の商品を検討する必要があります」

【第3問】 次の設例に基づいて、下記の各問（《問7》～《問9》）に答えなさい。

《設 例》

　Aさん（73歳）は、X株式会社（以下、「X社」という）の創業社長である。Aさんは今期限りで専務取締役の長男Bさん（41歳）に社長の座を譲り、勇退することを決意している。X社は、現在、下記の〈資料〉の生命保険に加入している。

　そこで、Aさんは、生命保険会社の営業担当者であるファイナンシャル・プランナーのMさんに相談することにした。

〈資料〉X社が現在加入している生命保険の契約内容

> 保険の種類：5年ごと利差配当付長期平準定期保険（特約付加なし）
> 契約年月日　　　　　　：2005年7月1日
> 契約者（＝保険料負担者）：X社
> 被保険者　　　　　　　：Aさん
> 死亡保険金受取人　　　：X社
> 保険期間・保険料払込期間：100歳満了
> 死亡・高度障害保険金額　：1億円
> 年払保険料　　　　　　：400万円
> 現時点の解約返戻金額　：6,000万円
> 現時点の払込保険料累計額：8,000万円
> ※解約返戻金額の80％の範囲内で、契約者貸付制度を利用することができる。
> ※保険料の払込みを中止し、払済終身保険に変更することができる。

　※上記以外の条件は考慮せず、各問に従うこと。

《問7》 仮に、X社がAさんに役員退職金7,000万円を支給した場合、Aさんが受け取る役員退職金について、次の①、②を求め、解答用紙に記入しなさい（計算過程の記載は不要）。〈答〉は万円単位とすること。なお、Aさんの役員在任期間（勤続年数）を37年3カ月とし、これ以外に退職手当等の収入はなく、障害者になったことが退職の直接の原因ではないものとする。

① 退職所得控除額
② 退職所得の金額

《問8》 Mさんは、Aさんに対して、〈資料〉の長期平準定期保険について説明した。Mさんが説明した次の記述①～④について、適切なものには○印を、不適切なものには×印を解答用紙に記入しなさい。

① 「当該生命保険を現時点で解約した場合、X社はそれまで資産計上していた前払保険料4,000万円を取り崩して、解約返戻金6,000万円との差額2,000万円を雑収入として経理処理します」

② 「当該生命保険を現時点で払済終身保険に変更した場合、変更した事業年度において雑収入が計上されます。したがって、変更した事業年度の利益を減少させる効果はありません」

③ 「X社が契約者貸付制度を利用し、契約者貸付金を受け取った場合、その全額を負債に計上します」

④ 「Aさんの勇退時に当該生命保険を払済終身保険に変更し、契約者をAさん、死亡保険金受取人をAさんの相続人に名義を変更することで、X社は終身保険契約を役員退職金の一部としてAさんに現物支給することができます」

《問9》 Mさんは、長男Bさんに対して、生命保険の活用方法について説明した。Mさんが説明した次の記述①～③について、適切なものには○印を、不適切なものには×印を解答用紙に記入しなさい。

① 「経営者が要介護状態あるいは重度の疾患等で長期間不在となった場合、業績が悪化してしまう可能性も考えられます。そのため、長男Bさんが重い病気等になった場合に長男Bさんが一時金を受け取ることができる生前給付タイプの生命保険に加入されることも検討事項の1つとなります」

② 「保険期間10年の定期保険は、長期平準定期保険に比べて保険料が割安ですが、保険期間の途中で解約しても、多額の解約返戻金を受け取ることは期待できないため、長男Bさんの役員（生存）退職金を準備する方法として適していません」

③ 「役員・従業員の退職金準備のために、養老保険の福利厚生プランを活用する方法があります。契約者をX社、被保険者を役員・従業員全員、死亡保険金受取人を役員・従業員の遺族、満期保険金受取人をX社とする養老保険に加入することにより、支払保険料の2分の1を福利厚生費として損金の額に算入することができます」

【第4問】次の設例に基づいて、下記の各問（《問10》～《問12》）に答えなさい。

```
------------------------------《設 例》------------------------------

　会社員のAさんは、妻Bさんおよび長男Cさんの3人で暮らしていたが、妻Bさんは、2024
年11月に事故により40歳で他界した。また、Aさんは、2024年中に終身保険の解約返戻金およ
び一時払変額個人年金保険（10年確定年金）の解約返戻金を受け取っている。


〈Aさんとその家族に関する資料〉
　　Aさん　　　　（44歳）：会社員。2024年中に遺族基礎年金30万円を受け取っている。
　　長男Cさん（16歳）：高校生。2024年中の収入はない。


〈Aさんの2024年分の収入等に関する資料〉
　　(1)　給与所得の金額　　　　　　　　　　　　：450万円
　　(2)　終身保険の解約返戻金
　　　　契約年月　　　　　　　　　　　　　　　：2005年5月
　　　　契約者（＝保険料負担者）・被保険者：Aさん
　　　　死亡保険金受取人　　　　　　　　　　：妻Bさん
　　　　解約返戻金額　　　　　　　　　　　　：300万円
　　　　正味払込保険料　　　　　　　　　　　：330万円
　　(3)　一時払変額個人年金保険（10年確定年金）の解約返戻金
　　　　契約年月　　　　　　　　　　　　　　　：2017年2月
　　　　契約者（＝保険料負担者）・被保険者：Aさん
　　　　死亡保険金受取人　　　　　　　　　　：妻Bさん
　　　　解約返戻金額　　　　　　　　　　　　：620万円
　　　　正味払込保険料　　　　　　　　　　　：450万円
　　(4)　上場株式の譲渡損失の金額　　　　　　：20万円
　　　　（証券会社を通じて譲渡したものである）


※長男Cさんは、Aさんと同居し、生計を一にしている。
※Aさんと長男Cさんは、いずれも障害者および特別障害者には該当しない。
※Aさんと長男Cさんの年齢は、いずれも2024年12月31日現在のものである。


※上記以外の条件は考慮せず、各問に従うこと。
```

《問10》 Aさんの2024年分の所得税の課税等に関する次の記述①～③について、適切なものには○印を、不適切なものには×印を解答用紙に記入しなさい。

① 「終身保険の解約により生じた損失の金額は、一時払変額個人年金保険の解約返戻金に係る一時所得の金額と内部通算することができます」
② 「上場株式の譲渡損失の金額は、給与所得の金額や一時所得の金額と損益通算することができます」
③ 「Aさんが受け取った一時払変額個人年金保険の解約返戻金は、契約から10年以内の解約のため、金融類似商品に該当し、源泉分離課税の対象となります」

《問11》 Aさんの2024年分の所得税における所得控除に関する以下の文章の空欄①～④に入る最も適切な語句または数値を、下記の〈語句群〉のなかから選び、その記号を解答用紙に記入しなさい。

Ⅰ 「Aさんが適用を受けることができる長男Cさんに係る扶養控除の額は、（ ① ）万円です」
Ⅱ 「（ ② ）控除は、現に婚姻していない者が、総所得金額等が（ ③ ）万円以下の生計を一にする子を有すること、納税者本人の合計所得金額が500万円以下であること、納税者本人と事実上婚姻関係と同様の事情にあると認められる一定の人がいないことの3つの要件を満たした場合に適用を受けることができます。Aさんが適用を受けることができる（ ② ）控除の額は、（ ④ ）万円です」

┌─〈語句群〉─────────────────────────
│ イ. 35   ロ. 38   ハ. 48   ニ. 58   ホ. 63   ヘ. 68   ト. 100
│ チ. 寡夫   リ. 寡婦   ヌ. ひとり親
└──────────────────────────────

《問12》 Aさんの2024年分の所得税の算出税額を計算した下記の表の空欄①〜③に入る最も適切な数値を求めなさい。なお、問題の性質上、明らかにできない部分は「□□□」で示してある。また、2024年分所得税について定額による所得税額の特別控除（定額減税）については考慮しないこと。

(a)	総所得金額	（ ① ）円
	社会保険料控除	□□□円
	生命保険料控除	120,000円
	地震保険料控除	20,000円
	□□□控除	□□□円
	配偶者控除	□□□円
	扶養控除	□□□円
	基礎控除	（ ② ）円
(b)	所得控除の額の合計額	2,700,000円
(c)	課税総所得金額（(a)－(b)）	□□□円
(d)	算出税額（(c)に対する所得税額）	（ ③ ）円

〈資料〉所得税の速算表

課税総所得金額		税率	控除額
万円超	万円以下		
	195	5 %	―
195 〜	330	10%	9 万7,500円
330 〜	695	20%	42万7,500円
695 〜	900	23%	63万6,000円
900 〜	1,800	33%	153万6,000円
1,800 〜	4,000	40%	279万6,000円
4,000 〜		45%	479万6,000円

【第5問】 次の設例に基づいて、下記の各問 (《問13》〜《問15》) に答えなさい。

-- 《設 例》 --

　　非上場企業であるＸ株式会社 (以下、「Ｘ社」という) の代表取締役社長であったＡさんは、2024年12月13日 (金) に病気により84歳で死亡した。

　　Ａさんが保有していたＸ社株式 (発行済株式数の全部) は、後継者である長男Ｄさんが相続により取得する予定である。なお、長女Ｃさんは、Ａさんの相続開始前に死亡している。

〈Ａさんの親族関係図〉

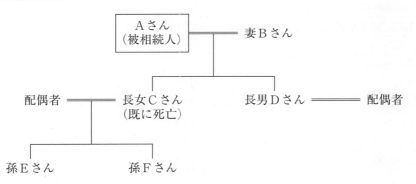

〈各人が取得する予定の相続財産 (みなし相続財産を含む)〉
① 妻Ｂさん (80歳)
 　現金および預貯金　　：2,000万円
 　自宅 (敷地330㎡)　　：2,000万円 (「小規模宅地等についての相続税の課税価格の計算の特例」適用後の金額)
 　自宅 (建物)　　　　：1,000万円 (固定資産税評価額)
 　死亡保険金　　　　：3,000万円 (契約者 (＝保険料負担者)・被保険者Ａさん、死亡保険金受取人は妻Ｂさん)
 　死亡退職金　　　　：3,000万円
② 長男Ｄさん (54歳)
 　現金および預貯金　　：1億円
 　Ｘ社株式　　　　　：2億4,000万円 (相続税評価額)
 　※相続税におけるＸ社株式の評価上の規模区分は「大会社」であり、特定の評価会社には該当しない。
 　Ｘ社本社敷地 (500㎡)：3,000万円 (「小規模宅地等についての相続税の課税価格の計算の特例」適用後の金額)
 　Ｘ社本社建物　　　：3,000万円
③ 孫Ｅさん (23歳)
 　現金および預貯金　　：1,000万円
④ 孫Ｆさん (21歳)
 　現金および預貯金　　：1,000万円

※上記以外の条件は考慮せず、各問に従うこと。

《問13》相続人は、《設例》の記載のとおり、Aさんの財産を取得した。Aさんの相続に係る相続税の総額を計算した下記の表の空欄①～④に入る最も適切な数値を、解答用紙に記入しなさい。なお、問題の性質上、明らかにできない部分は「□□□」で示してある。

妻Bさんに係る課税価格	（ ① ）万円
長男Dさんに係る課税価格	4億円
孫Eさんに係る課税価格	1,000万円
孫Fさんに係る課税価格	1,000万円
（a）相続税の課税価格の合計額	□□□万円
（b）遺産に係る基礎控除額	（ ② ）万円
課税遺産総額（(a)－(b)）	□□□万円
相続税の総額の基となる税額	
妻Bさん	□□□万円
長男Dさん	（ ③ ）万円
孫Eさん	□□□万円
孫Fさん	□□□万円
（c）相続税の総額	（ ④ ）万円

〈資料〉相続税の速算表

法定相続分に応ずる取得金額			税率	控除額
万円超		万円以下		
		1,000	10%	—
1,000	～	3,000	15%	50万円
3,000	～	5,000	20%	200万円
5,000	～	10,000	30%	700万円
10,000	～	20,000	40%	1,700万円
20,000	～	30,000	45%	2,700万円
30,000	～	60,000	50%	4,200万円
60,000	～		55%	7,200万円

— 90 —

《問14》 Aさんの相続等に関する以下の文章の空欄①～③に入る最も適切な語句を、下記の〈語句群〉のなかから選び、その記号を解答用紙に記入しなさい。なお、問題の性質上、明らかにできない部分は「□□□」で示してある。

Ⅰ 「X社株式の相続税評価額は、原則として（ ① ）方式により評価されます。（ ① ）価額は、□□□の株価ならびに1株当たりの配当金額、利益金額および簿価純資産価額を基として計算します」

Ⅱ 「『配偶者に対する相続税額の軽減』の適用を受けた場合、妻Bさんが相続により取得した財産の金額が、配偶者の法定相続分相当額と（ ② ）円とのいずれか多い金額までであれば、原則として、妻Bさんが納付すべき相続税額は算出されません」

Ⅲ 「Aさんに係る相続税の申告書の提出期限は、原則として、2025年（ ③ ）になります。申告書の提出先は、Aさんの死亡時の住所地を所轄する税務署長です」

──〈語句群〉───────────────────────────────────
イ．1億2,000万　　　ロ．1億6,000万　　　ハ．1億8,000万　　　ニ．類似業種比準
ホ．純資産価額　　　ヘ．配当還元　　　ト．4月13日　　　チ．10月13日
リ．11月13日
──

《問15》 Aさんの相続等に関する次の記述①～③について、適切なものには○印を、不適切なものには×印を解答用紙に記入しなさい。

① 「Aさんが2024年分の所得税について確定申告書を提出しなければならない場合に該当するとき、相続人は、原則として、2025年2月16日から3月15日までの間に準確定申告書を提出しなければなりません」

② 「相続税の申告期限までに遺産分割協議が調わなかった場合、分割されていない資産について、相続税の申告時において『配偶者に対する相続税額の軽減』や『小規模宅地等についての相続税の課税価格の計算の特例』の適用を受けることができません」

③ 「長男DさんがX社本社敷地を相続により取得し、特定同族会社事業用宅地等として『小規模宅地等についての相続税の課税価格の計算の特例』の適用を受けた場合、X社本社敷地は400㎡までを限度面積として、評価額の50%相当額を減額した金額を、相続税の課税価格に算入すべき価額とすることができます」

2025年1月
ファイナンシャル・プランニング技能検定・実技試験対策

2級　日本FP協会
資産設計提案業務

試験時間　90分

TAC出版
TAC PUBLISHING Group

【第1問】 下記の（問1）、（問2）について解答しなさい。

問1

　ファイナンシャル・プランナー（以下「FP」という）が、ファイナンシャル・プランニング業務を行ううえでは関連業法等を順守することが重要である。FPの行為に関する次の（ア）～（エ）の記述について、適切なものには○、不適切なものには×を解答欄に記入しなさい。

（ア）税理士資格を有していないFPが、参加費有料の住宅ローンセミナーで、仮定の事例に基づく一般的な解説を行い、講師料を受け取った。

（イ）生命保険募集人・保険仲立人の登録を受けていないFPが、顧客が持参したパンフレットの医療保険について商品説明を行った。

（ウ）投資助言・代理業の登録を受けていないFPが、特定企業の公表されているIR情報を用いて、有償で具体的な投資時期等の判断や助言を行った。

（エ）社会保険労務士の登録を受けていないFPが、顧客から依頼されて有償で公的年金の裁定請求手続きを代行した。

問2

　「金融サービスの提供及び利用環境の整備等に関する法律」（以下「金融サービス提供法」という）に関する次の記述のうち、最も適切なものはどれか。

1．金融サービス提供法は、金融商品販売業者が金融商品の販売またはその代理もしくは媒介に際し、顧客に対し説明すべき事項等を定めること等により、金融商品販売業者の保護を図る法律である。

2．投資信託等の売買の仲介を行うIFA（Independent Financial Advisor＝独立系ファイナンシャル・アドバイザー）は、金融サービス提供法が適用されない。

3．投資は、投資者自身の判断と責任において行うべきであり、金融サービス提供法では、金融商品販売業者が重要事項の説明を怠ったことで顧客に損害が生じた場合でも、金融商品販売業者は損害賠償責任を負うわけではない。

4．顧客が重要事項の説明を要しない旨の意思を表明した場合、金融商品販売業者は、顧客に対し金融商品の有するリスク等に係る重要事項の説明をする必要はない。

【第2問】 下記の（問3）〜（問6）について解答しなさい。

問3

　水野さんは、特定口座で保有しているＧＦ投資信託（追加型国内公募株式投資信託）の収益分配金を2024年11月に受け取った。ＧＦ投資信託の運用状況が下記〈資料〉のとおりである場合、次の記述の空欄（ア）、（イ）にあてはまる語句の組み合わせとして、最も適切なものはどれか。

〈資料〉

［水野さんが特定口座で保有するＧＦ投資信託の収益分配金受取時の状況］
収益分配前の個別元本：13,820円
収益分配前の基準価額：13,400円
収益分配金：300円
収益分配後の基準価額：13,100円

・水野さんが保有するＧＦ投資信託の収益分配後の個別元本は、（　ア　）である。
・水野さんが特定口座で受け取った分配金には、所得税・住民税が課税（　イ　）。

1．（ア）13,100円　　（イ）される
2．（ア）13,520円　　（イ）されない
3．（ア）13,520円　　（イ）される
4．（ア）13,100円　　（イ）されない

問4

　下記〈資料〉の債券を取得から6年後に売却した場合における所有期間利回り（単利・年率）を計算しなさい。なお、手数料や税金等については考慮しないものとし、計算結果については小数点以下第4位を切り捨てること。また、解答に当たっては、解答用紙に記載されている単位に従うこと。

〈資料〉

表面利率：年0.9％
額面：100万円
購入価格：額面100円につき98.50円
売却価格：額面100円につき101.00円
所有期間：6年

問5

下記〈資料〉に関する次の記述の空欄（ア）、（イ）にあてはまる語句の組み合わせとして、最も適切なものはどれか。

〈資料〉

	ＤＡ株式会社	ＤＢ株式会社
株価	6,886円	13,152円
1株当たり当期純利益	275円	640円
1株当たり自己資本	2,985円	8,873円
1株当たり年間配当金	70円	245円

・ＤＡ株式会社とＤＢ株式会社の株価をＰＥＲ（株価収益率）で比較した場合、（　ア　）株式会社の方が割安といえる。
・ＤＡ株式会社とＤＢ株式会社の資本効率性をＲＯＥ（自己資本利益率）で比較した場合、（　イ　）株式会社の方が効率的に利益を上げているといえる。

1．（ア）ＤＡ　　（イ）ＤＡ
2．（ア）ＤＡ　　（イ）ＤＢ
3．（ア）ＤＢ　　（イ）ＤＡ
4．（ア）ＤＢ　　（イ）ＤＢ

問6

下記〈資料〉は、今川さんが購入を検討している個人向け国債の商品概要の一部である。個人向け国債に関する次の（ア）～（エ）の記述について、適切なものには○、不適切なものには×を解答欄に記入しなさい。なお、問題作成の都合上、一部を「＊＊＊」にしてある。

〈資料〉

商品名	変動10年	固定5年	固定3年
満期	10年	5年	3年
金利タイプ	変動金利	固定金利	固定金利
利子の受け取り	半年ごとに年2回		
購入単価（販売価格）	＊＊＊		
償還金額	額面金額100円につき100円		
中途換金	＊＊＊		

（ア）個人向け国債は、最低でも0.01％（年率）の金利が保証されている。
（イ）個人向け国債の購入単価（販売価格）は、最低5,000円から1,000円単位である。
（ウ）個人が募集時に購入できる日本国債は、個人向け国債に限られる。
（エ）個人向け国債は、発行後2年を経過しなければ、中途換金することができない。

【第3問】 下記の（問7）～（問10）について解答しなさい。

問7

　建築基準法に従い、下記〈資料〉の土地に建物を建てる場合の建築面積の最高限度を計算しなさい。なお、〈資料〉に記載のない条件については一切考慮しないこととする。また、解答に当たっては、解答用紙に記載されている単位に従うこと。

〈資料〉

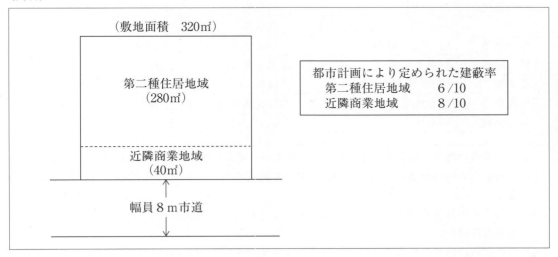

問8

　下記〈資料〉は、玉嶋さんが購入を検討している中古マンションのインターネット上の広告（抜粋）である。この広告の内容等に関する次の（ア）～（エ）の記述について、適切なものには○、不適切なものには×を解答欄に記入しなさい。

〈資料〉

○○タワーレジデンス1802号室			
販売価格	7,580万円	所在地	◎◎県□□市○○町3－8
交通	△△線◇◇駅まで徒歩4分	間取り	2LDK
専有面積	61.28㎡（壁芯）	バルコニー面積	10.20㎡
階／階建て	18階／25階	築年月	2020年10月
総戸数	150戸	構造	鉄筋コンクリート造
管理費	18,000円／月	修繕積立金	10,800円／月
土地権利	所有権	取引形態	売主

（ア）この広告の物件の専有面積として記載されている壁芯面積は、登記簿上の面積より大きい。

（イ）この広告の物件は専有部分と共用部分により構成されているが、バルコニーは専有部分に当たる。

（ウ）この広告の物件を購入した場合、購入前になされた集会の決議については、玉嶋さんにその効力は及ばない。

（エ）この広告の物件を購入する場合、売主である宅地建物取引業者に仲介手数料を支払わなければならない。

問9

　固定資産税に関する次の記述の空欄（ア）～（エ）に入る語句の組み合わせとして、適切なものはどれか。

　固定資産税は、（　ア　）が、毎年1月1日現在の土地や家屋等の所有者に対して課税する。課税標準は固定資産税評価額だが、一定の要件を満たす住宅が建っている住宅用地（小規模住宅用地）は、住戸一戸当たり（　イ　）以下の部分について、課税標準額が固定資産税評価額の（　ウ　）になる特例がある。また、新築住宅が一定の要件を満たす場合は、新築後の一定期間、一戸当たり120㎡相当分の固定資産税が（　エ　）に減額される特例がある。

1．（ア）市町村（東京23区は都）　　（イ）200㎡　　（ウ）6分の1　　（エ）2分の1
2．（ア）市町村（東京23区は都）　　（イ）240㎡　　（ウ）3分の1　　（エ）70％
3．（ア）都道府県　　（イ）200㎡　　（ウ）3分の1　　（エ）2分の1
4．（ア）都道府県　　（イ）240㎡　　（ウ）6分の1　　（エ）70％

問10

　　下記〈資料〉は、桜葉さんが購入を検討している投資用マンションの概要である。この物件の表面利回り（年利）と実質利回り（年利）の組み合わせとして、正しいものはどれか。なお、〈資料〉に記載のない事項については一切考慮しないこととし、計算結果については小数点以下第3位を四捨五入すること。

〈資料〉

購入費用総額　　：5,200万円（消費税と仲介手数料等取得費用を含めた金額） 想定される収入：賃料　月額　150,000円 想定される支出： 　管理費・修繕積立金　月額　28,000円 　管理業務委託費　　　月額　　7,000円 　火災保険料　　　　　年額　22,000円 　固定資産税等税金　　年額　70,000円

1．表面利回り（年利）：3.28％　　　実質利回り（年利）：2.61％
2．表面利回り（年利）：3.46％　　　実質利回り（年利）：2.48％
3．表面利回り（年利）：3.28％　　　実質利回り（年利）：2.48％
4．表面利回り（年利）：3.46％　　　実質利回り（年利）：2.61％

【第４問】 下記の（問11）～（問14）について解答しなさい。

問11

　今泉美花さん（45歳）が加入の提案を受け、加入することにした生命保険の保障内容は下記〈資料〉のとおりである。次の記述の空欄（ア）～（ウ）にあてはまる数値を解答欄に記入しなさい。なお、保険契約は有効に継続し、かつ特約は自動更新しているものとし、今泉さんはこれまでに〈資料〉の保険から、保険金・給付金を一度も受け取っていないものとする。また、各々の記述はそれぞれ独立した問題であり、相互に影響を与えないものとする。

〈資料／生命保険提案書〉

ご提案書 保険種類：利率変動型積立保険	（ご契約者）　　　　今泉　美花　様 （被保険者）　　　　今泉　美花　様 （年齢・性別）　　45歳・女性

予定契約日：2025年２月１日
払込保険料合計：××,×××円
支払方法：月払い、口座振替

長期生活保障保険	60歳まで
普通定期保険	60歳まで

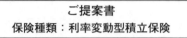

医療保険	入院サポート特約	終身払込 終身
生活習慣病保険	７大疾病一時金特約	終身払込 終身

利率変動型積立保険　　　　　　　　　　　　終身

▲45歳契約

◇ご提案内容

ご契約内容	保険期間	保険金・給付金名称	主なお支払事由など	保険金額・給付金額
利率変動型積立保険	終身	死亡給付金 災害死亡給付金	死亡のとき（※１） 事故などで死亡のとき	積立金額 積立金額の1.5倍
長期生活保障保険	60歳まで	死亡・高度障害年金	死亡・高度障害のとき	毎年120万円×10年間
普通定期保険	60歳まで	死亡・高度障害保険金	死亡・高度障害のとき	400万円
医療保険	終身払込 終身	入院給付金 手術給付金	入院のとき１日目から （１入院120日限度） （イ）入院中に所定の手術のとき （ロ）外来で所定の手術のとき （ハ）がん・脳・心臓に対する所定の手術のとき	日額10,000円 20万円 ５万円 （イ）または（ロ）にプラス20万円
入院サポート特約	終身払込 終身	入院準備費用給付金	１日以上の入院のとき	５万円
生活習慣病保険	終身払込 終身	生活習慣病入院給付金	所定の生活習慣病（※２）で１日以上入院のとき （１入院120日限度）	日額10,000円
リビング・ニーズ特約	－	特約保険金	余命６ヵ月以内と判断されるとき	死亡保険金の範囲内 （通算3,000万円限度）
７大疾病一時金特約	終身払込 終身	７大疾病一時金	７大疾病で所定の診断・入院・手術（※２）のとき	複数回支払（※２） 200万円

（※1）災害死亡給付金が支払われるときは、死亡給付金は支払いません。

（※2）生活習慣病入院給付金、7大疾病一時金特約の支払対象となる生活習慣病は、以下のとおりです。

　　　がん／心臓病／脳血管疾患／腎疾患／肝疾患／糖尿病／高血圧性疾患

　　　7大疾病一時金を複数回お支払いするときは、その原因が新たに生じていることが要件となります。ただし、7大疾病一時金が支払われた最後の支払事由該当日からその日を含めて1年以内に支払事由に該当したときは、お支払いしません。なお、拡張型心筋症や慢性腎臓病・肝硬変・糖尿病性網膜症・（解離性）大動脈瘤と診断されたことによるお支払いは、それぞれ1回限りとなります。

・2025年3月に、今泉さんが交通事故で死亡（入院・手術なし）した場合、保険会社から支払われる保険金・給付金の合計は（　ア　）万円である。なお、死亡時の利率変動型積立保険の積立金額は2万円とする。

・2025年6月に、今泉さんが初めてがん（悪性新生物）と診断され、治療のため25日間継続して入院し、その間に約款所定の手術を1回受けた場合、保険会社から支払われる保険金・給付金の合計は（　イ　）万円である。なお、上記内容は、がんに対する所定の手術、所定の生活習慣病、7大疾病で所定の診断に該当するものとする。

・2025年7月に、今泉さんが余命6ヵ月以内と判断された場合、リビング・ニーズ特約の請求において指定できる最大金額は（　ウ　）万円である。なお、利率変動型積立保険と長期生活保障保険のリビング・ニーズ特約の請求はしないものとし、指定保険金額に対する6ヵ月分の利息と保険料相当額は考慮しないものとする。

問12

　今田聡さんが2024年中に支払った定期保険特約付終身保険とがん保険の保険料は下記〈資料〉のとおりである。聡さんの2024年分の所得税の計算における生命保険料控除額として、正しいものはどれか。なお、下記〈資料〉の保険について、これまでに契約内容の変更はないものとする。また、2024年分の生命保険料控除額が最も多くなるように計算すること。

〈資料〉

［定期保険特約付終身保険（無配当）］
契約日　　　：2011年5月1日
保険契約者：今田　聡
被保険者　：今田　聡
死亡保険金受取人：今田　光里（妻）
2024年の年間支払保険料：98,240円

［がん保険（無配当）］
契約日　　　：2012年10月1日
保険契約者：今田　聡
被保険者　：今田　聡
死亡保険金受取人：今田　光里（妻）
2024年の年間支払保険料：58,400円

〈所得税の生命保険料控除額の速算表〉

［2011年12月31日以前に締結した保険契約（旧契約）等に係る控除額］
・一般生命保険料控除、個人年金保険料控除

年間の支払保険料の合計		控除額
	25,000円 以下	支払金額
25,000円 超	50,000円 以下	支払金額×1/2＋12,500円
50,000円 超	100,000円 以下	支払金額×1/4＋25,000円
100,000円 超		50,000円

［2012年1月1日以降に締結した保険契約（新契約）等に係る控除額］
・一般生命保険料控除、個人年金保険料控除、介護医療保険料控除

年間の支払保険料の合計		控除額
	20,000円 以下	支払金額
20,000円 超	40,000円 以下	支払金額×1/2＋10,000円
40,000円 超	80,000円 以下	支払金額×1/4＋20,000円
80,000円 超		40,000円

（注）支払保険料とは、その年に支払った金額から、その年に受けた剰余金や割戻金を差し引いた残りの金額をいう。

1．34,600円
2．40,000円
3．84,160円
4．96,220円

問13

　少額短期保険に関する次の記述の空欄（ア）～（エ）にあてはまる適切な語句を語群の中から選び、その番号のみを解答欄に記入しなさい。なお、同じ番号を何度選んでもよいものとする。

・少額短期保険業者が、1人の被保険者について引き受ける死亡保険金額および疾病を原因とする重度障害保険の保険金額の上限はそれぞれ（　ア　）で、低発生率保険を除いたすべての保険契約の保険金額を合計して1,000万円を超えてはならない。
・保険期間の上限は、生命保険・医療保険が（　イ　）、損害保険は（　ウ　）である。
・保険料は、生命保険料控除・地震保険料控除の（　エ　）。

〈語群〉
1．200万円　　　　2．300万円　　　　3．400万円　　　　4．500万円　　　　5．1年
6．2年　　　　　　7．3年　　　　　　8．5年　　　　　　9．対象となる
10．対象とならない

問14

　与田大樹さんが契約している火災保険（地震保険付帯、下記〈資料〉参照）の契約に関する次の（ア）～（エ）の記述について、適切なものには○、不適切なものには×を解答欄に記入しなさい。なお、超過保険や一部保険には該当しないものとし、〈資料〉に記載のない特約等については付帯がないものとする。また、保険契約は有効に継続しているものとする。

〈資料１：保険証券〉

火災保険証券

保険契約者	記名被保険者
住所　××××　○－○○ 氏名　与田　大樹　様	保険契約者に同じ

証券番号　第××－×××××

火災保険期間　2024年9月1日　午後4時から 　　　　　　　2029年9月1日　午後4時まで 　　　　　　　5年間 地震保険期間　2024年9月1日から5年間	火災保険料　　△△△,△△△円 地震保険料　　○○○,○○○円 保険料払込方法　　一時払い

建物・家財等に関する補償

事故の種類	補償の有無	建物保険金額（新価）	補償の有無	家財保険金額（新価）
① 火災、落雷、破裂・爆発	○	1,200万円 （免責金額　0円）	○	600万円 （免責金額　0円）
② 風災、ひょう災、雪災	×	－	×	－
③ 盗難	○	1,200万円 （免責金額　0円）	○	600万円 （免責金額　0円）
④ 水災	○	1,200万円 （免責金額　0円）	○	600万円 （免責金額　0円）
⑤ 破損、汚損等 （その他不測かつ突発的な事故）	○	1,200万円 （免責金額　1万円）	○	600万円 （免責金額　1万円）
⑥ 地震、噴火、津波（地震保険）	○	600万円	○	300万円
明記物件	無し			

※「補償の有無」欄の○は有、×は無を示すものとする。

〈資料2：付帯している特約（水災支払方法縮小特約（縮小割合70％型））〉

	保険金をお支払いする場合	お支払いする保険金等
水災保険金	水害により保険価額の30％以上の損害となった場合または床上浸水の場合	① 保険価額の30％以上の損害の場合 保険金＝保険価額×$\dfrac{損害の額}{保険金額}$×70％（保険金額×70％が限度） ② 床上浸水で保険価額の15％以上30％未満の損害の場合 保険金＝保険金額×10％（1回の事故につき200万円限度） ③ 床上浸水で保険価額の15％未満の損害の場合 保険金＝保険金額×5％（1回の事故につき100万円限度）

〈資料3：地震保険　損害の程度と認定の基準（建物）〉

損害の程度	認定の基準
全　損	地震等により損害を受け、主要構造部（土台、柱、壁、屋根等）の損害額が、時価額の50％以上となった場合、または焼失もしくは流失した部分の床面積が、その建物の延床面積の70％以上となった場合
大半損	地震等により損害を受け、主要構造部（土台、柱、壁、屋根等）の損害額が、時価額の40％以上50％未満となった場合、または焼失もしくは流失した部分の床面積が、その建物の延床面積の50％以上70％未満となった場合
小半損	地震等により損害を受け、主要構造部（土台、柱、壁、屋根等）の損害額が、時価額の20％以上40％未満となった場合、または焼失もしくは流失した部分の床面積が、その建物の延床面積の20％以上50％未満となった場合
一部損	地震等により損害を受け、主要構造部（土台、柱、壁、屋根等）の損害額が、時価額の3％以上20％未満となった場合、または建物が床上浸水もしくは地盤面より45cmを超える浸水を受け、建物の損害が全損・大半損・小半損に至らない場合

（ア）与田さんの住宅に空き巣が侵入し、時価20万円の宝飾品が盗まれた場合、補償の対象にならない。

（イ）大雪により、与田さんの住宅建物が損害を被った場合、補償の対象にならない。

（ウ）豪雨による床上浸水で与田さんの住宅建物が保険価額の10％の損害を被った場合、120万円の保険金を受け取ることができる。

（エ）与田さんの住宅建物が地震による火災で延床面積の40％の床面積を焼失した場合、地震保険の損害の程度は「小半損」に該当する。

【第5問】 下記の（問15）～（問18）について解答しなさい。

問15

　会社員の築田さんは、2024年12月末で34年3ヵ月勤め続けてきた株式会社ＴＰを退職し、退職一時金2,800万円を受け取った。この退職一時金に係る退職所得の金額はいくらになるか。なお、築田さんは、勤務先の役員であったことはなく、退職は障害者になったことに基因するものではない。また、解答に当たっては、解答用紙に記載されている単位に従うこと。

問16

　個人事業主で青色申告者である渡部さんの2024年分の所得等が下記〈資料〉のとおりである場合、渡部さんが2024年分の所得税の確定申告を行う際に、事業所得と損益通算できる損失に関する次の記述のうち、最も適切なものはどれか。なお、▲が付された所得の金額は、その所得に損失が発生していることを意味する。

〈資料〉

所得の種類	所得金額	備　考
事業所得	750万円	雑貨店経営に係る所得で、青色申告特別控除65万円控除後の金額
不動産所得	▲60万円	必要経費：530万円 必要経費の中には、土地の取得に要した借入金の利子の額40万円が含まれている。
雑所得	▲5万円	執筆活動に係る損失
譲渡所得	▲110万円	上場株式の売却に係る損失

1．不動産所得▲60万円と譲渡所得▲110万円が控除できる。
2．不動産所得▲60万円と雑所得▲5万円が控除できる。
3．不動産所得▲20万円が控除できる。
4．不動産所得▲20万円と▲譲渡所得110万円が控除できる。

問17

　松本さん（66歳）の2024年分の収入等が下記〈資料〉のとおりである場合、松本さんの2024年分の所得税における総所得金額として、正しいものはどれか。なお、記載のない事項については一切考慮しないものとし、総所得金額が最も少なくなるように計算すること。

〈資料〉

内容	金額
アルバイト収入	50万円
老齢年金および企業年金	350万円
不動産収入	150万円

※アルバイト収入は給与所得控除額を控除する前の金額である。

※老齢年金および企業年金は公的年金等控除額を控除する前の金額である。

※不動産収入は土地の貸し付けによる地代収入であり、地代収入に係る必要経費は年間30万円である。また、松本さんは青色申告者であり、青色申告特別控除10万円の適用を受けるものとする。なお、必要経費の30万円に青色申告特別控除額10万円は含まれていない。

〈公的年金等控除額の速算表〉

納税者区分	公的年金等の収入金額（A）	公的年金等控除額
		公的年金等に係る雑所得以外の所得に係る合計所得金額 1,000万円 以下
65歳以上の者	330万円 以下	110万円
	330万円 超　410万円 以下	（A）×25％ + 27.5万円
	410万円 超　770万円 以下	（A）×15％ + 68.5万円
	770万円 超　1,000万円 以下	（A）× 5 ％ +145.5万円
	1,000万円 超	195.5万円

1．340万円

2．345万円

3．355万円

4．360万円

問18

　　個人事業主の馬上さんは、2024年3月1日に建物を購入したが、営業開始が遅延し、同年11月22日から事業の用に供している。馬上さんの2024年分の所得税における事業所得の計算上、必要経費に算入すべき減価償却費の金額として、正しいものはどれか。なお、建物は、事業にのみ使用しており、その取得価額は6,000万円、法定耐用年数は50年である。

〈耐用年数表（抜粋）〉

法定耐用年数	定額法の償却率	定率法の償却率
50年	0.020	0.040

1．　20万円
2．　40万円
3．120万円
4．240万円

【第6問】 下記の（問19）～（問22）について解答しなさい。

問19

　下記〈資料〉の土地に係る路線価方式による普通借地権の相続税評価額の計算式として、正しいものはどれか。

〈資料〉

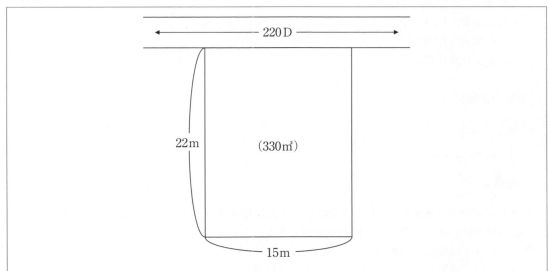

注1：奥行価格補正率（20m以上24m未満）1.00
注2：借地権割合　60%
注3：借家権割合　30%
注4：その他の記載のない条件は一切考慮しないこと。

1．220千円×1.00×330㎡×（1－60%×30%×100%）
2．220千円×1.00×330㎡×（1－60%）
3．220千円×1.00×330㎡×60%
4．220千円×1.00×330㎡

問20

　下記の相続事例（2024年12月1日相続開始）における各人の相続税の課税価格の組み合わせとして、正しいものはどれか。なお、記載のない条件については一切考慮しないこととする。

〈課税価格の合計額を算出するための財産等の相続税評価額〉

　マンション（建物および建物敷地権）：2,900万円

　現預金　　：2,000万円

　死亡保険金：1,500万円

　死亡退職金：2,500万円

　債務および葬式費用：300万円

〈親族関係図〉

```
被相続人 ┬──────┬─ 長男
         │      └─ 二男
       配偶者
```

※マンションの評価額は、「小規模宅地等の特例」適用後の金額であり、死亡保険金および死亡退職金は、非課税限度額控除前の金額である。

※マンションは配偶者が相続する。

※現預金は、長男および二男が2分の1ずつ受け取っている。

※死亡保険金は、配偶者、長男、二男がそれぞれ3分の1ずつ受け取っている。

※死亡退職金は、配偶者が受け取っている。

※相続開始前3年以内に被相続人からの贈与により財産を取得した相続人はおらず、相続時精算課税制度を選択した相続人もいない。また相続を放棄した者もいない。

※債務および葬式費用は、すべて被相続人の配偶者が負担している。

1．配偶者：3,600万円　　　長男：1,500万円　　　二男：1,500万円
2．配偶者：3,600万円　　　長男：1,000万円　　　二男：1,000万円
3．配偶者：5,100万円　　　長男：1,000万円　　　二男：1,000万円
4．配偶者：5,100万円　　　長男：1,500万円　　　二男：1,500万円

問21

　下記〈親族関係図〉の場合において、民法の規定に基づく法定相続分および遺留分に関する次の記述の空欄（ア）～（ウ）に入る適切な語句または数値を語群の中から選び、解答欄に記入しなさい。なお、同じ語句または数値を何度選んでもよいこととする。

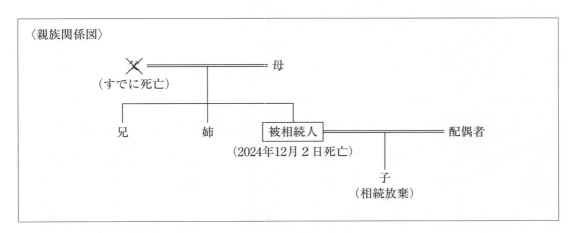

〈親族関係図〉

[各人の法定相続分と遺留分]
- 被相続人の配偶者の法定相続分は（　ア　）である。
- 被相続人の兄の遺留分は（　イ　）である。
- 被相続人の母の遺留分は（　ウ　）である。

〈語群〉							
ゼロ	1／2	1／3	2／3	1／4	3／4	1／6	1／8
1／12							

問22

　相続の手続き等に関する次の（ア）～（エ）の記述について、適切なものには○、不適切なものには×を解答欄に記入しなさい。

（ア）被相続人の死亡時の住所地が国内にある場合、相続税の申告書の提出先については、被相続人の死亡時の住所地の所轄税務署長または相続人の住所地の所轄税務署長のいずれかを相続人が選択することができる。

（イ）相続人が相続放棄をする場合、自己のために相続の開始があったことを知った時から、原則として、3ヵ月以内に家庭裁判所にその旨の申述をしなければならない。

（ウ）遺産分割協議により遺産分割を行う場合、相続の開始があったことを知った日から10ヵ月以内に遺産分割協議書を作成し、家庭裁判所に提出しなければならない。

（エ）法定相続情報証明制度に基づき、法定相続情報一覧図を作成した場合、遺産の相続手続きを行う際に、被相続人等の戸籍謄本の原本の提出を省略することができる。

【第7問】下記の（問23）～（問25）について解答しなさい。

〈矢部家の家族データ〉

氏　名	続　柄	生年月日	備　考
矢部　翔太	本人	1979年10月2日	会社員
一実	妻	1980年5月5日	パートタイマー
瞳	長女	2010年8月10日	中学生
康太	長男	2014年6月28日	小学生

〈矢部家のキャッシュフロー表〉 (単位：万円)

経過年数			基準年	1年	2年	3年	4年
西暦（年）			2024	2025	2026	2027	2028
家族構成／年齢	矢部　翔太	本人	45歳	46歳	47歳	48歳	49歳
	一実	妻	44歳	45歳	46歳	47歳	48歳
	瞳	長女	14歳	15歳	16歳	17歳	18歳
	康太	長男	10歳	11歳	12歳	13歳	14歳
ライフイベント		変動率			瞳 高校入学	康太 中学校入学	自動車の 買換え
収入	給与収入（夫）	1%	512				（　ア　）
	給与収入（妻）	―	170				
	収入合計	―	682		692		
支出	基本生活費	2%	280				
	住居費	―	153	153	153	153	153
	教育費	―	120	120	150		
	保険料	―	60	60	60	60	60
	一時的支出	―					400
	その他支出	2%	30	45	42		28
	支出合計	―	643	664	696		
年間収支		―	39				
金融資産残高		1%	1,001	1,028	（　イ　）		

※年齢および金融資産残高は各年12月31日現在のものとする。

※給与収入は可処分所得で記載している。

※記載されている数値は正しいものとする。

※問題作成の都合上、一部を空欄としている。

問23

　矢部家のキャッシュフロー表の空欄（ア）に入る数値を計算しなさい。なお、計算過程においては、端数処理をせず計算し、計算結果については万円未満を四捨五入すること。

問24

　矢部家のキャッシュフロー表の空欄（イ）に入る数値を計算しなさい。なお、計算過程においては、端数処理をせず計算し、計算結果については万円未満を四捨五入すること。

問25

　翔太さんは、教育費の負担が心配になり、奨学金について調べることにした。日本学生支援機構の奨学金に関する次の記述として、最も適切なものはどれか。

1．日本学生支援機構の貸与型奨学金には、利息が付く「第一種」と利息が付かない「第二種」がある。
2．日本学生支援機構の貸与型奨学金の申し込みは、進学前に限られており、進学後に申し込むことはできない。
3．日本学生支援機構の貸与型奨学金は、原則として学生・生徒の保護者名義の口座に振り込まれる。
4．日本学生支援機構の給付型奨学金における支給金額は、収入基準に応じて、国公立・私立の別、自宅通学・自宅外通学の別などによって決められている。

【第8問】 下記の（問26）～（問28）について解答しなさい。

下記の係数早見表を使用し、各問について計算しなさい。なお、税金は一切考慮しないこととする。また、解答に当たっては、解答用紙に記載されている単位に従うこととする。

〈係数早見表（年利1.0％）〉

	終価係数	現価係数	減債基金係数	資本回収係数	年金終価係数	年金現価係数
1年	1.010	0.990	1.000	1.010	1.000	0.990
2年	1.020	0.980	0.498	0.508	2.010	1.970
3年	1.030	0.971	0.330	0.340	3.030	2.941
4年	1.041	0.961	0.246	0.256	4.060	3.902
5年	1.051	0.951	0.196	0.206	5.101	4.853
6年	1.062	0.942	0.163	0.173	6.152	5.795
7年	1.072	0.933	0.139	0.149	7.214	6.728
8年	1.083	0.923	0.121	0.131	8.286	7.652
9年	1.094	0.914	0.107	0.117	9.369	8.566
10年	1.105	0.905	0.096	0.106	10.462	9.471
15年	1.161	0.861	0.062	0.072	16.097	13.865
20年	1.220	0.820	0.045	0.055	22.019	18.046
25年	1.282	0.780	0.035	0.045	28.243	22.023
30年	1.348	0.742	0.029	0.039	34.785	25.808

※記載されている数値は正しいものとする。

問26

小泉さんは、相続により受け取った450万円を運用しようと考えている。これを10年間、年利1.0％で複利運用した場合、10年後の合計額はいくらになるか。

問27

蔵前さんは、退職金の1,900万円を今後25年間、年利1.0％で複利運用しながら毎年1回、年末に均等に生活資金として取り崩していきたいと考えている。毎年取り崩すことができる最大金額はいくらになるか。

問28

向井さんは、将来の子どもの大学進学費用の準備として新たに積立てを開始する予定である。毎年年末に20万円を積み立てるものとし、15年間、年利1.0％で複利運用しながら積み立てた場合、15年後の合計額はいくらになるか。

【第9問】 下記の（問29）〜（問34）について解答しなさい。

〈設例〉

　佐藤和彦さんは、民間企業に勤務する会社員である。和彦さんと妻の夏美さんは、今後の資産形成や家計の見直しなどについて、ＦＰで税理士でもある立川さんに相談をした。なお、下記のデータはいずれも2025年1月1日現在のものである。

[家族構成]

氏　名	続　柄	生年月日	年　齢	職　業
佐藤　和彦	本人	1988年10月 4 日	36歳	会社員（正社員）
夏美	妻	1988年 8 月 1 日	36歳	会社員（正社員）
秀実	長女	2017年 9 月10日	7 歳	小学生

[収入金額（2024年）]

　和彦さん：給与収入450万円。給与収入以外の収入はない。

　夏美さん：給与収入420万円。給与収入以外の収入はない。

[自宅]

　賃貸マンションに居住しており、家賃は月額13万円（管理費込み）である。

　マイホームとして販売価格4,500万円（うち消費税200万円）のマンションを購入する予定である。

[金融資産（時価）]

　和彦さん名義

　　銀行預金（普通預金）：380万円

　　銀行預金（外貨預金）：340万円

　夏美さん名義

　　銀行預金（普通預金）：170万円

　　銀行預金（定期預金）：300万円

[負債]

　和彦さんと夏美さんに負債はない。

[保険]

　定期保険Ａ：保険金額2,000万円。保険契約者（保険料負担者）および被保険者は和彦さんである。

　収入保障保険Ｂ：年金月額15万円。保険契約者（保険料負担者）および被保険者は和彦さん、年金受取人は夏美さんである。

問29

　佐藤さん夫妻は、2025年3月にマンションを購入する予定である。佐藤さん夫妻が〈設例〉のマンションを購入する場合の販売価格のうち、土地（敷地の共有持分）の価格を計算しなさい。なお、消費税の税率は10％とし、計算結果については万円未満の端数が生じる場合は四捨五入すること。また、解答に当たっては、解答用紙に記載されている単位に従うこと。

問30

　和彦さんは、契約中の収入保障保険Ｂの保障額について、ＦＰの立川さんに質問をした。立川さんが説明の際に使用した下記〈イメージ図〉を基に、2025年2月1日に和彦さんが死亡した場合に支払われる年金総額として、正しいものはどれか。なお、年金は毎月受け取るものとする。

〈イメージ図〉

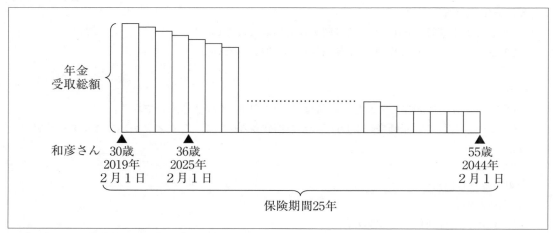

※和彦さんは、収入保障保険Ｂを2019年2月1日に契約している。
※保険期間は25年、保証期間は5年である。

1．　　900万円
2．1,080万円
3．3,420万円
4．4,500万円

問31

　ＦＰの立川さんは、個人に対する所得税の仕組みについて和彦さんから質問を受けた。立川さんが下記〈イメージ図〉を使用して行った所得税に関する次の（ア）〜（エ）の説明のうち、適切なものには○、不適切なものには×を解答欄に記入しなさい。

〈イメージ図〉

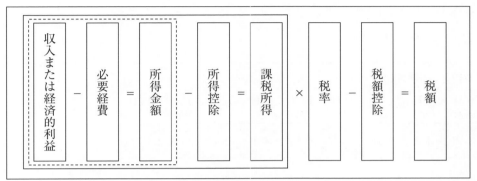

（出所：財務省ＨＰ「所得税の基本的な仕組み」を基に作成）

（ア）「和彦さんが定期保険Ａや収入保障保険Ｂの保険料を支払ったことにより受けられる生命保険料控除は、所得控除として、一定金額を所得金額から差し引くことができます。」

（イ）「和彦さんが住宅ローンを組んでマンションを購入することにより受けられる住宅借入金等特別控除（住宅ローン控除）は、所得控除として、一定金額を所得金額から差し引くことができます。」

（ウ）「和彦さんが空き巣に入られ盗難被害を受けたことによって受けられる雑損控除は、税額控除として、一定金額を所得税額から控除することができます。」

（エ）「夏美さんがふるさと納税をしたことにより受けられる寄附金控除は、税額控除として、一定金額を所得税額から差し引くことができます。」

問32

　和彦さんは、2024年12月から病気（私傷病）療養のため休業したことから、健康保険から支給される傷病手当金についてＦＰの立川さんに相談をした。和彦さんの休業に関する状況は下記〈資料〉のとおりである。〈資料〉に基づき、和彦さんに支給される傷病手当金に関する次の記述の（ア）～（ウ）に入る適切な語句を語群の中から選び、その番号のみを解答欄に記入しなさい。なお、和彦さんは、全国健康保険協会管掌健康保険（協会けんぽ）の被保険者である。また、記載のない条件については一切考慮しないこと。

〈資料〉

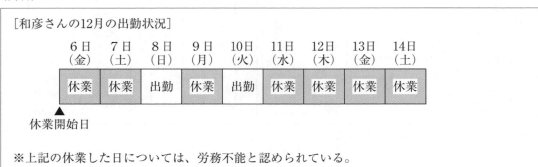

［和彦さんの12月の出勤状況］

6日 （金）	7日 （土）	8日 （日）	9日 （月）	10日 （火）	11日 （水）	12日 （木）	13日 （金）	14日 （土）
休業	休業	出勤	休業	出勤	休業	休業	休業	休業

▲
休業開始日

※上記の休業した日については、労務不能と認められている。

・和彦さんへの傷病手当金は、（　ア　）より支給が開始される。
・和彦さんへ支給される１日当たりの傷病手当金の額は、次の算式で計算される。
　［支給開始日以前の直近の継続した12ヵ月間の各月の標準報酬月額の平均額］÷30日 ×（　イ　）
・傷病手当金が支給される期間は、支給を開始した日から通算して、最長で（　ウ　）である。

〈語群〉
1．12月11日　　　　2．12月12日　　　　3．12月14日　　　　4．1／2　　　　5．2／3
6．3／4　　　　7．1年間　　　　8．1年6ヵ月　　　　9．2年間

問33

　和彦さんの弟の輝義さんは会社員であるが、2025年3月に33歳で自己都合退職し、退職後は雇用保険の基本手当を受給することを考えている。雇用保険の基本手当に関する次の記述の空欄（ア）～（ウ）に入る適切な語句を語群の中から選び、その番号のみを解答欄に記入しなさい。なお、輝義さんは、現在の会社に24歳で就職した以後、継続して雇用保険に加入しており、雇用保険の基本手当の受給要件はすべて満たしているものとする。また、輝義さんには、この他に雇用保険の加入期間はなく、障害者等の就職困難者には該当しないものとし、延長給付については考慮しないものとする。

- 基本手当を受給できる期間は、原則として離職の日の翌日から（　ア　）である。
- 輝義さんの場合、基本手当の所定給付日数は（　イ　）である。
- 輝義さんの場合、基本手当は、受給資格決定日以後、7日間の待期期間および（　ウ　）の給付制限期間を経て支給が開始される。

〈資料：基本手当の所定給付日数〉

[一般の受給資格者（特定受給資格者・一部の特定理由離職者以外の者）]

離職時の年齢	被保険者として雇用された期間			
	1年未満	1年以上10年未満	10年以上20年未満	20年以上
全年齢	－	90日	120日	150日

[特定受給資格者（倒産・解雇等による離職者）・一部の特定理由離職者]

離職時の年齢	被保険者として雇用された期間				
	1年未満	1年以上5年未満	5年以上10年未満	10年以上20年未満	20年以上
30歳未満	90日	90日	120日	180日	－
30歳以上35歳未満		120日	180日	210日	240日
35歳以上45歳未満		150日	180日	240日	270日
45歳以上60歳未満		180日	240日	270日	330日
60歳以上65歳未満		150日	180日	210日	240日

〈語群〉
1. 1年間　　　2. 1年6ヵ月　　　3. 2年間　　　4. 90日　　　5. 120日
6. 180日　　　7. 1ヵ月　　　8. 2ヵ月　　　9. 6ヵ月

問34

　和彦さんは、老後資金の準備として、個人型確定拠出年金（iDeCo）への加入を検討している。和彦さんが現時点で加入した場合の個人型確定拠出年金（iDeCo）に関する次の（ア）〜（エ）の記述について、適切なものには○、不適切なものには×を解答欄に記入しなさい。なお、和彦さんの勤務先は、企業型確定拠出年金も他の企業年金も実施していないものとする。

（ア）和彦さんが拠出する掛金は、月額23,000円が限度となる。

（イ）和彦さんが拠出した掛金は、その全額が社会保険料控除として、所得控除の対象となる。

（ウ）和彦さんの通算加入者等期間が10年以上ある場合、老齢給付金は60歳から受給することができるが、遅くとも70歳までに受給を開始しなければならない。

（エ）和彦さんが、将来年金として受け取る老齢給付金は、雑所得となり、公的年金等控除の適用を受けることができる。

【第10問】下記の（問35）〜（問40）について解答しなさい。

〈設例〉
　国内の企業に勤務する会社員の田中仁志さんは、今後の生活のことなどに関して、ＦＰで税理士でもある秋田さんに相談をした。なお、下記のデータは2025年1月1日現在のものである。

Ⅰ．家族構成（同居家族）

氏　名	続　柄	生年月日	年　齢	職　業
田中　仁志	本人	1966年7月29日	58歳	会社員
佳織	妻	1969年11月15日	55歳	会社員

Ⅱ．田中家の親族関係図

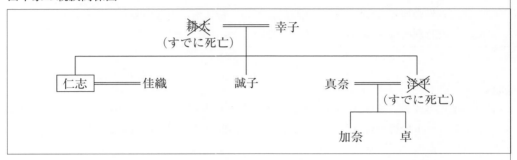

Ⅲ．田中家（仁志さんと佳織さん）の財産の状況
［資料1：保有資産（時価）］　　　　　　　　　　　　　（単位：万円）

	仁志	佳織
金融資産		
現金・預貯金	2,240	890
株式・投資信託	1,380	470
生命保険	［資料3］を参照	［資料3］を参照
不動産		
土地（自宅の敷地）	4,200	—
建物（自宅の家屋）	580	—
その他（動産等）	100	40

［資料2：負債残高］
・住宅ローン　：200万円（債務者は仁志さん。団体信用生命保険付き）
・自動車ローン： 30万円（債務者は仁志さん）

[資料3：生命保険] (単位：万円)

保険種類	保険契約者	被保険者	死亡保険金受取人	保険金額	解約返戻金相当額
終身保険A	仁志	仁志	佳織	500	300
終身保険B	佳織	仁志	佳織	200	150
個人年金保険C	仁志	仁志	佳織	—	420

注1：解約返戻金相当額は、現時点（2025年1月1日）で解約した場合の金額である。
注2：個人年金保険Cは、据置期間中に被保険者が死亡した場合には、払込保険料相当額が死亡保険金として支払われるものである。
注3：すべての契約において、保険契約者が保険料を全額負担している。
注4：契約者配当および契約者貸付については考慮しないこと。

Ⅳ．その他
　　上記以外の情報については、各設問において特に指示のない限り一切考慮しないこと。また、復興特別所得税については考慮しないこと。

問35

　ＦＰの秋田さんは、まず現時点（2025年1月1日時点）における田中家（仁志さんと佳織さん）のバランスシート分析を行うこととした。下表の空欄（ア）に入る数値を計算しなさい。

〈田中家（仁志さんと佳織さん）のバランスシート〉 (単位：万円)

［資　産］		［負　債］	
金融資産		住宅ローン	×××
現金・預貯金	×××	自動車ローン	×××
株式・投資信託	×××	負債合計	×××
生命保険（解約返戻金相当額）	×××		
不動産			
土地（自宅の敷地）	×××	［純資産］	（ア）
建物（自宅の家屋）	×××		
その他（動産等）	×××		
資産合計	×××	負債・純資産合計	×××

問36

　　仁志さんは、病気療養のため2024年11月、MW病院に10日間入院し、退院後の同月内に同病院に10日間通院した。仁志さんの2024年11月の１ヵ月間における保険診療分の医療費（窓口での自己負担分）が入院について22万円、退院後の通院について５万円、さらに入院時の食事代が１万円、差額ベッド代が５万円であった場合、下記〈資料〉に基づく高額療養費として支給される額として、正しいものはどれか。なお、仁志さんは全国健康保険協会管掌健康保険（協会けんぽ）の被保険者であって標準報酬月額は47万円であるものとする。また、マイナ保険証ではなく健康保険証を使用しており、MW病院に「健康保険限度額適用認定証」の提示はしておらず、多数該当は考慮しないものとし、同月中に〈資料〉以外の医療費はないものとする。

〈資料〉

[2024年11月分の高額療養費の算定]

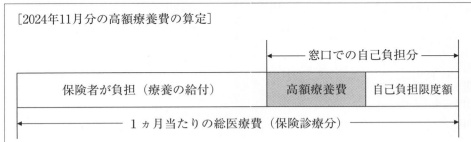

[医療費の１ヵ月当たりの自己負担限度額（70歳未満の人）]

標準報酬月額	自己負担限度額（月額）
① 83万円以上	252,600円＋（総医療費－842,000円）×１％
② 53万～79万円	167,400円＋（総医療費－558,000円）×１％
③ 28万～50万円	80,100円＋（総医療費－267,000円）×１％
④ 26万円以下	57,600円
⑤ 市区町村民税非課税者等	35,400円

1．　86,430円
2．　88,430円
3．183,570円
4．241,570円

問37

　　仁志さんが2024年中に行った国内公募株式投資信託であるKファンドの取引は、下記〈資料〉のとおりである。仁志さんの2024年分のKファンドに係る譲渡所得の金額として、正しいものはどれか。なお、仁志さんは、2021年以前にKファンドを保有したことはない。また、いずれの取引も基準価額での購入または売却である。

〈資料：Kファンドの取引状況〉

年月	取引の内容	1万口当たりの基準価額	手数料等
2022年11月	200万口購入	10,000円	40,000円
2023年9月	100万口購入	14,000円	28,000円
2024年1月	100万口購入	13,000円	26,000円
2024年8月	200万口売却	12,500円	―

1．▲152,000円
2．　 56,000円
3．　103,000円
4．　150,000円

問38

　　仁志さんは、国内の証券会社の特定口座（源泉徴収選択口座）で保有していた利付国債が2024年12月に満期を迎え、償還金を受け取った（下記〈資料〉参照）。この国債の償還金に課される所得税および住民税の合計額を計算しなさい。なお、解答に当たっては、償還の際に支払われる利子については考慮しないこと。また、解答用紙に記載されている単位に従うこととし、復興特別所得税および2024年分所得税について定額による所得税額の特別控除（定額減税）については考慮しないこと。

〈資料：利付国債の明細〉

額面金額：500万円
購入価格：額面100円につき97.00円 　　　　　（購入時の手数料およびその消費税等については考慮しない）
保有期間：6年

問39

　全国健康保険協会管掌健康保険（協会けんぽ）の被保険者である仁志さんは、60歳で定年退職し、すぐに再就職しない場合の公的医療保険について、ＦＰの秋田さんに質問をした。退職後の公的医療保険制度に関する次の説明の空欄（ア）～（エ）にあてはまる語句の組み合わせとして、最も適切なものはどれか。なお、仁志さんは障害者ではない。

　「協会けんぽの被保険者が定年などによって会社を退職し、すぐに再就職しない場合は、協会けんぽの任意継続被保険者になるか、住所地の市区町村の国民健康保険に加入して一般被保険者となるかなどの選択肢が考えられます。

　協会けんぽの任意継続被保険者になるには、退職日の翌日から（　ア　）以内に、住所地の協会けんぽ都道府県支部において加入手続きをしなければなりません。任意継続被保険者の保険料は、退職前の被保険者資格を喪失した際の標準報酬月額、または協会けんぽの全被保険者の標準報酬月額の平均額に基づく標準報酬月額のいずれか低い額に、都道府県支部ごとに定められた保険料率を乗じて算出し、その（　イ　）を任意継続被保険者本人が負担します。なお、任意継続被保険者となれる期間は、最長2年間です。

　一方、国民健康保険の被保険者になるには、原則として退職日の翌日から（　ウ　）以内に、住所地の市区町村において加入手続きを行います。国民健康保険の保険料（保険税）は、市区町村ごとに算出方法が異なりますが、一つの世帯に被保険者が複数いる場合は、（　エ　）が保険料を徴収されます。」

1．（ア）20日　　（イ）全額　　（ウ）14日　　（エ）世帯主
2．（ア）14日　　（イ）全額　　（ウ）20日　　（エ）加入者それぞれ
3．（ア）14日　　（イ）半額　　（ウ）20日　　（エ）世帯主
4．（ア）20日　　（イ）半額　　（ウ）14日　　（エ）加入者それぞれ

問40

　仁志さんと佳織さんは、公的年金の老齢給付の受取り方について考えており、ＦＰの秋田さんに質問をした。秋田さんの説明のうち、最も適切なものはどれか。

1．「仁志さんは、特別支給の老齢厚生年金を受け取ることはできませんが、佳織さんは、特別支給の老齢厚生年金を受け取ることができます。」
2．「仮に、仁志さんが、63歳到達月に老齢基礎年金と老齢厚生年金の繰上げ支給の請求をした場合、その減額率は12.0％となり、生涯にわたり減額された年金を受け取ることになります。」
3．「支給繰上げの請求は、老齢基礎年金と老齢厚生年金について別々に行うこともできます。」
4．「仮に、佳織さんが、71歳到達月に老齢基礎年金の繰下げ支給の申出をした場合、その増額率は50.4％となり、生涯にわたり増額された年金を受け取ることになります。」

第1予想　学科　答案用紙

氏	フリガナ	
名	漢　字	

点数 ／60

問題番号	解　答　番　号				問題番号	解　答　番　号			
問　1	1	2	3	4	問　31	1	2	3	4
問　2	1	2	3	4	問　32	1	2	3	4
問　3	1	2	3	4	問　33	1	2	3	4
問　4	1	2	3	4	問　34	1	2	3	4
問　5	1	2	3	4	問　35	1	2	3	4
問　6	1	2	3	4	問　36	1	2	3	4
問　7	1	2	3	4	問　37	1	2	3	4
問　8	1	2	3	4	問　38	1	2	3	4
問　9	1	2	3	4	問　39	1	2	3	4
問　10	1	2	3	4	問　40	1	2	3	4
問　11	1	2	3	4	問　41	1	2	3	4
問　12	1	2	3	4	問　42	1	2	3	4
問　13	1	2	3	4	問　43	1	2	3	4
問　14	1	2	3	4	問　44	1	2	3	4
問　15	1	2	3	4	問　45	1	2	3	4
問　16	1	2	3	4	問　46	1	2	3	4
問　17	1	2	3	4	問　47	1	2	3	4
問　18	1	2	3	4	問　48	1	2	3	4
問　19	1	2	3	4	問　49	1	2	3	4
問　20	1	2	3	4	問　50	1	2	3	4
問　21	1	2	3	4	問　51	1	2	3	4
問　22	1	2	3	4	問　52	1	2	3	4
問　23	1	2	3	4	問　53	1	2	3	4
問　24	1	2	3	4	問　54	1	2	3	4
問　25	1	2	3	4	問　55	1	2	3	4
問　26	1	2	3	4	問　56	1	2	3	4
問　27	1	2	3	4	問　57	1	2	3	4
問　28	1	2	3	4	問　58	1	2	3	4
問　29	1	2	3	4	問　59	1	2	3	4
問　30	1	2	3	4	問　60	1	2	3	4

キリトリ線

〈学科〉

第2予想　学科　答案用紙

氏	フリガナ	
名	漢　字	

点数	/60

問題番号	解　答　番　号				問題番号	解　答　番　号			
問　1	①	②	③	④	問　31	①	②	③	④
問　2	①	②	③	④	問　32	①	②	③	④
問　3	①	②	③	④	問　33	①	②	③	④
問　4	①	②	③	④	問　34	①	②	③	④
問　5	①	②	③	④	問　35	①	②	③	④
問　6	①	②	③	④	問　36	①	②	③	④
問　7	①	②	③	④	問　37	①	②	③	④
問　8	①	②	③	④	問　38	①	②	③	④
問　9	①	②	③	④	問　39	①	②	③	④
問　10	①	②	③	④	問　40	①	②	③	④
問　11	①	②	③	④	問　41	①	②	③	④
問　12	①	②	③	④	問　42	①	②	③	④
問　13	①	②	③	④	問　43	①	②	③	④
問　14	①	②	③	④	問　44	①	②	③	④
問　15	①	②	③	④	問　45	①	②	③	④
問　16	①	②	③	④	問　46	①	②	③	④
問　17	①	②	③	④	問　47	①	②	③	④
問　18	①	②	③	④	問　48	①	②	③	④
問　19	①	②	③	④	問　49	①	②	③	④
問　20	①	②	③	④	問　50	①	②	③	④
問　21	①	②	③	④	問　51	①	②	③	④
問　22	①	②	③	④	問　52	①	②	③	④
問　23	①	②	③	④	問　53	①	②	③	④
問　24	①	②	③	④	問　54	①	②	③	④
問　25	①	②	③	④	問　55	①	②	③	④
問　26	①	②	③	④	問　56	①	②	③	④
問　27	①	②	③	④	問　57	①	②	③	④
問　28	①	②	③	④	問　58	①	②	③	④
問　29	①	②	③	④	問　59	①	②	③	④
問　30	①	②	③	④	問　60	①	②	③	④

第3予想　学科　答案用紙

氏	フリガナ	
名	漢　字	

点数	/60

問題番号	解　答　番　号			
問　1	1	2	3	4
問　2	1	2	3	4
問　3	1	2	3	4
問　4	1	2	3	4
問　5	1	2	3	4
問　6	1	2	3	4
問　7	1	2	3	4
問　8	1	2	3	4
問　9	1	2	3	4
問　10	1	2	3	4
問　11	1	2	3	4
問　12	1	2	3	4
問　13	1	2	3	4
問　14	1	2	3	4
問　15	1	2	3	4
問　16	1	2	3	4
問　17	1	2	3	4
問　18	1	2	3	4
問　19	1	2	3	4
問　20	1	2	3	4
問　21	1	2	3	4
問　22	1	2	3	4
問　23	1	2	3	4
問　24	1	2	3	4
問　25	1	2	3	4
問　26	1	2	3	4
問　27	1	2	3	4
問　28	1	2	3	4
問　29	1	2	3	4
問　30	1	2	3	4

問題番号	解　答　番　号			
問　31	1	2	3	4
問　32	1	2	3	4
問　33	1	2	3	4
問　34	1	2	3	4
問　35	1	2	3	4
問　36	1	2	3	4
問　37	1	2	3	4
問　38	1	2	3	4
問　39	1	2	3	4
問　40	1	2	3	4
問　41	1	2	3	4
問　42	1	2	3	4
問　43	1	2	3	4
問　44	1	2	3	4
問　45	1	2	3	4
問　46	1	2	3	4
問　47	1	2	3	4
問　48	1	2	3	4
問　49	1	2	3	4
問　50	1	2	3	4
問　51	1	2	3	4
問　52	1	2	3	4
問　53	1	2	3	4
問　54	1	2	3	4
問　55	1	2	3	4
問　56	1	2	3	4
問　57	1	2	3	4
問　58	1	2	3	4
問　59	1	2	3	4
問　60	1	2	3	4

キリトリ線

〈学科〉

実技　金財 個人資産相談業務　答案用紙

氏名	フリガナ		点数	/50
	漢　字			

【第1問】

《問1》

① _____ (円)	② _____ (円)
③ _____ (円)	④ _____ (円)

《問2》

	①	②	③
記号			

《問3》

	①	②	③
○×判定			

【第2問】

《問4》

① _____ (倍)	② _____ (倍)

《問5》

	①	②	③
○×判定			

《問6》

	①	②	③
○×判定			

キリトリ線

【第3問】

《問7》

	①	②	③
記号			

《問8》

	①	②	③
○×判定			

《問9》

① _____ (万円)　　② _____ (万円)

【第4問】

《問10》

① _____ (㎡)　　② _____ (㎡)

《問11》

	①	②	③
○×判定			

《問12》

	①	②	③
記号			

【第5問】

《問13》

	①	②	③	④
○×判定				

《問14》

	①	②	③
○×判定			

《問15》

① _____ (万円)　　② _____ (万円)

③ _____ (万円)

キ
リ
ト
リ
線

実技　金財 生保顧客資産相談業務　答案用紙

氏名	フリガナ		点数	
	漢　字			／50

【第1問】

《問1》

① ＿＿＿＿＿＿＿＿＿＿＿＿（円）　　② ＿＿＿＿＿＿＿＿＿＿＿＿（円）

《問2》

	①	②	③
○×判定			

《問3》

	①	②	③
記号			

【第2問】

《問4》

① ＿＿＿＿＿＿＿＿＿＿＿＿（万円）　　② ＿＿＿＿＿＿＿＿＿＿＿＿（万円）

③ ＿＿＿＿＿＿＿＿＿＿＿＿（万円）

《問5》

	①	②	③
○×判定			

《問6》

	①	②	③	④
○×判定				

【第3問】

《問7》

① _____ (万円) ② _____ (万円)

《問8》

	①	②	③	④
○×判定				

《問9》

	①	②	③
○×判定			

【第4問】

《問10》

	①	②	③
○×判定			

《問11》

	①	②	③	④
記号				

《問12》

① _____ (円) ② _____ (円)

③ _____ (円)

【第5問】

《問13》

① _____ (万円) ② _____ (万円)

③ _____ (万円) ④ _____ (万円)

《問14》

	①	②	③
記号			

《問15》

	①	②	③
○×判定			

キリトリ線

実技　日本FP協会　資産設計提案業務　答案用紙

氏名	フリガナ	
	漢　字	

点数 ／100

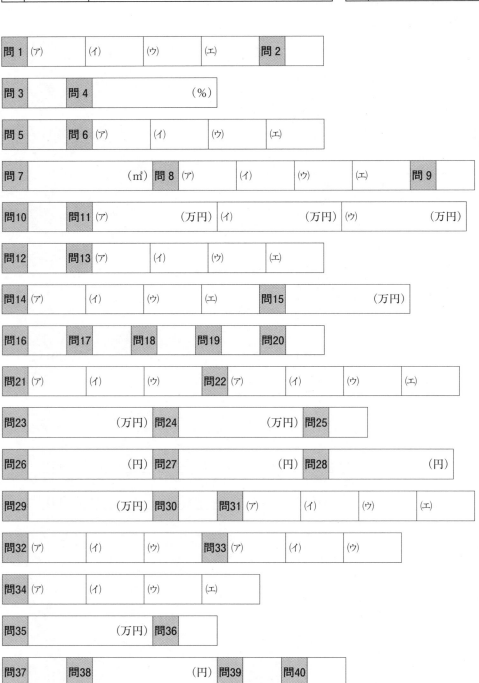

問 1	(ア)	(イ)	(ウ)	(エ)	問 2	

問 3		問 4		(%)

問 5		問 6	(ア)	(イ)	(ウ)	(エ)

問 7		(㎡)	問 8	(ア)	(イ)	(ウ)	(エ)	問 9	

問10		問11	(ア)	(万円)	(イ)	(万円)	(ウ)	(万円)

問12		問13	(ア)	(イ)	(ウ)	(エ)

問14	(ア)	(イ)	(ウ)	(エ)	問15		(万円)

問16		問17		問18		問19		問20	

問21	(ア)	(イ)	(ウ)	問22	(ア)	(イ)	(ウ)	(エ)

問23		(万円)	問24		(万円)	問25	

問26		(円)	問27		(円)	問28		(円)

問29		(万円)	問30		問31	(ア)	(イ)	(ウ)	(エ)

問32	(ア)	(イ)	(ウ)	問33	(ア)	(イ)	(ウ)

問34	(ア)	(イ)	(ウ)	(エ)

問35		(万円)	問36	

問37		問38		(円)	問39		問40	

〈日本FP協会　資産設計提案業務〉